KB019571

痴人の愛

치인의 사랑

초판 1쇄 발행 | 2022년 3월 30일

지은이 다니자키 준이치로
옮긴이 장현주
발행인 한명선

주소 서울시 종로구 평창길 329(우편번호 03003)
문의전화 02-394-1037(편집) 02-394-1047(마케팅)
팩스 02-394-1029
전자우편 saeum98@hanmail.net
블로그 blog.naver.com/saeumpub
페이스북 facebook.com/saeumbooks
인스타그램 instagram.com/saeumbooks

발행처 (주)새움출판사
출판등록 1998년 8월 28일(제10-1633호)

ISBN 979-11-90473-73-6 03830

치인의 사랑

痴人の愛

다니자키 준이치로

장현주 옮김

새움

차례

일러두기

1. 다니자키 준이치로(谷崎潤一郎)의 『치인의 사랑(痴人の愛)』은 1924년 3월 「오사카 매일신문(大阪毎日新聞)」(6월에 중단)에 연재. 11월, 그 속편을 「여성(女性)」(다음 해 7월에 완결)에 연재. 1925년 7월, 『치인의 사랑』을 가이조사(改造社)에서 간행했다. 『문신(刺青)』은 1910년 「신사조(新思潮)」에 발표했다.
2. 본문 하단의 설명은 신초문고(新潮文庫) 『치인의 사랑』 『문신 · 비밀』의 주해를 참고 하였다.
3. 이 책은 신초문고의 『치인의 사랑』과 『문신 · 비밀』을 원본으로 삼았다.

문신

그때는 아직 사람들이 '어리석음'이라는 고귀한 덕을 가지고 있고, 세상이 지금처럼 서로 심하게 다투지 않았을 때였다. 주군과 주인의 편안한 얼굴이 어두워지지 않도록, 하녀와 유녀의 웃음거리가 끊이지 않도록 말재주로 먹고사는 무가에서 다도를 맡아보던 남자니, 주흥을 돋우는 것을 업으로 삼는 남자니 하는 직업이 어엿이 존재할 정도로, 세상이 **태평하던** 때였다. 온나사다구로女定九郎*, 온나지라이야女自雷也**, 온나나루카미女鳴神***, 당시의 연극에서도 구사조시草双紙****에서도 모든 아름다운 자는 강자이고, 못생긴 자는 약자였다. 누구나 모두 아름다워지고자 애쓴 결과, 타고난 몸에 물감을 주입하

* 가와타케 모쿠아미(河竹默阿弥), 1865년 초연(初演)의 가부키 『주신구라고니치타테마에(忠臣蔵後日建前)』의 통칭. 『주신구라고니치타테마에』 5행째에 나오는 산적 오노사다구로(斧定九)의 아내로 악녀 마무시노오이치(蝮のお市)를 중심으로 한 주신구라 후일담이다.

** 중국에 있었던 '아래야(我來也)의 이야기'를 취재해, 1820년에 출판된 작가 도리 산진(東里山人)의 구사조시 『기구나라쿠온나지라이야(聞道女自雷也)』.

*** 가부키 『나루카미(鳴神)』 의 주인공 나루카미쇼닌(鳴神上人)을 비구니로 각색한 작품이다.

**** 에도시대의 삽화가 든 통속 소설의 총칭.

기에 이르렀다. 가혹한, 때로는 현란한 선과 색이 그 무렵 사람들의 피부에서 춤췄다.

우마미치馬道*를 지나는 손님은, 멋진 문신**이 있는 가마꾼을 골라 탔다. 요시와라吉原***, 다쓰미辰巳****의 여자도 아름다운 문신이 있는 남자에게 반했다. 노름꾼, 노무자는 물론, 상인에서 드물게는 사무라이도 문신을 했다. 가끔 두 지역에서 개최된 문신대회에서는 참가자들이 제각각 피부를 두드리며 서로 기발한 의장意匠을 뽐내고, 평가했다. 세이키치清吉라는 젊고 유능한 문신사가 있었다. 아사쿠사浅草의 **차리 몬**ちゃり文 마쓰시마초松島町의 야쓰헤이奴平, **곤콘 지로**こんこん次郎*****에게도 뒤지지 않는 문신의 명수라고 많은 사람의 입에 오르내렸고, 사람들 몇십 명의 피부는 그의 붓 아래 화폭이 되어 펼쳐졌다. 문신대회에서 호평을 받은 문신의 대부분은 그의 손에 의한 것이었다. 다루마 긴達磨金은 농담을 점점 짙게 또는 점점 엷게 하는 선염 기법 문신을 잘한다고 널리 알려졌고, 가라쿠사 곤타唐草権太는 붉은 문신의 명수로 칭송받았고, 세이키치는 기발한 구도와 요염한 선으로 유명했다.

* 센소지(浅草寺)의 동측에서 북쪽으로 향하는 길로, 유곽 요시와라(吉原)에 다니는 손님이 빈번히 이용했다.

** 원래 중국의 풍속으로, 1827년 우타가와 구니요시(歌川 芳)가 정교하고 화려한 문신이 있는 『수호전(水滸傳)』의 호걸 백팔명의 다색도(多色度) 판화를 팔기 시작하여, 에도 협객을 중심으로 붐이 일었다.

*** 에도에서 유일하게 막부가 공인한 유곽.

**** 에도시대 말기, 에도성 동남방 후카가와(深河) 지역에 있던 유곽.

***** 1830~1850년 무렵에 실재했던 문신사.

원래 도요쿠니豊国* 구니사다国定**의 화풍을 앙모해 풍속 화가를 생업으로 삼았던 만큼, 문신사로 타락하고 나서의 세이키치에게도 화가다운 양심과 민감함이 남아있었다. 그의 마음을 매혹할 정도의 피부와 골격을 가진 사람이 아니면 그의 문신을 받을 수 없었다. 우연히 문신을 그려 받았다고 해도 일체의 구도와 비용을 그가 바라는 대로 하고, 게다가 바늘 끝의 고통을 한 달이고 두 달이고 참아야만 했다.

이 젊은 문신사의 마음에는 남모르는 쾌감과 숙원이 내재해 있었다. 그가 사람들의 피부를 바늘로 찌를 때, 새빨갛게 피를 머금고 부풀어 오른 피부의 가려움을 견딜 수 없어, 대부분의 남자는 괴로운 신음을 내는데, 그 신음이 심하면 심할수록 그는 이상하게도 말하기 어려운 쾌감을 느끼는 것이었다. 문신 중에서도 특히 아프다는 붉은 문신, 선염 기법 문신, 그걸 사용하는 것을 그는 특히 기뻐했다. 하루 평균 약 5~6백 개의 바늘에 찔리고, 색을 선명하게 하려고 따뜻한 물에 몸을 담그고 나온 사람은, 모두 반죽음 상태로 세이키치의 발아래 쓰러진 채 한동안 꼼짝도 할 수 없었다. 그 무참한 모습을 언제나 세이키치는 싸늘하게 바라보며,

"오죽이나 아프겠소."

* 우타가와 도요쿠니(歌川豊国, 1769~1825) 에도 후기의 풍속화가. 미인화와 배우 그림의 명수.

** 우타가와 구니사다(歌川国定, 1786~1864) 도요쿠니의 수제자로 미인화, 풍속화에서 수많은 걸작을 남겼다.

라고 말하면서 기분 좋게 웃는다. 패기 없는 남자가, 마치 죽을 때 괴로워하는 것처럼 입을 일그러뜨리고 이을 악물고 끙끙 비명을 지르면 그는,

"너도 에도 토박이다. 참아라. 이 세이키치의 바늘은 엄청 아프니까."

이렇게 말하고 눈물 젖은 남자의 얼굴을 곁눈으로 보면서, 상관하지 않고 문신을 새겨 갔다. 아직 인내심이 있는 자가 딱 각오를 정하고 눈썹 하나 찡그리지 않은 채 참고 있으면,

"흠, 넌 보기와는 다르게 고집이 센 녀석이다. 하지만 두고 봐라. 이제 곧 슬슬 욱신거리기 시작해서 도저히 견딜 수 없게 될 테니까."

라고, 하얀 이를 드러내며 웃었다.

그의 오랜 숙원은 빛나는 미녀의 피부를 얻어 거기에 자신의 영혼을 새겨 넣는 것이었다. 그 여자의 소질과 용모에 대해서는 여러 조건이 있었다. 그저 아름다운 얼굴, 아름다운 피부만으로는 그는 좀처럼 만족할 수 없었다. 에도 중 유곽에 있는 유명한 여자란 여자는 다 조사해도, 그의 성미에 꼭 들어맞는 멋과 정도는 좀처럼 발견되지 않았다. 아직 본 적 없는 사람의 모습을 마음에 그리며 삼사 년은 헛되이 동경하면서도 그는 여전히 그 바람을 버리지 못하고 있었다.

딱 4년째 되는 여름의 어느 저녁, 후카가와深川의 요리점 히라세이平清 앞을 지날 때, 그는 문득 문간에서 기다리고 있는

가마의 발 뒤에서 새하얀 여자의 맨발이 나와 있는 것을 알아차렸다. 예리한 그의 눈에는, 인간의 발은 그 얼굴과 마찬가지로 복잡한 표정을 가진 것처럼 비쳤다. 그 여자의 발은 그에게 있어서 고귀한 살로 이루어진 보석이었다. 엄지발가락부터 새끼발가락까지 섬세한 다섯 발가락의 가지런함, 에노시마絵の島 해변에서 잡히는 옅은 선홍색 조개에게도 뒤지지 않을 발톱 색깔, 구슬 같은 뒤꿈치의 둥그스름함, 맑고 찬 바위 사이의 물이 끊임없이 발치를 씻는 것이 아닐까 의심이 드는 피부의 윤기. 이 발이야말로 머지않아 남자의 피로 살찌고 남자의 시체를 짓밟을 발이었다. 이 발을 가진 여자야말로 그가 오랫동안 찾아 헤맨 여자 중의 여자일 거라고 여겨졌다. 세이키치는 뛰는 가슴을 진정시키고, 그 사람의 얼굴을 보고 싶어 가마 뒤를 뒤쫓아갔지만, 약 이삼 백 미터 갔을 때 더 이상 그 모습은 보이지 않았다.

세이키치의 동경하는 마음이 격한 사랑으로 바뀌어 그 해도 저물고, 5년째의 봄도 절반쯤 지난 어느 날 아침이었다. 그는 후카가와 사가초佐賀町의 집에서, 이쑤시개를 입에 물고 덧문 밖에 대나무로 만든 툇마루에서 만년청 화분을 바라보고 있는데, 정원 뒷문에 누군가 찾아온 인기척이 나더니 울타리 뒤에서 여태까지 한 번도 본 적 없는 계집아이가 들어왔다.

그녀는 세이키치가 유곽 다쓰미의 단골 기생이 보낸 심부름꾼이었다.

"언니가 이 하오리*를 나리께 드리고, 뭔가 안감에 그림**을 그려주시도록 부탁드리라고……"

라고 그녀는 선명한 황금색 보자기를 풀고, 안에서 이와이 도자쿠岩井杜若***의 초상화가 그려진 두꺼운 종이에 쌓인 여성용 하오리와 편지 한 통을 꺼냈다.

그 편지에는 하오리를 잘 부탁한다는 말끝에, '심부름꾼 계집아이는 조만간 자신의 동생뻘로서 연회에 나갈 것이니, 저도 잊지 마시고, 이 아이도 이끌어주세요'라고 적혀 있었다.

"어쩐지 본 적 없는 얼굴이라고 생각했는데, 그럼 넌 요즘 이곳에 온 거로구나."

이렇게 말하고 세이키치는 찬찬히 계집아이의 모습을 보았다. 나이는 겨우 열여섯이나 열일곱쯤 되어 보였는데, 그 아이의 얼굴은 이상하게도 오랜 세월을 유곽에서 살며, 몇십 명의 남자의 영혼을 가지고 논 중년 여인처럼 무섭게 정돈되어 있었다. 그 얼굴은 나라 안의 죄와 재물이 흘러들어 오는 수도 안에서, 몇십 년 전부터 몇 번이고 다시 태어난 **용모**가 아름다운 많은 남녀의, 수많은 꿈에 나올 법한 기량이었다.

"너는 작년 6월 무렵, 히라세이에서 가마로 돌아간 일이 있느냐?"

* 일본 옷 위에 입는 짧은 겉옷.

** 사치를 금한 간세이(寬政) 개혁(1787~93) 무렵부터, 밖에서는 보이지 않게 옷의 안쪽에 화려한 그림 무늬를 넣는 것이 유행했다.

*** (1776~1847) 가부키 배우. 독부, 요부 연기를 잘 하는 배우.

이렇게 물으면서, 세이키치는 계집아이를 마루 끝에 앉게 하고, 등심초를 엮어서 만든 질 좋은 다다미 겉자리를 덧댄 신발에 올려진 정교한 맨발을 자세히 바라보았다.

"네. 그때 아버지가 살아계셔서, 히라세이에 자주 갔었죠."

라고 계집아이는 기묘한 질문에 웃으면서 대답했다.

"딱 햇수로 5년, 나는 너를 기다리고 있었다. 얼굴을 보는 건 처음이지만, 네 발은 기억이 있다. 네게 보여주고 싶은 것이 있으니 들어와서 천천히 놀다 가려무나."

라고 세이키치는 인사를 하고 돌아가려는 계집아이의 손을 잡고, 오카와大川* 강물이 바라다보이는 이층 객실로 안내한 후, 두루마리를 두 개 꺼내 와서, 우선 그중 하나를 계집아이 앞에 펼쳤다.

그것은 옛날 폭군 주왕紂王**의 총애를 받던 왕비, 말희末喜***를 그린 그림이었다. 유리 산호를 박은 금관의 무게를 견디지 못하는 가냘픈 몸을 축 늘어뜨린 채 난간에 기대고 있다. 비단 치맛자락을 계단 중간까지 휘날리고, 오른손으로 커다란 술잔을 기울이면서 바야흐로 정원 앞에서 처형되려는 산 제물인 남자를 바라보고 있는 왕비의 모습도 그렇고, 쇠사슬에 사지가 쇠기둥에 묶여 마지막 운명을 기다리며 왕비 앞에 머

* 스미다(隅田) 강 하류의 통칭.

** 고대 중국 은나라의 마지막 왕이다. 지혜롭고 용맹하였으나 달기(妲己)에 빠진 후 주색을 일삼고 포학한 정치로 주나라 무왕에게 살해되었다.

*** 고대 중국 하나라의 마지막 왕인 걸왕의 왕비 중 한 명. 작가는 달기와 말희를 혼동하고 있음.

리를 떨구고, 눈을 감은 남자의 안색도 그렇고, 굉장할 정도로 솜씨 좋게 그려져 있다.

계집아이는 잠시 이 기괴한 그림을 바라보고 있었는데, 어느새 그 눈동자는 빛나고 그 입술은 떨렸다. 이상하게도 그 얼굴은 점점 왕비의 얼굴과 비슷해졌다. 계집아이는 거기에 숨어 있는 진정한 '자신'을 발견했다.

"이 그림에는 너의 마음이 나타나 있단다."

이렇게 말하고, 세이키치는 유쾌하게 웃으면서 계집아이의 얼굴을 들여다보았다.

"어째서 이런 무서운 그림을 제게 보여주시는 건가요?"

라고 계집아이는 창백해진 이마를 쳐들며 말했다.

"이 그림의 여자는 너다. 이 여자의 피가 네 몸에 섞여 있을 것이다."

라며, 그는 다시금 다른 하나의 화폭을 펼쳤다.

그 그림의 제목은 '비료'였다. 화면 중앙에, 젊은 여자가 벚나무 줄기에 몸을 기대고, 발치에 겹겹이 쌓여 쓰러져 있는 수많은 남자의 시체를 바라보고 있다. 여자의 주변을 빙빙 돌면서 개가를 부르는 작은 새의 무리, 여자의 눈동자에 넘치는 억누르기 어려운 긍지와 기쁨의 빛깔. 그것은 싸움 흔적의 풍경인가, 화원의 봄 풍경인가. 그것을 본 계집아이는 자신과 자신의 마음속에 숨어 있던 뭔가를 찾아낸 기분이었다.

"이것은 네 미래를 그림으로 나타낸 것이다. 여기에 쓰러져 있는 사람들은 모두 앞으로 너를 위해 목숨을 버릴 것이다."

이렇게 말하고 세이키치는 계집아이의 얼굴과 조금도 다르지 않은 그림의 여자를 가리켰다.

"부탁이니, 빨리 그 그림을 치워주세요."

계집아이는 유혹을 피하듯이 그림에 등을 돌리고 다다미 위에 엎드렸는데, 이윽고 다시 입술을 와들와들 떨었다.

"나리, 자백합니다. 저는 나리가 헤아리신 대로 그 그림의 여자와 같은 천성을 가지고 있습니다. 그러니 이제 용서하시고 그걸 치워주세요."

"그런 비겁한 말 하지 말고 더욱 자세히 이 그림을 보거라. 이걸 무서워하는 것도 지금뿐일 거다."

이렇게 말한 세이키치의 얼굴에는 여느 때와 마찬가지의 심술궂은 미소가 감돌고 있었다.

하지만 계집아이의 머리는 좀처럼 들리지 않았다.

홑옷 소매로 얼굴을 덮고 언제까지고 푹 엎드린 채,

"나리, 부디 저를 보내주세요. 나리 옆에 있는 것은 무서우니까요."

라고 몇 번이나 거듭 말했다.

"기다려라. 내가 너를 기량이 훌륭한 여자로 만들어줄 테니까."

라고 말하면서, 세이키치는 가만히 계집아이 옆으로 다가갔다. 그의 품에는 일찍이 네덜란드 의사에게 받은 마취제 병이 숨겨져 있었다.

햇살은 환하게 강물을 비추고, 다다미 여덟 장이 깔린 객실은 타는 듯이 밝게 빛났다. 수면에서 반사된 광선이, 천진난만하게 잠든 계집아이의 얼굴과 장지문 종이에 황금색 파문을 그리며 흔들리고 있었다. 방에 칸막이를 단단히 하고 문신 도구를 손에 든 세이키치는 한동안은 그저 넋을 잃고 앉아 있을 뿐이었다. 그는 지금 비로소 여자의 묘상妙相을 찬찬히 음미할 수 있었다. 그 움직이지 않는 얼굴을 마주하니, 십 년 백 년 이 방에서 정좌한다 해도 싫증 나지 않을 것 같았다. 옛 멤피스*의 백성들이 장엄한 이집트 천지를 피라미드와 스핑크스로 장식한 것처럼, 세이키치는 청정한 인간의 피부를, 자신의 사랑으로 채색하려 하는 것이었다.

이윽고 그는 왼손의 새끼손가락과 약지, 엄지 사이에 끼운 붓끝을 계집아이의 등에 누이고, 그 위에서 오른손으로 바늘을 찔러 나갔다. 젊은 문신사의 영혼은 검은 먹물 안에 녹아서 피부에 번졌다. 소주에 섞어 찔러 넣는 붉은 염료 한 방울 한 방울은 그의 목숨 방울이었다. 그는 거기에서 자신의 영혼의 색을 보았다.

어느새 정오도 지나고, 화창한 봄은 차차 저물어가고 있었지만, 세이키치의 손은 조금도 쉬지 않았고, 여자도 잠에서 깨지 않았다. 계집아이의 귀가가 늦어지는 것을 걱정하여 마

* 카이로 남쪽에 있던 고대 이집트 도시.

중하러 온 하코야箱屋*에게까지,

"그 아이라면 벌써 돌아갔소."

라고 말하며 되돌려 보냈다. 달이 강 건너 도슈土州 저택** 위에 걸리고, 꿈같은 빛이 연안 일대의 집들의 방으로 흘러 들어갈 무렵에도, 문신은아직 절반도 완성하지 못했고, 세이키치는 오직 한 마음으로 촛불의 심지를 돋우고 있었다.

한 점의 색을 물들이는 것도 그에게 쉬운 작업은 아니었다. 그는 바늘을 찌르고 뺄 때마다 깊은 한숨을 쉬었다. 자신의 가슴이 찔리는 듯한 느낌이었다. 바늘의 흔적은 서서히 거대한 무당거미의 형상을 갖추기 시작해, 다시 밤이 훤히 밝아지기 시작할 무렵, 이 불가사의한 마성의 동물은 여덟 개의 발을 늘리면서 등 전체에 서리었다.

봄밤은 강을 오르내리는 배의 노 젓는 소리에 환하게 밝아지고, 아침 바람을 안고 내려가는 하얀 돛 위에서 열어지기 시작한 안개 가운데, 나카스中洲, 하코자키箱崎, 레이간지마霊岸島***의 기와지붕이 반짝일 무렵, 세이키치는 한동안 붓을 놓고, 계집아이의 등에 새겨진 거미의 몸을 바라보고 있었다. 그 문신이야말로 그의 생명의 전부였다. 그 일을 완수한 후의 그의 마음은 공허했다.

두 개의 그림자는 그대로 한동안 움직이지 않았다. 그리고

* 객석에 나가는 기생을 따라 샤미센 등을 들고 가는 남자.

** 도사(土佐, 현재의 시코쿠(四国)의 고치현(高知)) 번의 영주 야마우치(山内) 가문의 별저.

*** 도쿄도(東京都) 주오구(中央)에 있는 옛 지명들.

잠긴 목소리가 방의 네 벽에 진동하여 들렸다.

"나는 너를 진정으로 아름다운 여자로 만들기 위해서 문신 안에 내 혼을 새겨 넣었다. 이제부터는 일본에서 너보다 뛰어난 여자는 없다. 너는 이제 겁 많은 마음은 가지고 있지 않다. 남자란 남자는 모두 네 비료가 되는 거다……."

그 말이 통했는지, 희미하게 실낱같은 신음이 여자의 입술에 올랐다. 계집아이는 서서히 의식을 회복해갔다. 무겁게 들이쉬고, 무겁게 내뱉는 할딱거리는 숨에, 거미의 다리는 살아 있는 것처럼 꿈틀거렸다.

"괴로울 거다. 거미가 몸을 부둥켜안고 있으니까."

이 말을 듣고 계집아이는 가늘고 무의미한 눈을 떴다. 그 눈동자는 초저녁 달이 빛을 더하듯이, 점점 빛나며 남자의 얼굴에 비쳤다.

"나리, 빨리 제 등의 문신을 보여주세요. 당신의 목숨을 받은 대신, 저는 필시 아름다워졌겠지요."

계집아이는 말은 꿈같았지만, 그 어조에는 어딘가 날카로운 힘이 담겨 있었다.

"자, 이제 욕실에 가서 마무리를 하겠다. 괴롭겠지만 조금 참아라."

라고 세이키치는 귓전에 입을 대고 위로하듯 속삭였다.

"아름다워지기만 한다면 무슨 일이 있어도 참아보겠어요."

라고 계집아이는 온몸의 아픔을 참으며, 억지로 미소지었다.

"아, 물이 스며들어 괴로워요. ……나리, 부탁이니 저를 내버려두고 이층으로 가서 기다리고 있어주세요. 저는 이런 비참한 모습을 남자에게 보이는 게 분하니까요."

계집아이는 목욕탕에서 막 나온 몸을 미처 다 닦지도 못하고, 위로하는 세이키치의 손을 밀어제치고, 격렬한 고통에 목욕탕 탈의장에 몸을 던진 채, 가위에 눌린 듯 신음했다. 미친 사람 같이 머리카락이 고통스럽게 그 뺨에 흐트러졌다. 여자의 등 뒤에는 거울이 기대어 세워져 있었고 새하얀 두 발바닥이, 거기에 비치고 있었다.

어제와는 싹 달라진 여자의 태도에, 세이키치는 대단히 놀랐지만, 말한 대로 혼자 이층에서 기다리고 있자, 대략 한 시간가량 지나 여자는 감은 머리를 양어깨에 늘어뜨리고 몸을 단정히 하고 올라왔다. 그리고 고통의 그림자도 없는 환한 표정으로, 난간에 기대어 부옇게 안개 낀 하늘을 올려다보았다.

"이 그림은 네게 줄 테니 그걸 가지고 이제 돌아가거라."

이렇게 말하고 세이키치는 두루마리를 여자 앞에 두었다.

"나리, 저는 이제 겁 많은 마음을 깨끗이 버렸어요. 당신이 가장 먼저 제 비료가 되었군요."

여자는 검과 같이 눈동자를 빛냈다.

"돌아가기 전에 다시 한번, 그 문신을 보여주거라."

세이키치는 이렇게 말했다.

여자는 말없이 고개를 끄덕이고 옷을 벗어 상반신을 드러냈다. 때마침 아침 햇살이 문신을 비춰, 여자의 등은 찬란하게 빛났다.

치인의 사랑

1

저는 지금부터 아마도 세상에 유례가 없을 저희 부부 사이에 대해서, 가능한 한 정직하고 숨김없이 있는 그대로의 사실을 써보고자 합니다. 그것은 제 자신에게 잊기 어려운 귀중한 기록인 동시에, 어쩌면 독자 여러분에게도 분명 어느 정도 참고할 만한 자료일 것입니다. 요즘에는 일본도 점점 국제적으로 교제 범위가 넓어져, 내국인과 외국인이 빈번하게 교류하고 여러 주의나 사상이 들어와 남자는 물론 여자도 하이칼라 추세를 따르니 말입니다. 지금까지는 그다지 유례가 없었던 저희 같은 부부관계도 어쩌면 또 다른 누군가에게 생겨날 수 있으니까요.

생각해보면 저희 부부는 맺어지는 과정부터 남달랐습니다. 제가 처음 아내를 만난 것은 정확히 햇수로 8년 전입니다. 그렇다고는 하나 몇 월 며칠이었는지는 자세히 기억하지 못합니다. 하여간 그 무렵 아내는 아사쿠사*의 가미나리

* 浅草. 도쿄 다이토구의 지명. 대중적인 유흥가로 유명함.

몬* 근처에 있는 카페** 다이아몬드에서 여급으로 일하고 있었습니다. 그녀의 나이는 겨우 열다섯이었습니다. 제가 그녀를 알았을 때는 그 카페에 막 고용살이를 하러 온 보잘것없는 신참이어서 제 몫을 할 수 있는 여급이 아니라 견습 여급-뭐, 말하자면 병아리 호스티스에 지나지 않았습니다.

그런 어린애를 스물여덟이나 된 제가 왜 점찍었느냐 하면, 저도 분명히는 모르겠습니다만 처음에는 그 아이의 이름이 마음에 들었기 때문일 겁니다. 그녀는 모두에게 '나오 짱'***이라고 불렸는데, 어느 날 제가 물어보니 본명은 나오미奈緒美라고 했습니다. '나오미'라는 이름이 몹시도 제 호기심을 자극했습니다. '나오미라니 멋져, NAOMI라고 쓰면 마치 서양인 같아', 처음엔 그렇게 생각했고, 그러고 나서 차츰 그녀를 눈여겨보기 시작한 것입니다. 신기하게도 이름이 세련된 느낌이어서, 생김새도 어딘지 서양인 같고, 무척 영리해 보여 '이런 곳의 여급으로 두는 건 아깝다'라고 생각하게 되었습니다.

실제로 나오미의 생김새는 (미리 말해두지만, 저는 앞으로 그녀의 이름을 가타카나****로 쓰겠습니다. 그렇게 하지 않으면 느낌이

* 雷門. 아사쿠사 공원 남단에 인접한 곳. 센소지(浅草寺)라는 절의 문전에 발달한 시가로, 풍신(風神)·뇌신(雷神)을 모신 센소지 후라이진몬(風雷神門)에서 그 이름이 생겼다.

** 당시의 카페는 커피숍이 아니라 여급(호스티스)이 손님을 접대하는 술집을 말한다.

*** '짱(ちゃん)'은 사람을 가리키는 명사에 붙어 친밀감을 나타내는 호칭이다.

**** 대부분 한자의 전부 또는 일부분을 따서 만든 음절 문자로, 외래어의 표기나 동식물명·전보문 등에 쓰임.

안 나니까요) 영화배우 메리 픽퍼드*와 닮은 구석이 있어, 확실히 서양인 같아 보였습니다. 결코 제가 **호의적으로** 본 게 아닙니다. 제 아내가 된 지금도 많은 사람이 그렇게 말하는 걸 보면 사실이 분명합니다. 생김새뿐 아니라 그녀를 벗겨놓고 보니 몸매는 한층 더 서양인 같았는데, 이것은 물론 나중에 알게 된 사실이고 그 당시에는 저도 거기까지는 몰랐습니다. 그저 어렴풋이 옷매무새를 보고 분명 저런 스타일이라면 손발 모양도 나쁘지는 않을 것이라고 상상했을 뿐입니다.

애초에 열대여섯 소녀의 정서라는 것은 부모나 자매가 아니면 좀처럼 파악하기 힘듭니다. 그 때문에 카페에서 일했을 무렵 나오미의 성격이 어땠냐고 물으면 저는 도저히 명료하게 대답할 수 없습니다. 나오미 자신도 그 무렵 정신없이 지냈다고 하겠지요. 하지만 옆에서 본 느낌은 음울하고 말수가 적은 아이라는 것이었습니다. 얼굴색은 약간 푸른빛을 띠었는데, 무색투명한 판유리를 몇 장 겹친 것 같다고나 할까요. 깊이 가라앉은 색이어서 그다지 건강해 보이지 않았습니다. 막 고용살이를 시작한 터라 다른 여급처럼 분도 바르지 않고, 손님이나 동료와도 낯설어 구석에서 위축된 모습으로 말없이 종종걸음을 치며 일하고 있었으니 그렇게 보였던 거겠지요. 그

* (1893~1979) 캐나다 태생의 미국 영화배우. 무성영화시대에 '미국의 연인'이라 불렸으며 초기 영화계의 스타들 가운데 한 사람. 아름답지만 체격이 작아 〈소공녀〉 〈키다리 아저씨〉 〈폴리애나〉처럼 밝고 명랑한 소녀 역할로 인기를 끌었다. 일본에서 출연 영화가 공개된 것은 1917년부터다.

녀가 영리하다고 느낀 것도 역시 그 때문인지 모르겠습니다. 여기서 잠시 제 이력을 설명해둘 필요가 있을 듯합니다. 저는 당시 월급 150엔*을 받는, 어느 전기 회사의 기사였습니다. 태어난 곳은 도치기栃木현** 우쓰노미야宇都宮에서 조금 떨어진 시골로, 고향에서 중학교를 졸업하고 도쿄로 올라와 구라마에藏前에 있는 고등공업학교***에 들어갔으며, 졸업한 지 얼마 안 돼 기사로 취업을 했습니다. 그리고 일요일을 제외한 매일 시바구치芝口****의 하숙집과 오이마치大井町에 있는 회사를 오가고 있었습니다.

150엔의 월급을 받으며 하숙집에서 혼자 살고 있었기 때문에 제 생활은 넉넉한 편이었습니다. 게다가 저는 장남이었지만, 고향의 부모나 **형제**에게 생활비나 학비를 보낼 의무는 없었습니다. 친가는 상당히 큰 규모로 농사를 짓고 있었고, 아버지는 안 계셨지만 나이 든 어머니와 숙부님 부부가 안정적으로 농사 일을 해나가셨기 때문에, 저는 완전히 자유로운 처지였습니다. 그렇다고 해서 주색잡기를 즐기지도 않았습니다.

* 1918년 당시 초봉은 공무원 70엔, 은행원 40엔, 경찰 18엔, 초등학교 교원이 12~20엔이었다. 1890년생인 조지가 1910년에 고등공업을 졸업하여 바로 취직했다고 해도, 7년차 직장인치고는 이상할 정도로 월급을 많이 받는 셈이다.

** 일본 관동지방 북부에 있는 현. 현청 소재지는 우쓰노미야시(市)다. 일본을 대표하는 관광지로 세계유산인 닛코의 사원은 도치기현 북부의 닛코시에 있다.

*** 현재의 도쿄공업대학 전신에 해당하는 엘리트 학교. 아사쿠사의 구라마에에 있었다.

**** 현재 도쿄의 수도고속도로 시오도메(汐留) 램프웨이 근처. 신바시(新橋)역에 가까워 당시 소센(省線, 현재의 JR)을 타면 오이마치에 가기도 편리했고, 도쿄시전을 타면 아사쿠사에 가기도 쉬웠으며, 긴자(銀座)나 제국극장까지는 걸어도 금방이었다.

모범적인 샐러리맨-검소하고 성실하고 재미 없을 정도로 평범하며, 아무 불평, 불만도 없이 한결같은 자세를 일하는-이라고 할까요? 그 당시 저는 아마 그런 유형이었을 겁니다. '가와이 조지河合讓治'라고 하면 회사 내에서도 '군자'라고 평판이 났을 정도였으니까요.

그래서 제 소일거리라고 하면, 저녁에 영화를 보러 가거나 긴자* 거리를 산책하거나 가끔 큰맘 먹고 제국극장**에 가는, 기껏해야 그 정도였습니다. 아직 미혼의 청년인지라 젊은 여성과 접촉하는 것이 물론 싫지는 않았습니다. 하지만 촌에서 자라 세련되지 못해서인지 남과의 교제에 서툴러 이성과의 교제 같은 건 하나도 없었습니다. 뭐, 그래서 '군자'라고 불리기도 했습니다만, 워낙 빈틈이 없는 성격이어서 거리를 걸을 때나 매일 아침 전차에 탈 때도 여자에 대해서는 끊임없이 주의를 기울였습니다. 때마침 그런 시기에 우연히 나오미가 내 눈앞에 나타난 것입니다.

하지만 그 당시 나오미 이상의 미인은 없다고 여겼던 것은 결코 아닙니다. 전차 안이나 제국극장의 복도, 긴자 거리, 그런 장소에서 스쳐 지나가는 여자 중에는 나오미보다 훨씬 아름다운 사람이 많이 있었습니다. 나오미의 외모가 어떻게 변

* 銀座. 메이지 시대(1868~1912) 이래 일본을 대표하는 고급 상점가.

** 도쿄도 치요다(千代田)구 마루노우치(丸の内)에 있는 극장. 1911년 일본 최초의 본격적 양식 극장으로서 개장. 초기에는 전속 배우 가수가 있었고, 오페라도 공연. 입장료도 비싸서 부유계층과 지식인이 모이는 고급 극장이었다. 1966년 개축했다.

할지는 두고 봐야 알 테고, 열다섯 살의 계집의 장래가 기대되기도 하고, 걱정되기도 했습니다. 그 때문에 최초의 제 계획은 하여간 아이를 맡아서 돌봐주자 그리고 가망성이 있다면 많은 교육을 받게 해서 내 아내로 삼아도 좋지 않을까 하는 거였습니다. 이것은 한편으로는 그녀를 동정한 결과지만, 다른 한편으로는 너무도 평범하고 단조로운 나날에 변화를 주고 싶었기 때문이기도 합니다. 솔직히 오랜 하숙 생활이 지켜워서 어떻게든 이 무미건조한 생활에 한 점의 색채를 더하고, 따스함을 더하고 싶었습니다. 그러기 위해서는 작으나마 집 한 채를 마련해서 방을 꾸미고 꽃을 심고 볕이 잘 드는 베란다에 새장을 매달고, 부엌일이나 청소를 맡을 하녀를 한 명 두면 어떨까 하는 거였습니다. 그리고 나오미가 와주면 그녀가 하녀 역할도 해주고, 작은 새 역할도 해주겠지. 뭐, 대체로 그런 생각이었습니다.

그 정도라면 괜찮은 집안에서 아내를 맞이하여 정식으로 가정을 꾸리려고 하지 않았냐고 묻는다면, 요컨대 저는 아직 결혼을 결심할 용기가 없었습니다. 여기에 대해서는 더 자세히 이야기해야 하는데, 본래 저는 상식적인 사람이라 별난 것은 싫어하고 그런 일을 하지도 못 했지만, 이상하게 결혼에 대해서만큼은 남보다 앞선 마음을 지니고 있었습니다. '결혼'이라면 세상 사람들은 몹시 엄격하게 여기고 유난히 형식에 치우치는 경향이 있습니다. 우선 '중매'는 넌지시 쌍방의 생각을 알아봅니다. 다음으로 '맞선'이라는 걸 봅니다. 그다음 쌍

방에 이견이 없으면 중매인을 세워 예물을 교환하고, 5하*라든가 7하라든가 13하라는 신부의 혼수를 신혼집으로 옮깁니다. 그러고 나서 결혼, 신혼여행, 고향 방문**이라는 상당히 귀찮은 철차를 밟는데, 저는 그런 것이 싫었습니다. 만약 결혼한다면 더 간단하고 자유로운 형식으로 하고 싶다고 생각했습니다.

그 당시 제가 결혼을 하고 싶어 했다면 후보자는 많이 있었겠지요. 촌사람이기는 하지만 체격도 좋고, 품행도 방정하며, 이렇게 말하면 이상하지만 그럭저럭 남자답고, 회사에서 평판도 좋았기 때문에 누구라도 기꺼이 중매를 서주었을 겁니다. 하지만 실은 이 '중매'라는 것이 싫으니 어쩔 수 없었습니다. 그 어떤 미인일지라도 한두 번의 맞선으로 마음씨나 성격을 알 수 없습니다. '뭐, 저 정도면'이라거나 '상당히 예쁘군'이라고 말할 정도의 일시적인 심정으로 일생의 반려를 정하는 그런 바보 같은 짓은 하기 싫었습니다. 그래서 나오미 같은 소녀를 집에 들여 천천히 그 성장을 지켜보고 나서, 마음에 들면 아내로 맞이하는 방법이 가장 좋아 보였습니다. 특별히 부잣집 딸이라든가 좋은 교육을 받은 대단한 여자를 원하는 건 아니었기 때문에 그걸로 충분했습니다.

게다가 한 소녀를 친구로 삼아 매일 그녀가 자라는 모습을

* 부부 옷장 2개, 뚜껑 달린 궤 2개, 의복이나 도구를 넣고 막대기를 꿰어서 하인에게 지우던 함 1개, 이렇게 5개의 조합.

** 결혼 후 신부가 처음으로 친정에 가는 의식.

지켜보며 밝고 명랑하게, 말하자면 놀이 기분으로 한집에 산다는 것은 정식으로 가정을 꾸리는 것과는 다른 각별한 즐거움이 있을 것 같았습니다. 즉 나와 나오미가 **철없는 소꿉장난**을 한다. '가정을 갖는다'라는 매우 귀찮은 의미가 아니라, 느긋한 심플라이프를 보낸다. 이것이 제 바람이었습니다. 실제로 일본 '가정'은 옷장이며 뚜껑 달린 궤, 방석 같은 것이있어야 할 곳에 반드시 있어야만 하거나, 남편과 아내와 하녀의 일이 쓸데없이 정확하게 구분되어 있으니까요. 이웃이나 친척과의 교제가 번거로워 불필요한 비용이 들고, 간단히 끝낼 수 있는 일이 번잡하고 거북해져서, 젊은 샐러리맨에게는 결코 유쾌한 일도, 좋은 일도 될 수 없습니다. 그 점에 있어서 제 계획은 분명 즉흥적인 생각이었고 그렇게 믿었습니다.

제가 나오미에게 이런 얘기를 꺼낸 것은 그녀를 안 지 두 달 정도 지난 때였을 겁니다. 그동안 저는 틈만 나면 카페 다이아몬드에 가서, 될 수 있는 대로 그녀와 친해질 기회를 만들었습니다. 나오미는 영화를 아주 좋아했기 때문에 공휴일에는 둘이 공원의 영화관에 가기도 하고, 돌아오는 길에 괜찮은 양식점이나 메밀국수 가게에 들르곤 했습니다. 과묵한 그녀는 그럴 때는 더 말수가 없어서 기쁜 건지 재미없는 건지 모르게끔 **뚱해** 있었습니다. 그러면서도 내가 불러내면 결코 싫다고는 하지 않았습니다. "네, 가도 좋아요"라고 순순히 대답하고는 어디든 따라왔습니다.

도대체 나를 어떤 사람으로 생각했는지, 무슨 생각으로 따라왔는지는 알 수 없었지만 아직 어린아이인지라 '남자'라는 존재를 의심의 눈으로 보려 하지 않았습니다. 그저 '아저씨'가 좋아하는 영화를 보여주고, 가끔 맛있는 음식을 사주니까 같이 놀러 갈 뿐이라는 극히 단순하고 순진한 마음이었다고, 저는 생각하고 있었습니다. 저 역시 어린아이의 상대가 되어 상냥하고 친절한 '아저씨'가 되는 것 이상은, 당시의 그녀에게 바라지도 않았을뿐더러 기색도 보이지 않았습니다. 그 당시의 아련한 꿈같은 나날을 생각하면 마치 동화 속 세상에 살았던 듯하여, 다시 한번 그런 철없는 두 사람이 되어 보고 싶다고, 지금도 저는 그렇게 바라 마지않습니다.

"어때, 나오미 짱, 잘 보여?"

영화관이 만원이라서 빈자리가 없을 때, 뒤쪽에 서서 저는 자주 그렇게 물었습니다. 그러면 나오미는,

"아니, 전혀 안 보여."

라고 말하곤 열심히 발돋움해서 앞 손님의 목과 목 사이로 들여다보려고 합니다.

"그렇게 해도 안 보여. 여기 올라가서 내 어깨를 잡고 봐."

저는 그녀를 들어 올려서 높은 손잡이 가로대 위에 앉힙니다. 그녀는 두 다리를 흔들면서, 한 손은 제 어깨에 얹고 겨우 만족한 듯 숨을 죽이고 화면을 봅니다.

"재미있어?"

라고 물으면

"재미있어."

라고 대답할 뿐, 손뼉을 치며 유쾌해하거나 펄쩍 뛰면서 기뻐하지는 않았지만, 영리한 개가 먼 데서 나는 소리에 귀를 기울리는 것처럼, 영리해 보이는 눈을 크게 뜨고 말없이 관람하는 얼굴을 보면 어지간히 영화를 좋아하나 보다, 하고 고개가 끄덕여졌습니다.

"나오미 짱, 너 배고프지 않아?"

그렇게 물으면,

"아니, 아무것도 먹고 싶지 않아."

라고 말할 때도 있지만, 보통은 배가 고프면 사양하지 않고 "네"라고 대답했습니다. 그리고 양식이라면 양식, 메밀국수라면 메밀국수라고, 내가 물으면 분명하게 먹고 싶은 것을 얘기했습니다.

2

"나오미 짱, 네 얼굴은 메리 픽퍼드를 닮았어."

언제였던가요, 마침 그 여배우가 나오는 영화를 보고 돌아가다가 어떤 양식집에 들렀던 밤에, 그게 화제에 오른 적이 있었습니다.

"그래?"

라고 말하고, 그녀는 별로 기뻐하는 내색도 없이, 갑자기 그런 말을 꺼낸 내 얼굴을 이상하다는 듯이 보았을 뿐인데,

"너는 그렇게 생각하지 않아?"

라고 거듭 물으니,

"닮았는지 어떤지는 모르겠지만, 모두가 나를 혼혈아 같다고 해."

라고 그녀는 새침하게 대답합니다.

"그야 그렇겠지. 무엇보다 네 이름부터가 색다르잖아. 나오미라는 서양풍의 이름을 누가 지어줬어?"

"누가 지었는지 몰라."

"아빠야, 엄마야?"

"누군지 몰라."

"그럼, 나오미 짱 아빠는 무슨 일을 하셔?"

"아빠는 안 계셔."

"엄마는?"

"엄마는 계시고."

"그럼, 형제는?"

"형제는 많이 있어, 오빠, 언니, 여동생."

그 이후에도 가끔 이런 이야기를 나눈 적이 있지만, 그녀는 늘 가족에 관해 물으면 조금 불쾌한 표정을 지으며 말끝을 흐렸습니다. 같이 놀러 갈 때는 대부분 전날 약속을 정하고, 공원 벤치나 관음상을 모신 사당 앞 같은 데서 만나곤 했는데, 그녀는 결코 시간에 늦거나, **바람맞힌** 적이 없었습니다. 내가 사정이 생겨 늦을 때 '너무 기다리게 해서 벌써 가버리지 않았을까?' 하고, 걱정하며 가보면, 가만히 그 자리에서 기다리고 있습니다. 그리고 저를 발견하면 벌떡 일어나 **성큼성큼** 걸어옵니다.

"미안, 나오미 짱, 많이 기다렸지?"

내가 그렇게 물으면,

"응, 기다렸어."

라고 대답할 뿐, 별로 불평스러운 기색도 없고 화가 난 것 같지도 않았습니다. 어떤 때는 벤치에서 만나기로 한 약속이었는데, 갑자기 비가 내려서 어떡하지 하며 가보니, 연못의 작은 사당 처마 밑에 쪼그리고 앉아 있었습니다. 그 와중에도 착실하게 기다리고 있었다는 사실에 몹시 애처로운 마음이 들었습니다.

그때 나오미는 언니에게 물려받은 듯한 낡은 메이센* 옷을 입고, 빛바랜 모슬린 띠를 매고, 머리는 일본식 모모와레**로 묶고, 옅게 분을 바르고 있었습니다. 그리고 늘 기운 조각이 덧대어져 있었지만, 작은 발에 꼭 맞는 멋진 흰 버선을 신고 있었습니다. 무슨 이유로 쉬는 날만 일본식 머리를 하느냐고 물으면 "집에서 그렇게 하라고 해서"라고 할 뿐 여전히 자세한 설명은 하지 않았습니다.

"오늘은 늦었으니까 집 앞까지 데려다줄게."

나는 몇 번 그렇게 말한 적이 있는데,

"괜찮아, 요 앞이니까 혼자서 갈 수 있어."

라고 말하고, 화원 모퉁이까지 오면 "안녕"이라고 내뱉고는 센조쿠초千束町의 골목*** 쪽으로 허둥지둥 뛰어갔습니다.

그렇지만 그때의 일을 너무 구구하게 기록할 필요는 없지만 언젠가 저는 마음을 터놓고 그녀와 천천히 이야기를 나눌 기회가 있었습니다.

그날은 부슬부슬 봄비가 내리는, 따뜻한 4월 말의 초저녁

* 꼬지 않은 실로 거칠게 짠 비단. 질기고 값이 싸며, 옷감, 이불감 등으로 쓰임.

** 16~17세 소녀가 하는 머리 모양의 한 가지. 머리를 좌우로 갈라 고리를 만들어 뒤통수에 붙이고 살쩍을 부풀림.

*** 아사쿠사 공원 안에서 영화관이 모여 있던 6구의 북쪽으로 나오면, 바로 유원지·화원이 있고, 센조쿠초 2초메(丁目)로 들어간다. 센조쿠초는 아사쿠사 공원과 유곽 요시하라(吉原)를 연결하는 지역으로, 이 무렵에는 음식점이나 술집으로 위장하고서 창녀를 두고 매춘을 시키던 집이 많았다.

이었을 겁니다. 마침 그 밤은 카페가 한가해 매우 조용했기 때문에 저는 오랫동안 테이블을 차지하고 앉아 홀짝홀짝 술을 마시고 있었습니다. 어찌 보면 대단한 술꾼 같지만, 실은 술을 잘 못하는 편이어서 심심풀이로 여자들이 마시는 달달한 칵테일을 주문해 그것을 홀짝거리고 있었습니다. 그때 그녀가 요리를 가지고 왔습니다.

"나오미 짱, 잠깐 여기에 앉아봐."

얼큰하게 취한 김에 그렇게 말했습니다.

"왜?"

그녀는 내 옆에 얌전히 앉아 내가 주머니에서 시키시마*를 꺼내자 즉시 성냥의 불을 붙여주었습니다.

"뭐, 괜찮지, 여기서 조금 **얘기**하고 가도 괜찮지 않겠어? 오늘 밤은 그리 바빠 보이지도 않는데."

"좋아. 이런 일은 좀처럼 없으니까."

"항상 그렇게 바빠?"

"바빠. 아침부터 저녁까지. 책 읽을 시간도 없어."

"나오미 짱은 책 읽는 걸 좋아하는구나."

"응, 좋아해."

"주로 어떤 책을 읽어?"

"여러 가지 잡지를 봐. 읽는 거라면 뭐든 좋아."

* 敷島. 중급품의 물부리가 달린 궐련. 1920년부터 1925년에 걸쳐 일본에서 가장 많이 팔린 브랜드였다.

"이거 대단한걸. 그렇게 책이 읽고 싶으면 여학교*라도 가면 좋을 텐데."

내가 일부러 그렇게 말하고 나오미의 얼굴을 들여다보자 그녀는 화가 났는지 **새침**해져서는 엉뚱한 곳을 가만히 응시하는 듯했는데, 그 눈 속에는 분명히 슬픈 듯한, 달랠 길 없는 애달픈 빛이 드러나 있었습니다.

"어때, 나오미 짱, 너, 공부할 마음 있어? 있다면 내가 공부시켜줄 수도 있는데."

그런데도 그녀가 가만히 있자 이번에는 내가 위로하는 듯한 어조로 말했습니다.

"응? 나오미 짱, 가만히 있지 말고 뭐라고 말 좀 해봐. 너는 뭘 하고 싶어? 뭘 배워보고 싶어?"

"나, 영어를 배우고 싶어."

"응, 그것뿐이야?"

"그리고 음악도 해보고 싶어."

"그럼 내가 매달 수업료를 내줄 테니까 배우러 다니면 좋지 않을까?"

"하지만 여학교에 들어가기에는 너무 늦었어. 벌써 열다섯인걸."

"뭐, 남자랑 달라서 여자는 열다섯이어도 안 늦어. 아니면 영어와 음악만이라면 여학교에 가지 않아도 따로 교사를 두

* 정식은 고등여학교. 전쟁 전에 있던 4년 내지는 5년제 학교로, 남자중학교에 해당한다(당시에 공학은 소학교뿐). 이 무렵 고등여학교 진학률은 불과 몇 퍼센트였다.

면 어때? 너, 진지하게 해볼 마음 있어?"

"있기는 있지만. 그럼 진짜 배우게 해줄 거야?"

그렇게 말하고 나오미는 내 눈을 별안간 뚫어져라 바라보았습니다.

"아아, 물론이지. 하지만 나오미 짱, 만약 그렇게 되면 여기서 일할 수 없게 되는데, 넌 그래도 상관없어? 네가 일을 그만둬도 좋다면 내가 너를 돌봐줄 수 있어. 내가 책임지고 훌륭한 여자로 키워주고 싶어."

"나는 좋아. 그렇게만 해준다면."

아무런 주저 없이 말이 끝나자마자 나온 그녀의 단호한 대답에 다소 놀라지 않을 수 없었습니다.

"그럼 일을 그만두겠다는 거야?"

"응, 그만둘래."

"하지만 나오미 짱, 너는 그래도 좋겠지만 엄마나 오빠가 뭐라고 할지, 가족한테 물어봐야 할 것 같은데."

"물어보지 않아도 괜찮아. 누구도 뭐라고 할 사람은 없어."

라고 말했지만, 실은 그녀가 그것을 의외로 걱정한다는 사실은 분명했습니다. 늘 그랬듯이 자신의 집안 사정을 제가 아는 것이 싫어서 일부러 대수롭지 않은 양 굴었던 것입니다. 그렇게 싫어하는 것을 나도 억지로 알고 싶지는 않았지만, 그녀의 꿈을 이뤄주기 위해서 무슨 일이 있어도 그녀의 집에 찾아가 엄마나 오빠와 신중하게 얘기를 나눠야만 합니다. 그래서 그 후 점점 이야기가 진행됨에 따라 "한번 네 집안사람을 만

나게 해줘"라고 몇 번이고 말했지만, 그녀는 이상하게 달가워하지 않았습니다.

"괜찮아, 만나지 않아도. 내가 알아서 말할게."

라고, 늘 그렇게 말했습니다.

저는 여기서, 지금은 제 아내가 된 그녀를 위해, '가와이 부인'의 명예를 위해, 굳이 그녀의 기분을 언짢게 하면서까지 당시 나오미의 신상이나 출신을 속속들이 들추어낼 필요는 없으니 그에 대해서는 더는 언급하지 않기로 하겠습니다. 나중에 자연히 알게 될 수도 있을 테고, 그렇지 않더라도 그녀의 집이 센조쿠초에 있었다는 점, 열다섯 살에 카페의 여급으로 보내졌다는 점, 그리고 결코 자신의 집안 사정을 남에게 알리고 싶어 하지 않았다는 점 등을 생각하면, 대충 어떤 가정이었는지는 누구라도 상상할 수 있을 테니까요. 아니, 그뿐만이 아닙니다. 저는 결국 그녀를 설득해 어머니와 오빠를 만났는데, 그들은 거의 자신의 딸이나 여동생의 정조에 대해서는 문제 삼지 않았습니다. 제가 그들에게 건넨 이야기는 그녀가 학문을 좋아한다고 말하고, 그런 곳에서 오래 일하기에는 아까운 아이 같으니, 괜찮으시다면 저에게 맡기지 않으시겠습니까, 하는 것입니다. 제가 충분히 해줄 수는 없지만, 하녀가 한 사람 필요하다고 생각하던 참이고, 뭐, 부엌일과 청소 정도 하면서 웬만한 교육은 시킬 수 있다고 했습니다. 물론 내 처지나 아직 독신이라는 것도 숨김없이 털어놓고 부탁하자, "그렇게 해주시면 아이가 참으로 행복할 것이고……"라는, 너무도

맥 빠진 대답이 돌아왔습니다. 정말이지, 이럴 거였으며 나오미가 말한 대로, 만날 것까지는 없었던 것입니다.

세상에는 상당히 무책임한 부모와 형제가 있구나 하고, 그때 절실히 느꼈습니다만, 그만큼 나오미가 더 안쓰럽고 가엾게 느껴졌습니다. 모친의 말을 정리하자면 그녀는 나오미를 주체하지 못한 듯 "실은 이 아이는 기생으로 만들 생각이었는데, 본인이 내켜 하지 않아서요. 그렇다고 언제까지나 놀릴 수도 없고, 어쩔 수 없이 카페에 보냈어요"라는 누군가가 그녀를 맡아주기만 하면 안심이라는 거였습니다. 아, 그랬구나, 그래서 그녀는 집에 있는 게 싫어서, 공휴일에는 언제나 밖으로 놀러 나와 영화를 보러 가거나 한 거구나. 사정을 알고 나니 저도 의문이 풀렸습니다.

하지만 나오미의 가정사는 나오미에게도 제게도 큰 행운으로, 이야기가 결정되자 즉시 그녀는 카페를 그만두고, 매일 저와 둘이서 적당한 셋집을 찾아 돌아다녔습니다. 제 근무처가 오이초여서 출근하기 편리한 곳을 찾으려 했기 때문에, 일요일에는 아침 일찍부터 신바시역에서 만났고, 그렇지 않은 날은 회사 퇴근 시간에 맞춰 오이초에서 만나, 가마타蒲田, 오모리大森, 시나가와品川, 메구로目黒 주변의 교외부터 둘러보고, 시내에서는 다카나와高輪와 다마치田町, 미타三田 주변을 둘러보고 나서 돌아가는 길에는 함께 저녁을 먹고, 시간이 있으면 여느 때처럼 영화를 보거나 긴자 거리를 배회하다가 그녀는 센조쿠조의 집으로, 저는 시바구치의 하숙집으로 돌아왔습니다. 그 무렵은 셋집이 부족한 때*여서 좀처럼 적당한 집을 찾지 못해 저희는 보름 남짓 그렇게 지냈습니다.

만약 그 당시, 화창한 5월의 일요일 아침 같은 때, 오모리 근처 신록이 우거진 교외의 길을 회사원인 듯한 한 남자와 머리를 모모와레로 묶은 초라한 계집애가 어깨를 나란히 하고 걷는 모습을 누군가 주의 깊게 봤다면 어떻게 생각했을까요? 남자는 계집애를 '나오미 짱'이라고 부르고 계집애는 남자를 '가와이 씨'라고 부르면서, 주종 관계도 아니고 남매도 아니고, 그렇다고 해서 부부나 친구도 아닌 모습으로, 서로 조심스럽게 이야기를 주고받거나 번지를 묻거나 근처 풍경을 바라보거나 곳곳의 울타리나 저택의 정원, 길가 등에 피어 있는 색색의 향기로운 꽃을 돌아다보거나 늦봄의 긴 하루를 여기저기 행복한 듯 걷는 두 사람은 분명 묘한 조합이었습니다. 꽃 이야기가 나와서 말인데, 그녀는 서양 꽃을 아주 좋아해서 나 같은 사람은 잘 모르는 여러 가지 꽃 이름, 그것도 귀찮은 영어 이름을 많이 알고 있었습니다. 카페에서 일했을 때 꽃병의 꽃을 늘 관리했던 터라 자연스럽게 외웠다고 하는데, 지나가는 길의 문 안쪽에 마침 온실이 있거나 하면 그녀는 재빨리 알아채고 즉시 멈춰 서서,

"어머, 예쁜 꽃!"

이라고, 자못 기쁜 듯이 외쳤습니다.

* 1914년에 제1차 세계대전이 시작되자, 도쿄에서는 공업발전과 인구 유입에 따른 주택 부족과 집세 인상이 심각화되었다.

"그럼, 나오미 짱은 무슨 꽃을 제일 좋아해?"

라고 물어봤을 때,

"나, 튤립이 제일 좋아."

라고 대답한 적이 있습니다.

아사쿠사의 센조쿠초 같은 그런 비좁고 너저분한 골목 안에서 성장했기 때문에, 오히려 나오미는 반동적으로 널찍한 정원을 그리워하여 꽃을 사랑하는 습관이 생긴 게 아닐까요? 제비꽃, 민들레, 자운영, 앵초…… 그런 거라도 논두렁이나 시골길에 피어 있으면 즉시 종종걸음으로 달려가 꺾으려 합니다. 걷는 동안 그녀의 손에는 어느 덧 꺾은 꽃이 가득해서 몇 개인지도 모르는 꽃다발이 생기는데, 그것을 소중하게 돌아가는 길에 가지고 옵니다.

"벌써 꽃들이 전부 시들었잖아. 어지간하면 버리지그래."

그렇게 말해도 그녀는 좀처럼 응하지 않고,

"괜찮아. 물을 주면 바로 살아나니까. 가와이 씨 책상 위에 두면 좋을 거야."

라며, 헤어질 때 그 꽃다발을 언제나 제게 주었습니다.

그렇게 구석구석 찾아 돌아다녀도 쉽사리 좋은 집을 찾지 못하다가 몹시 망설인 끝에 결국 저희가 빌린 집은 오모리* 역에서 12~3초(町, 약1.3~1.4km) 떨어져 있고 쇼센省線 전차**의

* 현재의 도쿄도 오타(大田)구 오오모리. 당시는 도쿄가 아니라 에바라(荏原)군이었다.

** 구철도성(1945년에 운수성이 됨)이 관리하던 국유철도의 약칭.

철로 근처에 있는 몹시 허름한 양옥집이었습니다. 소위 '문화주택'*이라는 것, 그 무렵에는 그리 유행하지 않았는데, 요즘 말로 하면 요컨대 그런 거겠지요. 경사가 급한, 전체 높이의 반 이상 되어 보이는 붉은 슬레이트 지붕. 성냥갑처럼 하얀 벽으로 둘러싸인 바깥쪽. 여기저기에 만들어진 정방형의 유리창. 그리고 정면 포치** 앞에, 정원이라기보다는 오히려 그저 그런 공터가 있었습니다. 대체로 그런 모양으로, 안에서 살기보다는 그림으로 그리는 편이 재미있을 것 같은 외관이었습니다. 그도 그럴 것이, 원래 이 집은 화가가 지은 집으로 모델 아내와 함께 살았다고 합니다. 그래서인지 방 배치 등은 상당히 불편하게 만들어졌습니다. 1층에는 그저 넓은 아틀리에와 아주 작은 현관과 부엌, 단지 그뿐이었습니다. 2층에 다다미가 석 장 깔린 방과 네 장 반이 깔린 방이 있었지만, 그것도 다락방 같은 것으로, 사용할 수 있는 방은 아니었습니다. 아틀리에 실내에는 다락방으로 올라갈 수 있는 계단이 있었습니다. 거기 올라가면 난간을 두른 복도가 있는데, 마치 연극 관람석처럼 그 난간에서 아틀리에를 내려다볼 수 있었습니다.

나오미는 처음 이 집의 '풍경'을 보고,

"어머, 하이칼라네! 나 이런 집이 좋아."

* 응접실과 현관에 문을 도입한 서양식과 일본식을 절충한 주택. 다이쇼 시대(1912~1926) 중기 이후에 유행했다.

** 밖으로 돌출된 지붕 달린 현관.

라며 몹시 마음에 드는 기색이었습니다. 그녀가 그렇게 기뻐했기 때문에 저 역시 빌리는 데 찬성했습니다.

아마도 나오미는 그 아이다운 생각으로, 방의 배치 등이 실용적이지 않더라도, 동화의 삽화 같은, 특이한 양식에 호기심을 느낀 거겠지요. 분명 그것은 태평한 청년과 소녀가 되도록 살림에 찌들지 않고 놀이 기분으로 살기에는 좋은 집이었습니다. 전에 살던 화가와 모델 아내도 그런 생각으로 여기에서 살았겠지만, 실제로 단둘이 산다면, 아틀리에 한 칸만으로도 먹고 자기에는 충분했습니다.

3

제가 마침내 나오미를 맡아 그 '동화의 집'으로 옮긴 것은 5월 하순일 겁니다. 들어가보니 생각한 것보다 불편하지도 않고, 볕이 잘 드는 다락방에서는 바다가 보였으며 남향인 앞의 공터는 화단을 만들기에 딱 좋았습니다. 가끔 쇼센 전차가 집 근처를 지나가는 것이 흠이었지만, 그 사이에 논이 좀 있었기 때문에 그것도 그렇게 시끄럽지 않았고, 이 정도라면 더할 나위 없는 집이었습니다. 그뿐만 아니라 보통 사람들에게는 적당하지 않은 집이었기 때문에, 생각 외로 집세도 저렴했습니다. 그 무렵은 물가가 싸기도 해서 보증금 없이 월세가 매달 20엔이었는데, 그것도 제 마음에 들었습니다.

"나오미 짱, 앞으로 넌 나를 '가와이 씨'라고 부르지 말고 '조지 씨'라고 불러. 그리고 진짜 친구처럼 지내자고."

이사한 날, 저는 그녀에게 말했습니다. 물론 제 고향에도 이번에 하숙집을 나와 집 한 채를 빌린 것, 하녀 대신 열다섯 소녀를 고용한 점 등을 알렸지만, 그녀와 '친구처럼' 산다고는 말하지 않았습니다. 고향에서 친척이 방문하는 일은 거의 없고, 언젠가 알릴 필요가 있을 때 알려야겠다고 생각했습니다.

저희는 한동안 이 신기한 신혼집에 어울리는 여러 가지 가구를 사들여 그것들을 배치하거나 장식하면서 바쁘지만 즐거운 나날을 보냈습니다. 저는 나오미의 취향을 계발해주려고 대수롭지 않은 것을 살 때도 저 혼자 정하지 않고 그녀에게 의견을 물어 될 수 있으면 그녀의 의견을 따랐는데, 원래 옷장이나 화로 같은 평범한 세간은 둘 곳이 없는 집인 만큼 오히려 선택도 자유로워서 저희 좋을 대로 꾸밀 수 있었습니다. 저희는 싸구려 인도 사라사를 구입해서 나오미가 위태로운 손놀림으로 꿰매 커튼을 만들고, 시바구치芝口의 가구점에서 중고 등나무 의자니 소파니 안락의자니 테이블 등을 사와 아틀리에에 늘어놓았습니다. 벽에는 메리 픽퍼드를 비롯해 미국 영화배우 사진을 두세 장 걸었습니다. 그리고 저는 침구 등도 되도록 서양류로 하고 싶었지만, 침대를 두 개나 사면 비용이 들 뿐만 아니라 이불이라면 시골집에서 보내줄 거라서 포기해야만 했습니다. 하지만 나오미를 위해 시골에서 보내준 것은 당초 무늬의 빳빳하고 얇은 목면의 하녀용 이불이었습니다. 저는 왠지 나오미가 가여워서,

"이건 좀 너무하군, 내 이불이랑 바꿔줄까?"

라고 말했지만,

"아니, 괜찮아. 난 이걸로 충분해."

라며 그것을 뒤집어쓰고, 혼자 쓸쓸히 다다미 3장이 깔린 다락방에서 잤습니다.

저는 그녀 옆 방, 즉 다다미 4장 반이 깔린 방에서 잤는데, 매일 아침 눈을 뜨면 저희는 저쪽 방과 저쪽 방에서, 이불 속에 파묻힌 채 서로 말을 걸었습니다.

"나오미 짱, 일어났어?"

라고 물으면

"응, 일어났어. 지금 몇 시?"

라고 그녀가 응답합니다.

"여섯 시 반이야. 오늘 아침은 내가 **밥**을 해줄까?"

"그래? 어제는 내가 했으니까 오늘은 조지 씨가 해도 좋아."

"그럼 할 수 없군. 밥을 해줄까, 아니면 귀찮으니까 빵으로 때울까?"

"그럼 빵. 조지 씨는 너무 약았어."

저희는 밥이 먹고 싶으면 작은 질그릇 냄비에 밥을 해서, 다른 밥통에 옮길 것까지도 없이 테이블로 가지고 와서, 통조림 따위를 젓가락으로 집적거리며 식사를 합니다. 그것도 귀찮으면 빵과 우유, 잼으로 때우거나 양과자를 먹거나 저녁은 **메밀국수**나 **우동**으로 대신하거나 좀 맛있는 게 먹고 싶을 때는 둘이서 근처 양식집에 갑니다.

"조지 씨, 오늘은 비프스테이크를 먹게 해줘."

라고 그녀는 자주 그런 소리를 하곤 했습니다.

아침밥을 먹고 나면 저는 나오미를 홀로 두고 회사에 갑니다. 그녀는 오전 중에는 화단의 화초를 만지작거리거나 오후가 되면 아무도 없는 집에 자물쇠를 잠그고, 영어와 음악을 배우러 갔습니다. 영어는 처음부터 서양인에게 배우는 편이 좋다고 해서 메구로에 사는 미국인 노처녀 미스 해리슨에게 하루걸러 한 번씩 회화와 독본을 배우러 가고, 부족한 부분은 제가 집에서 가끔 봐주기로 했습니다. 음악은, 이건 제가 어떻게 하면 좋을지 전혀 몰랐지만, 이삼 년 전에 우에노上野 음악학원을 졸업한 어느 부인이, 자신의 집에서 피아노와 성악을 가르친다는 말을 듣고 매일 시바芝의 이사라고伊皿子까지 한 시간씩 수업을 받으러 갔습니다. 나오미는 메이센 옷 위에 감색 캐시미아 하카마*를 입고, 검은 양말에 작고 귀여운 단화를 신고, 여학생처럼 입은 자신의 이상이 겨우 이루어진 기쁨에 두근거리면서 부지런히 배우러 다녔습니다. 이따금 돌아가는 길에 그녀를 만나면, 도저히 센조쿠초에서 자라 카페의 여급이었던 아이라고는 생각되지 않았습니다. 머리도 모모와레로 묶은 적은 한 번도 없고 리본으로 묶어 그 끝을 따서 늘어뜨리고 있었습니다.

제가 전에 '작은 새를 기르는 심정'이라고 말했던가요. 그녀는 이쪽에 오고 나서 얼굴빛도 점점 좋아지고 성격도 변해 쾌활하고 명랑한 작은 새가 되었습니다. 그리고 그 **휑뎅그렁한** 아틀리에는 그녀를 위한 커다란 새장이었습니다. 5월도 지나가고 어느 덧 맑고 산뜻한 초여름 날씨가 되었습니다. 화단의 꽃은 날이 갈수록 자라 색채를 더해갑니다. 저는 회사에서,

* 일본 옷의 겉에 입는 아래옷. 허리에서 발목까지 덮으며, 넉넉하게 주름이 잡혀 있고, 바지처럼 가랑이진 것이 보통이나 스커트 모양의 것도 있음.

그녀는 공부에서 돌아와도, 인도 사라사 커튼으로 새어 들어오는 태양은 새하얗게 칠해진 방의 사면을 여전히 대낮처럼 비추고 있습니다. 그녀는 플라넬 홑옷을 입고, 맨발에 슬리퍼를 걸치고, 통통 마루를 밟으며 배워 온 노래를 부르거나, 나를 상대로 까막잡기나 술래잡기를 하며 놀았습니다. 그럴 때는 아틀리에 안을 빙글빙글 뛰어 돌아다니며 테이블 위를 뛰어넘거나 소파 밑에 기어들거나 의자를 뒤엎거나 그것도 부족하여 계단을 뛰어 올라가, 예의 관람석 같은 다락방 복도를 생쥐처럼 촐랑촐랑 왔다 갔다 했습니다. 한번은 제가 말이 되어 그녀를 등에 태운 채 방 안을 기어 다닌 적이 있습니다.

"이랴, 이랴!"

라고 말하면서, 나오미는 수건을 고삐 삼아 제게 그걸 물리곤 했습니다. 역시 그런 놀이를 하던 날에 일어난 일이었을 겁니다. 나오미가 깔깔 웃으면서 너무도 힘차게 계단을 올라갔다 내려갔다 했기 때문에 결국 발을 헛디뎌 꼭대기에서 굴러 떨어졌습니다. 나오미는 갑자기 **훌쩍훌쩍** 울기 시작했습니다.

"이봐, 무슨 일이야. 어디를 부딪쳤는지 보여줘."

라고 제가 그렇게 말하며 일으키자, 그녀는 여전히 **훌쩍훌쩍** 코를 훌쩍이며 소맷자락을 걷어 보여주었는데, 떨어지는 순간에 못인지 뭔지에 긁힌 모양입니다. 오른팔 팔꿈치 피부가 벗겨져 피가 배어 나와 있었습니다.

"뭐야, 이까짓 일에 울다니! 자, 반창고를 붙여줄 테니까 이쪽으로 와."

그리고 고약을 붙여주고, 수건을 찢어 붕대를 감아주는 동안도 나오미는 눈물을 글썽거렸습니다. 뚝뚝 콧물을 흘리면서 **흐느껴** 우는 표정이 마치 철없는 어린아이 같았습니다. 상처는 운 나쁘게 곪아서 오륙일 낫지 않았는데, 매일 붕대를 갈아줄 때마다 그녀가 울지 않은 적은 없었습니다.

하지만 제가 이미 그 무렵부터 나오미를 사랑하고 있었는지는 저도 잘 모르겠습니다. 그렇습니다, 분명 사랑하고 있었겠지만, 제 의도는 오히려 그녀를 잘 길러서 훌륭한 여성으로 만드는 것이었고, 그저 그것만으로도 만족할 수 있다고 여겼습니다. 하지만 그해 여름, 회사에서 이 주간 여름휴가를 받고 매년 그랬듯이 저는 고향으로 내려가게 되었습니다. 나오미를 아사쿠사의 집에 맡기고, 오모리의 집 문단속을 단단히 했습니다. 한데 시골에 가보니, 그 이 주간이라는 것이 저에게는 견딜 수 없이 단조롭고 쓸쓸하게 느껴졌습니다. 그 아이가 없으면 이렇게도 재미없구나, 이게 연애의 시작일지도 몰라, 그때 비로소 생각했습니다. 어머니에게는 적당히 둘러대고 예정을 앞당겨 도쿄로 돌아왔습니다. 이미 밤 10시가 지났지만 우에노 정류장에서 나오미의 집까지 택시*로 달렸습니다.

"나오미 짱, 돌아왔어. 모퉁이에 자동차가 기다리고 있으니까 바로 오모리로 가자."

"그래, 그럼 지금 바로 갈게."

* 도쿄에서는 1912년에 영업을 시작했는데, 수도 적고 요금도 비쌌다(1917년 전차 요금이 5전일 때, 택시는 최초 1.6킬로미터가 60전).

라고 말하고, 그녀는 저를 격자문 밖에서 기다리게 하더니 이윽고 작은 보따리를 들고 나왔습니다. 그날은 대단히 무더운 밤이었는데, 나오미는 흰빛이 돌고 가벼우며 연보라색 포도 무늬가 있는 모슬린 홑옷을 걸치고, 폭이 넓고 화려한 연분홍빛 리본으로 머리를 묶고 있었습니다. 그 모슬린은 요전 오봉お盆*에 사준 것으로, 그녀는 그것을 내가 없는 동안 제집에서 만들어 입은 것입니다.

"나오미 짱, 그동안 뭘 하고 지냈어?"

차가 번화한 넓은 도로를 달리기 시작하자 저는 그녀와 나란히 앉아 그녀 쪽으로 얼굴을 가져다 대며 물었습니다.

"나, 매일 영화를 보러 갔었어."

"그럼 별로 외롭지 않았겠네."

"응, 별로 외롭진 않았지만……."

그렇게 말하고 그녀는 잠시 생각하더니,

"근데 조지 씨는 생각보다 빨리 돌아왔네."

"시골에 있어도 재미없으니까 예정을 마무리하고 일찍 와버렸어. 역시 도쿄가 제일이야."

저는 그렇게 말한 다음 **휴우** 하고 한숨을 쉬면서 창밖에서 어른거리는 도회지 밤의 불빛을 더할 나위 없이 그리운 마음으로 바라보았습니다.

"하지만 나, 여름을 나기엔 시골도 좋다고 생각해."

* 매년 8월 15일 무렵에 있는 일본의 전통 명절이다. 조상의 영혼을 모시는 기간으로 일본 고유의 신도 신앙과 불교문화가 결합한 축제이다.

"시골도 시골 나름이지. 내 고향 집은 벽촌 농가여서 근처 풍경도 평범하지, 명승고적도 없지, 대낮부터 모기니 파리가 앵앵거리지, 더워서 도저히 못 견뎌."

"어머, 그런 곳이야?"

"그런 곳이야."

"나, 어디론가, 해수욕하러 가고 싶어."

갑자기 그렇게 말하는 나오미의 어조는 **응석받이** 아이처럼 귀여웠습니다.

"그럼 조만간 시원한 곳에 데리고 갈까? 가마쿠라鎌倉*가 좋을까, 아니면 하코네箱根**?"

"온천보다 바다가 좋아. 가고 싶어, 정말."

천진난만한 목소리만 듣고 있으면 예전의 나오미가 틀림없었지만, 왠지 열흘 정도 안 보는 사이에 훌쩍 자란 것 같아, 모슬린 홑옷 아래서 숨 쉬는 둥그스름한 어깨 모양과 유방 부근을 살짝 훔쳐보지 않을 수 없었습니다.

"이 옷 잘 어울린다. 누가 만들어줬어?"

시간이 흐른 뒤 제가 물었습니다.

"엄마가 만들어줬어."

"집에서 평판은 어땠어? 옷감 잘 골랐다고 하지 않았어?"

"응, 그랬어. 나쁘지는 않지만 무늬가 지나치게 하이칼라

* 가나가와(神奈川)현 사가미(相模)만 동북 해안의 시. 도쿄에 가까운 휴양지로 사적이 많고 가마쿠라 막부가 있던 곳.

** 가나가와현, 시즈오카(静岡)현 사이의 하코네 화산 지대. 온천 관광지.

래."

"엄마가 그렇게 말했어?"

"응, 그래. 우리 집 사람들은 아무것도 몰라."

그렇게 말하고 그녀는 먼 곳을 바라보는 눈빛을 지으면서,

"모두들 내가 완전히 변했다고 했어."

"어떤 식으로 변했는데?"

"지독하게 하이칼라가 됐대."

"그야 그렇겠지. 내가 보기에도 그러니까."

"그런가? 한번 일본식 머리로 묶어보라는 말을 들었지만, 난 싫어서 그렇게 하지 않았어."

"그럼 그 리본은?"

"이거? 이건 내가 상점에 가서 샀어. 어때?"

라고 말하고, 고개를 돌려 찰랑찰랑한 기름기 없는 머리카락을 바람에 날리며, 거기서 팔랑팔랑 춤추고 있는 연분홍빛 천을 내게 보여주었습니다.

"아, 잘 어울려. 이렇게 하는 편이 일본식 머리보다 훨씬 더 좋아보여."

"흥."

하고 그녀는 들창코를 살짝 추어올리고 만족스럽다는 듯이 웃었습니다. 나쁘게 말하면 건방진 이 코끝으로 웃는 웃음이 그녀의 버릇이었는데, 그것이 오히려 제 눈에는 몹시 영리해 보였습니다.

4

나오미가 끊임없이 "가마쿠라에 데려가줘!"라고 조르기에, 그저 이삼일 머물 생각으로 나선 것은 8월 초 무렵이었습니다.

"왜 이삼일이어야 하는데? 간다면 십 일이나 일주일 정도 가야지."

그녀는 조금 불평스러운 얼굴을 했지만 회사가 바쁘다는 핑계로 고향을 떠나온 저는 사실이 들통나면 어머니에게 조금 체면이 서지 않을 것 같았습니다. 하지만 이런 말을 하면 오히려 그녀가 주눅이 들 것 같아,

"뭐, 올해는 이삼일로 참아줘. 내년에는 색다른 곳에 데려가줄 테니까. 응, 괜찮지?"

"하지만 겨우 이삼일은 좀……."

"그야 그렇지만 수영하고 싶으면 돌아와서 오모리 해안에서 하면 되잖아."

"그런 더러운 바다에선 수영 못해."

"그렇게 억지 부리는 거 아니야. 착한 아이니까 그렇게 해,

그 대신 옷을 사줄 테니까. 그래, 맞아, 넌 서양 옷이 갖고 싶댔지? 서양 옷을 마련해줄게."

'서양 옷'이라는 **미끼**에 걸려 그녀는 겨우 수긍했습니다.

가마쿠라에서는 하세長谷의 긴파로金波楼라는 그다지 좋지 않은 여관에서 묵었습니다. 거기엔 지금 생각하면 우스운 이야기가 있습니다. 제게는 상반기에 받은 보너스가 꽤 남아 있어서 원래라면 이삼일 묵으면서 절약할 필요는 없었습니다. 게다가 저는 그녀와 처음으로 숙박할 예정으로 떠나는 여행이라는 점이 더없이 유쾌했기 때문에 될수록 좋은 기억을 남기고 싶어서 그리 인색하게 굴지 않고 여관도 최고급으로 갈 생각이었습니다. 그런데 막상 떠나는 날이 되어 요코스카横須賀행 이등실*에 탔을 때부터 저희는 일종의 주눅 같은 게 들어 있었습니다. 왜냐하면 그 열차 안에는 즈시逗子**나 가마쿠라로 떠나는 부인들과 아가씨들이 많이 있었는데, **죽** 화려한 줄을 만들고 있었기 때문입니다. 막상 그 안에 들어가보니 저는 그렇다 치고, 나오미의 **행색**이 참으로 초라하게 느껴졌습니다.

물론 여름이었으므로 그 부인들이나 아가씨들도 이것저것 화려하게 차려입지는 않았지만, 그들과 나오미를 비교해보니

* 당시의 운임은 일등, 이등, 삼등으로 나뉘어 있었으며, 일등은 삼등의 3배, 이등은 삼등의 2배였다.

** 가나가와현 동남부, 가마쿠라·하야마(葉山) 사이에 위치한 시. 해수욕장 및 피서지, 별장지로 발전.

상류층에서 태어난 자와 그렇지 않은 자 사이에는 어쩔 수 없는 품격의 차이가 있는 듯한 느낌이 들었습니다. 나오미도 카페에 있을 때와는 다른 사람이 되었지만, 집안과 가정교육이 좋지 못한 자는 역시 아무리 해도 안 되는 거 아닐까, 저도 그렇게 생각했고 그녀 역시 한층 더 그것을 느낀 것이 분명합니다. 그리고 여느 때라면 그녀를 하이칼라로 보이도록 한, 그 모슬린 포도 무늬 홑옷이, 그때는 얼마나 보잘것없이 보였는지요. 나란히 앉은 부인들 중에는 산뜻한 유카타* 차림을 한 사람도 있었지만, 손가락에 보석이 반짝인다든가 소지품이 사치스럽다거나 뭔가 하나쯤은 그들의 부귀를 드러내 보였습니다. 하지만 나오미의 손에는 그 매끄러운 피부 외에 뭐 하나 뽐낼만한 것은 반짝이고 있지 않았습니다. 저는 지금도 나오미가 쑥스러운 듯이 자신의 파라솔을 소맷자락 뒤로 숨기던 일을 기억합니다. 그도 그럴 것이 그 파라솔은 새로 산 것이었지만 누구 눈에도 칠팔 엔의 싸구려로 밖에는 보이지 않을 물건이었기에.

그래서 저희는 미하시三橋**로 할까, 과감하게 가이힌海浜호텔***에서 묵을까, 그런 공상을 하고 있었음에도 그 앞까지 가

* 아래위에 걸쳐서 입는, 두루마기 모양의 긴 무명 홑옷. 옷고름이나 단추가 없고 허리띠를 두름. 목욕 후 또는 여름철에 평상복으로 입음.

** 하세에 있던 일류 여관. 요코스카선 개통으로 가마쿠라가 별장지로 각광받기 시작한 1890년대에 가마쿠라에서 가장 큰 여관으로 유명했다. 1914년 7월 숙박료는 1박 2엔 50전부터 2엔 80전이었다.

*** 정식 명칭은 가마쿠라게이힌 호텔. 1888년 창업했으며 1896년 유명한 건축가 콘더의 설계로 개축했다. 이후 1920년대 말 경영방침을 일반 대중에게 전환하기까지는 높은 격

보니 우선 입구부터가 으리으리한 것에 압도되어, 하세의 거리를 두세 번 오간 끝에 마침내 그 지역에서는 이류나 삼류쯤 되는 긴파로에 가게 된 것입니다.

여관에는 젊은 학생들이 많이 묵고 있어서 도저히 편하게 쉴 수 없었기 때문에 저희는 매일 바닷가에서 지냈습니다. 말괄량이 나오미는 바다만 보면 기분이 좋아져 기차 안에서 **기가 죽은** 일은 이미 잊어버리고,

"난 무슨 일이 있어도 올여름 안에 수영을 배울 거야."

라며 내 팔에 매달려 신나게 수심이 낮은 곳에서 철벅철벅 날뛰니다. 저는 그녀의 몸을 바닷물에 띄우거나 말뚝을 꽉 잡게 하고 그녀의 발을 붙잡고 발장구치는 법을 가르치거나, 일부러 갑자기 손을 놓아 짠 바닷물을 마시게 하거나, 그것도 질리면 파도타기를 익히거나, 바닷가에서 대굴대굴 구르면서 모래 놀이를 하거나, 저녁에는 배를 빌려서 먼바다까지 노를 저어 갔습니다. 그런 때면 그녀는 언제나 수영복 위에 커다란 타월을 걸친 채 어떤 때는 뱃전에 함께 걸터앉아, 어떤 때는 뱃전을 베게 삼아 누워서 창공을 올려다보며 누구에게 거리낄 것 없이 자신 있는 목소리로 나폴리의 뱃노래 〈산타 루치아〉*를 소리 높여 불렀습니다.

식과 호화로움으로 알려져, 외국인, 문인, 정치가, 실업가의 이용이 많았다. 서민에게는 그림의 떡이었다.

* 이탈리아의 작곡가 코트라우가 작곡한 나폴리 민요. 산타 루치아는 나폴리 수호신의 이름이며 나폴리 해안거리의 지명이기도 하다. 이 해안에서 황혼의 바다로 배를 저어 떠나는 광경을 노래한 곡으로, 1850년에 발표되고 그 후 나폴리의 어부들 사이에서 애창되

O dolce Napoli,

O suol beato

라고 이탈리어로 노래하는 그녀의 소프라노가 저녁 바다에 울려 퍼지는 것을 넋을 잃고 들으면서 저는 조용히 노를 저었습니다. "더 저쪽으로, 더 저쪽으로"라며 그녀는 끝없이 파도 위를 달리고 싶어 합니다. 어느 틈에 날이 저물어 별이 반짝반짝 하늘에서 저희 배를 내려다보고, 주위가 희미하게 어두워지면 그녀의 모습은 그저 하얀 타월에 감싸여, 그 윤곽이 흐릿해져버립니다. 하지만 맑은 노랫소리는 좀처럼 그치지 않고, 〈산타 루치아〉는 몇 번이고 반복된 다음, 〈로렐라이〉*가 되고 「유랑의 무리」**가 되고, 「미」***의 일절이 되기도 하면서, 배의 느린 속도에 맞춰 여러 노래를 이어 부릅니다…….

이런 경험은 젊은 시절에는 누구에게나 한번은 있기 마련인데, 제게는 실로 그런 적이 처음이었습니다. 저는 전기 기사인 탓에 문학이니 예술이니 하는 것에는 인연이 적은 편이어서 소설 같은 걸 손에 든 적은 좀처럼 없었지만, 그때 떠오른 것은 전에 읽은 적이 있는 나쓰메 소세키夏目漱石****의 『풀베개草

어 오늘에 이르렀다.

* 하이네의 시에 1837년 독일의 질허가 작곡한 것이다. 일본에서도 곤도 사쿠후(近藤朔風, 1880~1915)의 번역으로 1909년 이후로 애창했다.

** 로마의 집시를 노래한 가이벨의 시에, 1840년 슈만이 작곡한 합창곡. 구제(舊制) 여학교에서 애창했다.

*** 괴테의 시에 곡을 붙인 것으로, 볼프의 작품과 슈베르트의 작품이 유명했다.

**** (1867~1916) 일본 근대 문학의 대표 작가, 영문학자. 1867년 에도(지금의 도쿄)에서 태어났다. 본명은 나츠메 킨노스케(夏目金之助)이다. 제국대학 영문과 졸업 후 마쓰야마

枕』*입니다. 분명 그 책에 '베니스는 가라앉으며, 베니스는 가라앉으며'**라는 부분이 있었다고 생각하는데, 나오미와 함께 흔들리는 배에서 저녁 바다 안개 너머로 먼 바다쪽 육지의 등불을 바라보자, 이상하게 그 문구가 떠올라 왠지 이대로 그녀와 끝없이 먼 세계로 흘러가고 싶고, 눈물이 날 것 같고, 황홀한 기분이 되었습니다. 저 같이 세련되지 못한 남자가 그런 기분을 맛볼 수 있었던 것만으로도 가마쿠라의 사흘간은 결코 헛되지 않았습니다.

아니, 그뿐만이 아닙니다. 실은 그 사흘간은 또 하나 중요

중학교 제5 고등학교 등에서 영어를 가르쳤다. 1900년 일본 문부성으로부터 영어 교육법 연구를 위해 영국 유학을 제안받고 영국 유학길에 올랐다. 영국 유학 중에 극도의 신경증에 시달렸다고 한다. 1903년 귀국 후 제1고등학교와 도쿄제국대학에서 교편을 잡았다. 1904년 하이쿠 전문 잡지 「호토토기스」의 주재였던 다카하마 교시(高浜虚子)의 권유로 쓴 『나는 고양이로소이다(我輩は猫である)』가 '산카이(山会)'라는 모임에서 교시가 낭독하여 호평을 얻은 후 1905년에는 「호토토기스」에 실린다. 1회로 완결될 예정이었다. 그러나 당대의 삶과 사회를 생생하게 그려낸 이 소설이 호평과 반향을 일으키자 장편 분량으로 연재하도록 권유받은 작가는 1905년부터 1906년까지 총 11회에 걸쳐 연재하기에 이른다. 1906년에 『도련님(坊っちゃん)』과 『풀베개(草枕)』를 발표하고 1907년 교직을 사임한 후 아사히신문사에 입사하여 창작에 전념한다. 이해 6월부터 『우미인초(虞美人草)』를 「아사히신문」에 연재하였다. 이 무렵 신경증은 진정되나 위병에 시달리기 시작한다.『산시로(三四郎)』(1908) 『그후(それから)』(1909) 『문(門)』(1910) 『행인(行人)』(1912) 『마음こころ』(1914) 등 일본 문학사에 빛나는 많은 걸작을 남겼다. 최후의 대작 『명암(明暗)』 집필 중 위궤양이 악화해 1916년 50세의 나이로 타계했다.

* 1906년 「신소설」에 발표. 속세를 떠나 여행을 떠난 청년 화가는 마을에서 떨어진 온천장에서 나미(那美) 씨라는 아름다운 여성을 만난다. 그녀를 그리려고 하지만 '인정'의 표정이 결여되어 있어 그리지 못한다. 어느 날, 전남편과 재회한 나미 씨의 얼굴에서 '인정'을 느끼고 그림을 완성한다. 대상을 거리와 여유를 가지고 보는 '비인정'에 의해서 미의 세계가 탄생한다는 예술관을 실현한 작품,

** 『풀베개』의 제9장에서, 청년 화가가 나미 씨에게 읽어주는 메러디스의 『비첨의 생애』 중 한 구절로, 베니스에서 애정 없이 결혼하려는 애인을, 주인공이 해 질 녘 배에 태우고 먼바다로 데리고 가는 장면이다.

한 발견을, 제가 주었습니다. 저는 지금까지 나오미와 함께 살면서 그녀의 몸매가 어떤지 노골적으로 말하면 알몸을 알 기회가 없었는데, 그것을 이번에 알게 됐습니다. 그녀가 처음 유이가하마由比ヶ浜*의 해수욕장에, 전날 밤에 일부러 긴자에서 사온 짙은 녹색의 수영모와 수영복을 입고 나타났을 때 솔직히 저는 얼마나 그녀의 사지가 반듯한 것을 기뻐했는지 모릅니다. 그렇습니다, 저는 참으로 기뻐했습니다. 왜냐하면 저는 전부터 옷매무새 같은 걸로 분명 나오미의 몸매는 이럴 거라고 생각했는데, 상상한 대로였기 때문입니다.

'나오미여, 나오미여, 나의 메리 픽퍼드여. 너는 어쩌면 그리도 균형 잡힌 멋진 몸매를 갖고 있는가. 너의 그 부드러운 팔은 어떤가. 그 쭉 뻗은, 마치 남자아이처럼 시원시원한 다리는 어떤가.'

라고, 저는 무심코 마음속으로 외쳤습니다. 그리고 영화에서 낯익은 맥 세닛**의 베이징 걸들을 생각하지 않을 수 없었습니다.

누구라도 제 아내 몸을 지나치게 자세히 쓰는 건 달가워하지 않겠지만, 저도 후년 제 아내가 된 그녀에 대해서 그런 걸 **요란**하게 떠벌리거나 많은 사람에게 알리는 게 그다지 유쾌

* 가나가와현 가마쿠라시의 해안.

** (1880~1860) 미국의 영화제작가이자 배우. 키스톤사를 설립하고 많은 단편 희극영화를 제작했다. 파이 던지기·경찰관·수영복 미인을 사용한 훌륭한 슬랩스틱코미디를 만들었다. 찰리 채플린의 연기를 높이 평가해 지원. 찰리 채플린은 키스톤사와 전속 계약을 맺고 희극 영화배우로 진로를 바꿨다.

하지 않습니다. 하지만 그것을 말하지 않으면 아무래도 이야기가 잘 통하지 않고, 그 정도의 일을 삼가서야 결국 이 기록을 쓰는 의의가 사려져버릴지도 모릅니다. 하여, 나오미가 열다섯 살 되던 8월, 가마쿠라 해변에 섰을 때 어떤 체격이었는지 대강은 여기에 적어야만 합니다. 당시의 나오미는 저와 나란히 서면 키가 저보다 한 치(약 3센티미터) 정도 작았습니다. 미리 말해두지만 저는 단단한 바위처럼 풍채가 좋긴 했어도 신장은 5자 2치*(약 157.6센티미터) 정도로 작은 편에 속했습니다. 하지만 나오미의 골격은 뚜렷한 특징은 몸통이 짧고 다리가 길다는 것이어서 조금 떨어져서 보면 실제보다 훨씬 더 커 보였습니다. 그리고 그 짧은 몸통은 S자처럼 매우 깊게 굴곡져 있었고, 굴곡의 끄트머리, 벌써 충분히 여성스러운 둥그스름한 엉덩이가 솟아 있었습니다. 당시 저희는 그 유명한 수영의 달인 아네트 켈러먼**이 주연을 맡은 영화 〈넵튠의 딸〉***을 본 적이 있어서,

"나오미 짱, 잠깐 켈러먼의 흉내를 내봐."

라고 내가 말하면 그녀는 모래 해변에 우뚝 서서 양손을 머리 위로 치켜들면서 '다이빙'하는 자세를 취했는데, 그럴 때

* 한 자는 약 30, 3센티미터, 1치는 약 3.03센티미터이므로 5자 2치는 157.6센티미터. 이 소설을 쓴 다니자키 준이치로의 신장도 5자 2치였다. 1910년대 일본 남성의 평균 키는 160센티미터였다.

** (1886~1975) 오스트리아의 수영선수이자 영화배우, 작가. 1907년 미국 뉴욕에서 유리 수조에 들어가 물고기들과 함께 헤엄치며 수중 연기를 한 최초의 수중 발레리나로 원피스 수영복을 입은 최초의 여성이다.

*** 1914년에 제작된 인어를 소재로 한 무성 영화. 아네트 켈러먼이 인어 역을 맡았다.

양 허벅지를 딱 붙이면 다리와 다리 사이에 전혀 틈도 없이, 허리부터 아래 발목을 정점으로 하나의 가늘고 긴 삼각형을 그렸습니다. 그녀도 거기에는 만족한 모습으로,

"어때? 조지 씨, 내 다리 휘지 않았어?"

라고 말하면서, 모래 위에서 걷기도 하고 멈추기도 하고, 몸을 쭉 펴기도 하면서 자신의 모습을 기쁜 듯이 바라보았습니다.

그리고 또 하나, 나오미 몸의 특징은 목에서 어깨에 걸친 선에 있습니다. 어깨…… 저는 자주 그녀의 어깨를 접촉할 기회가 있었습니다. 왜냐하면 나오미는 수영복을 입을 때 늘 "조지 씨, 잠깐 이걸 좀 채워줘"라고 제 옆에 다가와서, 어깨에 달린 단추를 채우게 했으니까요. 나오미같이 동그스름한 어깨에 목이 긴 사람은 옷을 벗으면 마른 것이 보통이지만 그녀는 그와 반대였습니다. 생각 외로 두툼하고 살집이 있는 멋진 어깨와 몹시 호흡이 강할 것 같은 가슴을 가졌습니다. 단추를 채워줄 때, 그렇지 않아도 몸에 착 달라붙은 수영복은 언덕처럼 솟은 어깨 부분이 잔뜩 늘어나 탁하고 터질 것 같았습니다. 한마디로 말하면 그야말로 '젊음'과 '아름다움'이 넘치는 어깨였습니다. 저는 은밀히 주변의 많은 소녀와 나오미를 비교해보았는데, 그녀처럼 건강한 어깨와 우아한 목을 겸비한 사람은 없었습니다.

"나오미 짱, 좀 가만히 있어. 그렇게 움직이면 단추가 빽빽해서 채워지지 않잖아."

라고 말하면서, 저는 수영복 끝을 잡고 커다란 물건을 자루에 넣는 것처럼 억지로 그 어깨를 밀어 넣었습니다.

이러한 체격을 가진 그녀가 운동을 좋아하고 말괄량이인 것은 당연하다고 하지 않을 수 없습니다. 실제로 나오미는 손발을 써서 하는 것이라면 무슨 일이든 잘했습니다. 수영 같은 건 가마쿠라에 머물었던 사흘을 시작으로 해서 나중에는 오모리의 해안에서 매일 열심히 배워, 그 여름이 가기 전에 결국 능숙하게 해냈고, 보트 젓기와 요트 조종 등을 할 수 있게 되었습니다. 그렇게 온종일 놀다가 날이 저물면 완전히 녹초가 되어 "아, 피곤해"라고 말하면서, 흠뻑 젖은 수영복을 가지고 돌아옵니다.

"아아, 배고파."

라며, 녹초가 된 몸을 의자에 내던집니다. 때에 따라서는 저녁을 하는 것이 귀찮았기 때문에 돌아오는 길에 양식집에 들러 마치 두 사람이 경쟁하듯 **배 터지게** 먹습니다. 비프스테이크 다음에 또 비프스테이크를 시킬 정도로, 비프스테이크를 좋아하는 그녀는 게 눈 감추듯 세 접시 정도는 너끈히 해치웠습니다.

그해 여름의 즐거웠던 추억을 쓰면 한이 없으니 이 정도로 해두겠지만, 마지막으로 한 가지 빠뜨려서는 안 될 것은 그 무렵부터 제가 그녀를 따뜻한 물로 손이며 발이며 등을 스펀지로 씻어주는 습관이 생겼다는 사실입니다. 이것은 나오미가 졸립다며 목욕탕에 가는 걸 귀찮아해서 바닷물을 씻어내려고 한 것이 시작이었습니다.

"자, 나오미 짱, 그대로 잠들면 몸이 **끈적끈적**해서 안 돼. 씻어줄 테니 이 대야 안에 들어와."

내가 그렇게 말하면 그녀는 시키는 대로 얌전히 제게 몸을 맡겼습니다. 그것이 점점 버릇이 되어 선선한 가을이 와도 목욕은 멈추지 않았습니다. 결국엔 아틀리에 구석에 서양식 욕조와 목욕 매트를 놓은 후 그 주변에 칸막이를 치고 겨울에도 계속 씻어주게 되었습니다.

5

눈치 빠른 독자 중에는, 이미 지난번 이야기를 하는 동안 저와 나오미가 친구 이상의 관계를 맺었을 거라 상상하는 사람이 있을 겁니다. 하지만 사실 그렇지 않았습니다. 뭐 그야 시간이 지남에 따라 서로의 마음속에 일종의 '이해' 같은 것이 생기기는 했을 겁니다. 하지만 한쪽은 아직 열다섯 살 소녀이고, 저는 앞에서 말했듯이 여자에 대해서 경험 없는 조심성 있고 정직한 '군자'였을 뿐만 아니라 그녀의 정조에 관해서는 책임을 느끼고 있었기 때문에, **좀처럼** 일시적인 충동에 사로잡혀 그 '이해'의 범위를 넘는 짓은 하지 않았습니다. 물론 마음속에서는 나오미 외에는 아내로 삼을 만한 여자는 없다, 있다고 해도 지금에 와서 정든 그녀를 버릴 수는 없다는 생각이 점점 더 깊게 뿌리를 내려가고 있었습니다. 그런 만큼 한층 그녀를 더럽히는 방법으로 혹은 농락하는 태도로 처음부터 그 일을 언급하고 싶지 않았습니다.

그렇습니다. 저와 나오미가 처음으로 그런 관계가 된 것은 그다음 해, 나오미가 열여섯 살이 되던 봄, 4월 26일이었습니다. 그렇듯 분명히 기억하고 있는 것은 실은 그 무렵, 아니 훨씬 이전, 그 대야에 물을 받아 몸을 씻기기 시작했을 무렵부터 저는 나오미에 대해서 느꼈던 여러 가지를 매일 일기에 적어두었기 때문입니다. 정말이지, 그 무렵의 나오미는 몸매가 하루하루 여성스럽게, 눈에 띄게 성숙해져서 마치 아기를 낳은 부모가 '처음으로 웃었다'라든가 '처음으로 말문이 트였다'라는 식으로 그 아이의 성장 과정을 적어두는 것과 같은 심정으로 저는 날마다 제 주의를 끈 사항을 일기에 적었습니다. 저는 지금도 가끔 그것을 넘겨볼 때가 있는데, 다이쇼大正* 모년 9월 21일, 즉 나오미가 열다섯 되던 가을날 일기에는 이렇게 쓰여 있었습니다.

'밤 8시에 목욕시키다. 해수욕으로 탄 곳이 아직 낫지 않다. 정확히 수영복을 입은 부분만이 하얗고, 나머지는 새까맣다. 나도 그렇지만 나오미는 살결이 흰 편이어서 더욱 눈에 띄어 알몸으로 있어도 수영복을 입은 것 같다. 그런 모습이 얼룩말 같다고 했더니, 나오미는 재미있어 하며 웃었다…….'

그 후 한 달 정도 지난 10월 17일 일기에는,

'햇볕에 타거나 껍질이 벗겨진 부분이 차차 나아가나 싶었는데, 오히려 전보다 **반질반질**한 몹시 아름다운 피부가 되었다. 내가 팔을 씻어주자 나오미는 말없이 피부 위에 녹아 흘러가는 비누 거품을 바라보고 있었다. "예쁘다"라고 내가 말하

* 다이쇼(大正, 1912년~1926년) 천황 시대의 연호.

자 "정말 예뻐"라고 그녀도 말한 다음 "비누 거품이"라고 덧붙였다…….'

다음 11월 5일에는,

'오늘 밤 처음으로 서양 목욕탕을 사용해보았다. 익숙하지 않아서 나오미는 욕조 안에서 주르륵 미끌어지면서 깔깔 웃었다. "커다란 베이비"라고 했더니 그녀가 나를 "파파"라고 했다…….'

그렇습니다, 이 '베이비'와 '파파'는 그 후에도 자주 나왔습니다. 나오미가 뭔가를 **조르거나 떼**를 쓸 때는 언제나 장난처럼 나를 '파파'라고 불렀습니다.

'나오미의 성장'이라고, 그 일기에는 그런 제목이 붙어 있었습니다. 그러므로 그것은 말할 필요도 없이 나오미에 관한 사항만을 적은 것입니다. 얼마 안 있어 저는 사진기를 사서 더욱더 메리 픽퍼드를 닮아 가는 그녀의 얼굴을 여러 광선과 각도에서 찍어서는 일기장 곳곳에 붙였습니다.

일기 때문에 이야기가 옆길로 샜는데, 하여간 일기에 의하면, 저와 그녀가 끊으려야 끊을 수 없는 관계가 된 것은 오모리에 오고 나서 2년째 되던 4월 26일입니다. 하기야 두 사람 사이에는 무언의 '이해'가 생겼으므로, 극히 자연스럽게 어느 쪽이 어느 쪽을 유혹한 것도 아니고, 거의 이렇다 할 말 한마디도 주고받지 않고 암묵리에 그런 결과가 되었습니다.

"조지 씨, 절대 날 버리지 마."

라고 나오미가 말했습니다.

"버리다니, 그런 일은 결코 없을 테니 안심해. 나오미 짱은 내 마음을 잘 알고 있겠지만……."

"응, 그야 잘 알고 있지만……."

"그럼, 언제부터 알고 있었어?"

"글쎄, 언제부터였지……."

"내가 너를 맡아서 돌봐주겠다고 말했을 때 나오미 짱은 나를 어떻게 생각했어? 너를 멋진 사람으로 만들어 나중에 너와 결혼할 생각이 아닐까, 하는 생각은 하지 않았어?"

"그야, 그러지 않을까 생각했지만……."

"그럼 나오미 짱도 내 아내가 되어도 좋다는 마음으로 와줬구나."

그리고 저는 그녀의 대답을 기다릴 것도 없이 힘껏 그녀를 끌어안으면서 말을 이었습니다.

"고마워, 나오미 짱, 정말 고마워, 잘 이해해줘서……. 지금이니까 솔직히 말하지만, 네가 이렇게…… 이렇게까지 내 이상에 꼭 맞는 여자가 될 거라고는 생각하지 않았어. 난 운이 좋았어. 평생 너를 사랑해줄게……. 너만을……. 세상에서 흔히 말하는 부부처럼 너를 결코 소홀히 하지 않을 거야. 정말 난 너를 위해 산다고 생각해줘. 네 바람은 뭐든 반드시 들어줄 테니, 너도 열심히 공부해서 더 멋진 사람이 돼줘. ……"

"응, 나 열심히 공부할게. 그리고 정말 조지 씨 마음에 드는 여자가 될게, 반드시……."

나오미의 눈에서는 눈물이 흐르고 있었고 어느 틈에 저도 울고 있었습니다. 그리고 우리는 그날 밤새도록 앞날에 대해서 이야기했습니다.

그리고 얼마 후 토요일 오후부터 일요일에 걸쳐 고향 집에 머물면서 어머니에게 처음으로 나오미에 대해서 털어놓았습니다. 이렇게 한 이유 중 하나는 나오미가 고향 집 사람들이 어떻게 생각할까 걱정했기 때문입니다. 그녀를 안심시키고 저로서도 숨김없이 일을 진행하고 싶어 가급적 서둘러 어머니에게 알렸던 것입니다. 저는 제 '결혼'에 대한 생각을 솔직하게 말하고, 나오미를 아내로 맞고 싶은 이유를 잘 수긍할 수 있도록 설명했습니다. 어머니는 전부터 제 성격을 이해하고 저를 믿고 있었기에,

"네가 그런 생각이라면 그 아이를 아내로 맞는 것도 좋다만, 그 아이의 친정이 그런 집이면 귀찮은 일이 생길지도 모르니 나중에 귀찮은 일이 생기지 않도록 조심하렴."

이라고, 단지 그렇게 말했을 뿐이었습니다. 그래서 공공연한 결혼식은 이삼 년 후에 하더라도 호적만은 빨리 이쪽으로 올리고 싶어 센조쿠초에도 즉시 연락을 했는데, 이쪽은 원래 태평한 어머니와 오빠들이라 간단히 끝나버렸습니다. 태평하기는 하지만 그렇게 뱃속이 검은 사람들은 아닌 듯, 욕심에 얽힌 말은 뭐 하나 하지 않았습니다.

그렇게 되고 나서 저와 나오미가 급속도로 친밀해졌습니다. 아직 아는 사람들도 없고, 겉으로는 친구처럼 지내고 있었지만, 이제 저희는 누구에게도 거리낄 것 없는 법률상의 부부였

습니다.

"저기, 나오미 짱."

내가 어느 날 그녀에게 말했습니다.

"나와 너는 앞으로도 친구처럼 살자. 언제까지나."

"그럼, 언제까지고 나를 '나오미 짱'이라고 불러줄래?"

"그래, 아니면 '부인'이라고 불러줄까?"

"싫어, 나."

"아니면 '나오미 씨'로 할까?"

"**씨**는 싫어. 역시 **짱**이 좋아. 내가 **씨**라고 해달라고 말할 때까지는."

"그러면 나도 영원히 '조지 씨'야."

"그야 그렇지. 그것밖에 호칭이 없잖아."

나오미는 소파에 벌러덩 누워서 장미꽃을 들고 그것을 계속 입술에 대고 있는가 싶더니, 갑자기

"저기 조지 씨?"라고, 말하며 양팔을 벌려 그 꽃 대신 내 목을 끌어안았습니다.

"나의 귀여운 나오미 짱."

저는 숨이 막힐 정도로 꼭 끌어안긴 채 옷자락 뒤의 어둠 속에서 목소리를 내면서,

"나의 귀여운 나오미 짱, 나는 너를 사랑하고 있을 뿐만이 아니야. 실은 너를 숭배하고 있어. 너는 나의 보물이야. 내가 스스로 찾아내서 갈고 닦은 다이아몬드야. 그러니 너를 아름다운 여자로 만들기 위해서라면 뭐든 사줄게. 내 월급을 모두

네게 줘도 좋아."

"괜찮아. 그렇게 해주지 않아도. 그것보다는 나 영어랑 음악을 더 열심히 공부할게."

"응, 공부해, 공부. 이제 곧 피아노도 사줄 테니. 그리고 서양인 앞에 나가도 부끄럽지 않을 레이디가 되렴. 너라면 분명 될 수 있을 테니까."

이 '서양인 앞에 나가도'라든가 '서양인처럼' 같은 말을, 저는 때때로 쓰곤 했습니다. 그녀도 물론 그것을 기뻐하며.

"어때? 이렇게 하면 내 얼굴이 서양인처럼 보이지 않아?"

이런 말을 하면서 거울 앞에서 여러 표정을 지어 보입니다. 영화를 볼 때 그녀는 상당히 여배우의 동작에 주의를 하는 듯, 픽퍼드는 이런 식으로 웃는다든가, 메니켈리*는 이런 식으로 눈짓을 한다든가, 제럴딘 패러**는 늘 머리를 이런 식으로 묶고 있다든가 하며, 결국에는 열중해 머리까지도 부스스 흩트리고 여러 가지 모양으로 만들면서 흉내를 내는데, 순간적으로 여배우의 그런 버릇과 느낌을 포착하는 것을 그녀는 정말 잘했습니다.

* (1890~1984) 이탈리아의 영화배우. 불온한 미소와 반항적 몸짓이 특징적인 그녀는 모든 '가장 근대적이고 악마적'이라는 평가를 받았다. 엑스트라로 동원됐다가 연출 지시를 무시하고 카메라를 빤히 바라보는 등의 삐딱한 행동을 보여 조반니 파스트로네 감독의 눈에 띄었고 배우로 성장하게 됐다고 전해진다. 거칠고 도도한 매력으로 남성 관객 사이에 높은 인기를 누렸다. 출연 영화 중 일본에서 공개된 것은 1916년의 〈불〉, 1918년의 〈왕가의 호랑이〉 등이 있다.

** (1882~1962) 20세기 초 미국의 소프라노 가수이자 영화배우. 뛰어난 가창력과 미모, 독일 황태자 빌헬름과의 사랑으로 화제가 되었다. 주연한 영화 중에 일본에 공개된 것은 1916년의 〈잔 다르크〉와 1922년의 〈카르멘〉 등이 있다.

"잘하는데? 그런 흉내는 배우도 못 낼 거야. 넌 얼굴이 서양인과 닮았으니까."

"그런가. 어디가 그렇게 닮았는데?"

"콧대와 치열."

"아, 이?"

그리고 그녀는 '이'라고 하듯이 입술을 벌려 치열을 거울에 비춰보았습니다. 그건 정말 가지런하고 몹시 윤이 나는, 아름다운 치열이었습니다.

"어쨌거나 너는 일본인답지 않아서 평범한 일본 옷을 입으면 어울리지 않아. 차라리 서양 옷을 입거나 일본 옷이라도 색다른 스타일로 입으면 어떨까?"

"그럼, 어떤 스타일?"

"앞으로 여성은 점점 활발해질 테니까 지금처럼 그런 무겁고 답답한 옷은 안 좋다고 생각해."

"나 쓰쓰소데* 옷을 입고 헤코오비**를 매면 안 될까?"

"쓰쓰소데도 나쁘지는 않아. 뭐든 좋으니까 가능한 신기한 차림을 해보는 거야. 일본풍도 아니고 중국풍도 아니고 서양풍도 아닌, 뭔가 그런 **차림** 없을까?"

"있다면 내게 마련해줄 거야?"

"응 마련해주고말고. 난 나오미 짱에게 여러 모양의 옷을 마

* 소맷자락이 없는 통 모양의 소매. 또는 그런 옷.

** 어린이용 혹은 남자용의 한 폭 넓이의 천을 적당한 길이로 잘라, 그대로 훑어서 두르는 허리띠.

련해주고, 매일매일 갈아입혀 보고 싶어. 오메시*라든가 치리멘** 같은 그런 비싼 옷감이 아니라도 좋아. 모슬린이나 메이센으로 충분하니까 디자인을 기발하게 하는 거야."

이런 이야기 끝에 저희는 자주 포목전과 백화점에 천을 찾으러 함께 나가곤 했습니다. 특히 그 무렵은 거의 일요일마다 미쓰코시三越***나 시로키야白木屋****에 가지 않은 적이 없었을 겁니다. 하여간 평범한 여성용품으로는 나오미도 나도 만족하지 못했기 때문에 이거다 싶은 무늬를 찾아내는 일은 쉽지 않았습니다. 진부한 포목점으로는 안 되겠다 싶어, 사라사 가게라든가 깔개 가게, 와이셔츠나 양복 천을 파는 가게 같은 데를 찾아 일부러 요코하마横浜까지 가서, 차이나타운이나 거류지*****에 있는 외국인 취향 옷감 가게 같은 곳을 온종일 찾아 돌아다닌 적이 있었는데, 두 사람 모두 완전히 지쳐서 다리가 뻣뻣해질 때까지 끝도 없이 물건을 찾아 돌아다녔습니다. 길을 지날 때도 방심하지 않고, 서양인의 모습이나 복장을 눈여겨보거나 곳곳에 있는 쇼윈도에 주의를 기울였습니다. 간혹

* 바탕이 오글쪼글한 견직물.

** 바탕이 오글오글하게 된 평직의 비단.

*** 에도 시대인 1673년 '에치고야(越後谷)'라는 포목점에서 출발한 일본 최초의 백화점. 1904년 백화점으로 개칭. 현재는 당연한 정찰제를 세계 최초로 시행하여, 당시 부유층의 소유였던 포목을 일반 서민들도 접할 수 있게 했다. 대한민국 서울에 있는 신세계 백화점은 1930년 개점한 미쓰코시 경성점이 효시.

**** 에도시대 중기부터 니혼바시(日本橋)에 있던 포목점. 1919년부터 백화점으로 바뀌었으며, 1967년부터 도큐(東急) 백화점이 되어 현재에 이르렀다.

***** 조약에 의해 외국인이 자유롭게 살 수 있도록 인정한 토지.

신기한 것을 발견하면,

"아, 저 천은 어때?"

라고 외치면서, 즉시 그 가게에 들어가 그 천을 진열창에서 꺼내 그녀의 몸에 대보고 턱밑으로 축 늘어뜨리기도 하고 몸에 둘둘 감아보기도 했습니다. 그저 그렇게 구경하며 값만 물어보는 것만으로도 두 사람에게는 충분히 재미있는 놀이였습니다.

요즘에야 일본 부인들이 오건디*나 조젯**, 코튼 보일*** 같은 천으로 홑겹 옷을 짓는 일이 조금씩 유행하고 있는데, 그것을 처음 시작한 것은 저희가 아니었을까요. 나오미는 기묘하게 그런 천이 어울렸습니다. 그것도 정식 일본 옷은 별로여서 쓰쓰소데로 만들거나 파자마나 나이트가운처럼 만들거나 천을 그대로 몸에 두르고 군데군데 브로치로 고정한 채 그런 **차림**으로 그저 집 안을 오가며 거울 앞에 서보거나 여러 가지 포즈로 사진을 찍어보는 것입니다. 흰색과 장미색, 연보라색의 사紗처럼 비쳐 보이는 그 옷들에 감싸인 그녀의 모습은 살아있는 한 떨기 커다란 꽃송이처럼 아름다워, "이렇게 해봐, 저렇게 해봐"라고 말하면서 저는 그녀를 안아 일으키기도 하고 쓰러뜨리기도 하고 앉히기도 하도 걷게도 하며, 몇 시간이고

* 매우 얇은 피륙으로 가볍고 투명해 보이는 빳빳한 촉감으로 마무리된 면이나 폴리에스테르의 직물.

** 얇고 주름진 평직의 크레이프로써 약간 매끄럽고 차가운 맛이 있으며 비쳐 보인다. 드레스, 블라우스, 가운 등에 쓰인다.

*** 얇고 가볍고 거칠며 비쳐 보이는 면직물.

바라보았습니다.

이런 식이었으므로 그녀의 의상은 일 년간 수없이 늘었습니다. 그녀는 그것들을 자신의 방에는 도저히 둘 수가 없어서, 닥치는 대로 아무 데나 걸어놓거나 뭉쳐서 던져놓았습니다. 옷장을 사면 좋겠지만 그럴 돈이 있으면 조금이라도 더 의상을 사고 싶었고, 게다가 저희 취향으로서는 뭐, 그리 소중히 보존할 필요는 없었습니다. 옷은 많았지만 모두 싼 것이었고 어차피 즉시 입고 버릴 테니까 보이는 곳에 흩뜨려 놓고, 마음이 내킬 때 몇 번이라도 갈아입는 편이 편리하기도 했고, 무엇보다 방의 장식도 되었습니다. 그래서 아틀리에 안은 마치 극장의 의상실처럼 의자 위에도 소파 위에도, 마루 구석에도, 심한 경우에는 계단 중간이나 다락방 난간에도, 옷들이 **단정**하지 못하게 굴러다니지 않은 곳이 없었습니다. 그리고 세탁을 한 적이 거의 없는 데다가 그녀는 그것을 맨살에 걸치는 버릇이 있어 어느 옷이나 대개는 때에 찌들어 있었습니다.

대부분의 의상이 별나게 재단되어 있어서 외출 할 때 입을 수 있는 옷은 반 정도밖에 없었을 겁니다. 그중에서도 나오미가 아주 좋아해서 이따금 집 밖으로 입고 나오는 새틴 겹옷과 한 벌인 하오리*가 있었습니다. 새틴이라고는 해도 면이 들어간 새틴이었고, 하오리와 겹옷도 전체가 무늬 없는 자주색

* 일본 옷 위에 입는 짧은 겉옷.

으로, 조리*의 끈이나 하오리의 끈에까지 자주색을 사용했고, 그 외는 모두 장식용 깃이든 오비**든 오비 위에 두르는 끈이든 속옷의 안이든, 소맷부리든, 안감이든 모두 같은 물빛이었습니다. 오비도 역시 면 새틴으로 만들고 심지는 얇고 폭은 좁게 만들어 있는 힘껏 가슴 높이에 단단히 매고, 장식용 깃 천으로는 새틴과 비슷한 것을 원한다기에 리본을 사 와서 달았습니다. 나오미가 그것을 입고 나가는 대부분은 밤에 연극을 보러 갈 때이므로 그 번쩍번쩍하고 눈부신 천으로 만든 의상을 번쩍거리면서 유라쿠좌有楽座***나 제국극장의 복도를 걸으면 누구라도 그녀를 돌아다보지 않는 사람은 없었습니다.

"누구지, 저 여자는?"

"여배우인가?"

"혼혈아인가?"

이런 속삭임을 들으면서 저와 그녀는 득의양양하게 일부러 그 근처를 서성이곤 했습니다.

하지만 그 옷조차 그렇게 사람들이 신기해했을 정도이므로 하물며 그 이상의 기발한 옷은 아무리 나오미가 색다른것

* 짚, 대나무 껍질 등을 샌들 모양으로 엮은 신발.

** (일본 옷에서) 허리에 두르는 띠.

*** 1908년, 현재의 도쿄도 치요다구 유라쿠초(有楽町)에 만들어진 전관 의자석에, 식당, 휴게실을 갖춘 일본 최초의 서양풍 극장. 서양의 번역극이나 일본의 근대극이 자주 상영되었다. 관동대지진으로 소실될 때까지, 제국극장과 더불어 다이쇼(大正, 1912~1926) 시대를 대표하는 극장이었다.

을 좋아해도 도저히 집 밖으로 입고 나갈 수는 없었습니다. 그것들은 그저 방 안에서 그녀를 다양한 그릇에 넣어서 바라보기 위한 용기에 지나지 않았습니다. 예를 들어 한 송이 아름다운 꽃을 다양한 꽃병에 꽂는 것도 같은 심리겠지요. 제게 나오미는 아내인 동시에 참으로 드문 인형이자 장식품이기도 했으므로 별로 놀랄 것이 못 됩니다. 따라서 그녀는 거의 집에서 일반적인 **차림**을 하고 있는 경우가 없었습니다. 이것도 어떤 미국 영화의 남장에서 힌트를 얻은 것인데, 검은 벨벳으로 만든 스리피스 신사복 같은 건 아마도 가장 돈이 많이 든, 사치스러운 실내복이었을 겁니다. 그것을 차려 입고, 머리카락을 둘둘 말고 사냥 모자를 쓴 모습은 고양이처럼 요염한 느낌이었는데, 여름은 물론 겨울에도 스토브로 방을 따뜻하게 하고, 헐렁한 가운이나 수영복 하나로 노는 일도 자주 있었습니다. 그녀가 신은 슬리퍼의 숫자만 해도 자수가 놓인 중국 신발을 비롯하여 몇 켤레나 되는지 모릅니다. 그리고 그녀는 많은 경우 다비*나 양말을 신지 않고 늘 맨발로 그런 신발을 신었습니다.

* 일본식 버선.

6

당시의 저는, 그 정도로 그녀의 비위를 맞추고 온갖 좋아하는 일을 하면서도 한편으로는 그녀를 충분히 교육시켜서 훌륭한 여자, 멋진 여자로 만들고자 하는 최초의 희망을 버린 적은 없었습니다. '멋지다'라든가 '훌륭하다' 같은 말의 의미를 따져보자면 저로서도 분명치는 않지만, 요컨대 저다운 극히 단순한 생각으로 '어디에 내놔도 부끄럽지 않을, 근대적인 하이칼라 여성'이라는 아주 막연한 것을 염두에 두고 있었을 겁니다. 나오미를 '훌륭하게 만드는 것'과 '인형처럼 소중하게 다루는 것', 이 둘이 과연 양립할 수 있는 걸까요? 지금 생각하면 어리석은 이야기지만 그녀의 사랑에 빠져 이성을 잃은 저에게는 그런 확연한 도리조차 눈에 들어오지 않았습니다.

"나오미 짱, 놀이는 놀이, 공부는 공부야. 네가 훌륭해지면 내가 또 여러 가지 물건을 사줄게."

라고 저는 입버릇처럼 말했습니다.

"응, 공부할게. 그래서 꼭 훌륭해질게."

라고 제가 말하면 반드시 나오미는 이렇게 대답했습니다.

그리고 매일 저녁 식사 후에 30분 정도 저는 그녀에게 회화나 독본을 복습시켜주었습니다. 하지만 그때도 그녀는 예의 벨벳 옷이라느니 가운 같은 걸 입고 발끝으로 슬리퍼를 장난감 삼아 장난치면서 의자에 기대는 형편이라, 아무리 잔소리를 해도 결국 '놀이'와 '공부'가 **뒤죽박죽**이 되어버렸습니다.

"나오미 짱, 뭐야 그런 짓이나 하고! 공부할 때는 더 얌전히 해야지."

제가 그렇게 말하면 나오미는 움찔 어깨를 움츠리며 초등학생처럼 앳된 목소리로,

"선생님, 죄송해요."

라고 하거나

"가와이 선생님, 용서해주세요."

라며, 제 얼굴을 살짝 들여다보기도 하고, 때로는 살짝 뺨을 찌르기도 합니다. '가와이 선생님'도 이 귀여운 학생에 대해서는 엄격하게 할 용기가 없어 잔소리의 끝이 **실없는** 장난이 되어버립니다.

나오미는 본래 음악은 잘 모르겠지만, 영어는 열다섯 살부터 2년 정도 해리슨 양에게 배우고 있어 원래라면 충분히 잘할 수 있을 터이고, 리더도 1부터 시작해서 지금은 2의 반 이상까지 진도가 나갔고, 회화 교과서는 'English Echo'를 배우고, 문법책은 간다 나이부神田乃武*의 'Intermediate Grammar'

* (1857~1923) 미국에서 유학하고, 도쿄제국대학 등에서 가르친 영어 교육자. 그가 편집한 중등학교용 영어 교과서는 메이지(1868~1912), 다이쇼(1912~1926) 시대에 널리 사용되었다.

를 사용하고 있어서, 아마도 중학교 3학년 정도의 실력은 될 터였습니다. 하지만 아무리 잘 봐주려고 해도 나오미는 어쩌면 2학년 실력도 안 됩니다. 아무래도 이상해서 이럴 리가 없다고 여기고, 한 번 저는 해리슨 양에게 물어본 적이 있습니다.

"아니요, 그렇지 않아요. 그 아이는 상당히 영리한 아이에요. 아주 잘 해요."

라며, 통통하고 사람 좋아 보이는 그 노처녀는 생글생글 웃을 뿐이었습니다.

"그래요, 그 아이는 영리한 아이예요. 하지만 거기에 비하면 너무 영어를 못한다고 생각해요. 읽기는 하지만 일본어로 번역하는 것이나 문법을 해석하는 게……."

"아니, 그건 당신이 잘못 생각한 거예요. 당신의 생각이 틀렸어요."

라고, 역시 노처녀는 생글생글 웃는 얼굴로 내 말을 가로막으며 말했습니다.

"일본인 모두 문법이나 번역을 생각해요. 하지만 그게 가장 나빠요. 영어 배울 때 결코 머릿속으로 문법을 생각해서는 안 돼요. 번역해서는 안 돼요. 영어를 몇 번이고 몇 번이고 읽어보는 것, 그게 가장 좋아요. 나오미 씨는 발음이 아주 좋아요. 그리고 리딩을 잘하니까 머지않아 분명 잘하게 될 거예요."

노처녀가 말한 것도 일리는 있습니다. 하지만 제 말은 문법 법칙을 조직적으로 암기하라는 게 아닙니다. 2년 동안이

나 영어를 배우고 리더의 3을 읽을 정도면 적어도 과거분사의 사용법이나 수동태의 구조, 가정법의 응용 정도는 알고 있을 텐데, 일본어로 된 문장을 영어 문장으로 번역시키면 전혀 하지 못했습니다. 중학교 열등생에게도 미치지 못할 정도입니다. 아무리 리딩을 잘한다고 해도 이래서는 도저히 실력이 길러질 리가 없습니다. 대체 2년 동안이나 무엇을 가르치고, 무엇을 배웠는지 모르겠습니다. 하지만 노처녀는 불평스러운 제 표정에 신경 쓰지 않고, 매우 안심한 듯한 느긋한 태도로 고개를 끄덕이며, "그 아이는 정말 영리해요"를 계속 되풀이할 뿐이었습니다.

이것은 제 상상입니다만, 어차피 서양인 교사는 일본인 학생에 대해서 일종의 **편애**가 있는 것 같습니다. **편애,** 이 말이 거북하다면 선입관이라고 할까요? 즉 그들은 서양인 같은 하이칼라의 귀여운 용모의 소년이나 소녀를 보면 즉시 그 아이를 영리하다고 생각합니다. 특히 올드미스이면 그 경향이 한층 심합니다. 해리슨 양이 나오미를 계속해서 칭찬하는 것은 그 이유로, 이미 머리에서 '영리한 아이'라고 정해버린 것입니다. 게다가 나오미는 해리슨 양이 말한 대로 발음만은 몹시 유창했습니다. 치열이 고른 데다가 성악의 소양이 있어서 목소리만을 들으면 참으로 유창하고 멋있게 영어를 잘 할 것 같아, 저 같은 건 발밑에도 미치지 못할 것처럼 여겨졌습니다. 그래서 아마노 해리슨 양은 그 목소리에 속아, 맥없이 낭한 게 분명합니다. 해리슨 양이 얼마나 나오미를 사랑했는지는,

놀랍게도 해리슨 양의 방에 가보니, 화장대 거울 주위에 나오미의 사진이 잔뜩 장식되어 있는 것으로도 알 수 있었습니다.

저는 내심 해리슨 양의 의견이나 교육법에 대해서는 몹시 불만이었지만 동시에 또 서양인이 나오미를 그렇게 **편애**하고, 영리한 아이라고 말해주는 것이 제 생각대로였기 때문에 마치 제가 칭찬받은 듯 기쁨을 금할 수가 없었습니다. 그뿐만 아니라 원래 저는, 아니 저뿐만이 아니라 일본인은 누구라도 대부분 그렇습니다만, 서양인 앞에 나가면 몹시 의기소침해져 분명하게 자신의 생각을 말할 용기가 사라지는 편이라 해리슨 양의 기묘한 악센트 있는 일본어로, 당당하게 지껄여대는 통에 결국 해야 할 말도 하지 못하고 말았습니다. 뭐, 상대가 그런 생각이라면 나는 나대로 부족한 부분을 가정에서 보충해주면 된다고 마음속으로 그렇게 정하고,

"네, 정말 그건 그래요. 당신이 말한 대로예요. 그것으로 저도 알았으니 안심했어요."

이런 말을 하며 생글생글 애매한 가식적인 웃음을 띠면서, 그대로 요령부득한 채 맥없이 돌아왔습니다.

"조지 씨, 해리슨 씨가 뭐라고 했어?"

나오미는 그날 밤 물었는데, 그녀의 말투는 자못 노처녀의 총애를 믿고 완전히 **대수롭지 않게** 여기는 것처럼 들렸습니다.

"잘한다고 했지만 서양인은 일본인 학생의 심리를 몰라. 발음이 좋아서 그저 술술 읽기만 하면 된다고 말하는 건 큰 착각이야. 넌 분명 기억력은 좋아. 그래서 암기는 잘 하지만 번

역시키면 뭐 하나 아는 게 없어. 그래서는 앵무새랑 다를 게 없잖아. 아무리 배워도 아무 도움도 되지 않아."

제가 나오미에게 잔소리를 한 것은 그때가 처음이었습니다. 저는 그녀가 해리슨 양을 자기편으로 삼아, '거 봐라'라고 말하듯 자신만만하게 코를 벌름거리는 것이 화가 났을 뿐만 아니라, 이래서야 '멋진 여성'이 될 수 있을지 어떨지 몹시 염려되었습니다. 영어를 제쳐두고라도 문법 규칙을 이해할 수 없는 머리로는 앞일이 참으로 걱정스러웠습니다. 남자아이가 중학교에서 기하나 대수를 배우는 것은 무엇 때문일까요? 실생활에서 도움이 되는 것이 목적이 아니라 두뇌의 움직임을 치밀하게 연마하는 것이 목적이 아닐까요? 여자아이는 지금까지는 분석적인 머리가 아니어도 됐습니다. 하지만 앞으로의 여성은 그렇게는 안 됩니다. 하물며 '서양인에게 뒤지지 않을' '훌륭한' 여성이 되려는 자가 조직의 재능이 없고 분석 능력이 없어서는 불안합니다.

저는 약간 고집을 부려 30분 정도의 복습 시간을 1시간에서 1시간 반 이상 시키고, 매일 일본어 문장을 영어로 번역하는 것과 문법을 가르쳐주기로 했습니다. 그리고 공부하는 동안은 결코 반 장난 같은 것은 허용하지 않고 엄하게 꾸짖었습니다. 나오미에게 가장 부족한 점은 이해력이었기 때문에 저는 일부러 심술궂게 자세한 것을 가르치지 않고 약간의 힌트만 준 다음, 나머지는 스스로 알아내도록 이끌었습니다. 예를 들어 문법의 수동태를 배웠다면 즉시 응용문제를 그녀에게

제시하며,

"자, 이걸 영어로 번역해봐."

라고 말했습니다.

"지금 읽은 부분을 안다면 이걸 네가 못할 리가 없어."

이렇게 말한 채 그녀가 답안을 만들 때까지 잠자코 느긋하게 있었습니다. 그 답안이 틀렸어도 결코 어디가 틀렸는지는 말하지 않고,

"뭐야, 너, 이래서는 이해한 게 아니잖아. 다시 한번 문법을 읽어봐."

라며 몇 번이고 되돌려 보냅니다. 그래도 못하면,

"나오미 짱, 이렇게 쉬운 걸 못하면 어떻게 해. 너 대체 몇 살이야. ……몇 번이고 같은 부분을 고쳐줬는데 아직도 이걸 모르다니, 어디에 머리가 있는 거야. 해리슨 씨가 영리하다고 말해도 난 전혀 그렇게 생각 안 해. 이걸 못하면 학교에 가도 열등생이야."

저도 그만 지나치게 열중해 큰소리를 내게 됩니다. 그러면 나오미는 **발칵** 성을 내며 부루퉁해지고, 결국에는 **훌쩍훌쩍** 울기 시작하는 일이 자주 있었습니다.

평소에는 정말 사이좋은, 한 번도 언쟁을 한 적이 없고 그녀가 웃으면 저도 웃어서 이런 정다운 남녀는 없을 거라 여겨졌습니다. 그런데 영어 시간만 되면 늘 서로 답답하고, 숨이 막힐 것 같은 기분에 휩싸입니다. 하루에 한 번씩 제가 화를 내지 않는 적은 없고, 그녀가 부루퉁해지지 않는 적은 없습니

다. **조금** 전까지 그렇게 기분 좋았었는데, 갑자기 쌍방 모두 몸이 굳어져 거의 적의까지 띤 눈빛으로 노려봅니다. 실제로 저는 그때가 되면 그녀를 훌륭하게 만들기 위해서라는 최초의 동기는 잊어버리고, 지나친 한심스러움에 초조하여 진심으로 그녀가 얄미워졌습니다. 상대가 남자아이였다면, 저는 분명 홧김에 탁 하고 한 대 때렸을지도 모릅니다. 그렇지 않더라도 가르치는 일에 열중해 '바보'라고 호통치는 일은 늘 있었습니다. 한번은 그녀의 이마 부근을 **딱** 하고 한 대 쥐어박은 일도 있었습니다. 그러면 나오미도 이상하게 토라져서, 비록 알고 있는 것이라도 결코 대답하려 하지 않고, 뺨에 흐르는 눈물을 삼키며 언제까지나 돌처럼 침묵으로 일관합니다. 나오미는 일단 그런 식으로 토라지면 놀랄 정도로 고집이 세지는, 다루기 어려운 **성격**이었기 때문에 결국에는 제가 힘에 부쳐 **흐지부지** 해져버렸습니다.

한번은 이런 일도 있었습니다. 'doing'이나 'going' 같은 현재분사에는 반드시 그 앞에 '있다'라는 동사, 'to be'를 붙여야 하는데, 그걸 몇 번을 가르쳐도 그녀는 이해하지 못합니다. 그래서 지금껏 'I going' 'He making' 같은 실수를 하기 때문에, 저는 몹시 화를 내며 예의 '바보'를 연발하면서 입이 닳도록 자세히 설명해준 끝에, 과거, 미래, 미래완료, 과거완료같이 여러 가지 시제로 'going'의 변화를 시켜보면, 어이없게도 그걸 여전히 모르고 있습니다. 여전히 'He will going'이라고 하거나 'I had going'이라고 씁니다. 저는 저도 모르게 **발끈** 화를 내

며,

"바보! 넌 정말 바보구나! 'will going'이나 'have going'이라고 절대 쓰지 못한다고 내가 그렇게 말했는데 모르겠어. 모르면 알 때까지 해봐. 오늘 밤을 새워서라도 잘할 수 있을 때까지 계속할 테니까."

그리고 세차게 연필을 내동댕이치고, 그 공책을 나오미 앞에 되돌려주면 나오미는 굳게 입을 다문 채 새파래져서는 눈을 치뜨고 가만히 제 미간을 노려보았습니다. 그리고 무슨 생각을 했는지 그녀는 갑자기 공책을 꽉 움켜쥐고 짝짝 잡아 찢더니, 홱 마루 위에 내던진 채 다시 무서운 눈을 하고 제 얼굴을 구멍이 뚫릴 정도로 노려보는 것입니다.

"뭐 하는 거야!"

잠깐, 그 맹수 같은 기세에 압도되어 어안이 벙벙해진 저는 잠시 후 그렇게 말했습니다.

"내게 반항할 생각이야? 공부 같은 건 어떻게 되든 상관없다고 생각하는 거야? 열심히 공부하겠다, 훌륭한 여성이 되겠다고 한 건 대체 뭐였어? 무슨 생각으로 공책을 찢은 거야? 자, 사과해, 사과하지 않으면 용서하지 않겠어! 자, 오늘로 이 집에서 나가!"

하지만 나오미는 여전히 고집스럽게 입을 꾹 다문 채 그 새파래진 얼굴의 입가에 어딘지 모르게 우는 듯한 엷은 웃음을 띠고 있을 뿐이었습니다.

"좋아! 사과하지 않으면 그걸로 됐으니까, 지금 당장 여기서 나가! 자, 나가라고 했잖아!"

그 정도 해보이지 않으면 도저히 그녀를 위협할 수 없다고 생각했기 때문에 **벌떡** 일어서서 벗어 던져진 그녀의 옷 두세 벌을 재빨리 뭉쳐 보자기에 싸고, 2층 방에서 지갑을 가지고 내려와 10엔 지폐를 두 장 꺼내 그것을 그녀에게 내밀면서 말했습니다.

"자, 나오미 짱, 이 보자기에 일상용품이 들어 있으니까, 이걸 가지고 오늘 밤 아사쿠사로 돌아가. 여기에 20엔 있어. 적지만 당장 쓸 용돈으로 받아둬. 어쨌든 나중에 확실히 이야기를 할 테고, 짐은 내일이라도 보내줄 테니까. 어? 나오미 짱, 어떻게 된 거야. 왜 잠자코 있는 거야?"

그녀는 고집이 센 것 같아도 역시 아이였습니다. 저의 무서운 기세에 나오미는 약간 기가 꺾인 모습으로 새삼스레 후회하는 것처럼 고개를 떨구고 움츠러들었습니다.

"너도 상당히 고집이 세지만 나도 일단 그렇게 말을 꺼낸 이상 절대 이대로는 끝나지 않아. 잘못했으면 사과하는 게 좋을 거야. 그게 싫다면 돌아가. ……자, 어떻게 할래? 빨리 정해. 사과할 거야? 아니면 아사쿠사로 돌아갈 거야?"

그러자 그녀는 고개를 저으며 "싫어, 싫어" 했습니다.

"그럼, 돌아가기 싫다는 거야?"

"응"이라고 말하듯이 이번에는 턱으로 끄덕끄덕 했습니다.

"그럼, 사과한다는 말이야?"

"응."

또 똑같이 끄덕끄덕했습니다.

"그렇다면 용서해줄 테니까, 제대로 손을 짚고 사과해."

나오미는 어쩔 수 없이 책상에 양손을 짚고, 하지만 어딘가 사람을 바보 취급하는 태도를 보이며 귀찮은 듯 옆을 향하며 머리를 숙입니다. 이런 교만하고 제멋대로인 성깔은 전부터 그녀에게 있었는지, 아니면 제가 지나치게 응석을 받아준 결과인지, 어쨌거나 날이 갈수록 점점 정도가 심해지고 있는 것은 분명했습니다. 아니, 실은 정도가 심해진 것이 아니라, 열다섯 여섯 무렵에는 그것을 아이다운 애교로 봐 넘겼지만, 커서도 멎지 않았기 때문에 서서히 제힘에 벅차게 되었는지도 모르겠습니다. 이전에는 아무리 떼를 써도, 잔소리를 하면 순순히 들었는데, 요즘 들어서는 조금 마음에 들지 않은 것이 있으면 즉시 발칵 성을 내며 뾰로통해집니다. 그래도 훌쩍훌쩍 울면 귀엽기나 한데, 때로는 제가 아무리 엄하게 야단쳐도 눈물 한 방울 흘리지 않고 얄미울 정도로 시치미를 떼거나 예의 날카로운 눈초리로 마치 겨냥하듯 일직선으로 저를 노려봅니다. 만약 실제로 동물전기*라는 것이 있다면, 나오미의 눈에는 분명 그것이 다량으로 들어 있을 것이라고, 저는 늘 그렇게 생각했습니다. 왜냐하면 그 눈은 사람의 눈이라고 여겨지지 않을 정도로 날카롭고 강하고 섬뜩하며, 게다가

* 1786년 이탈리아의 갈바니가 개구리 다리에 전기 자극을 주는 실험을 하여, 동물전기의 존재를 제창했다. 오늘날에는 신경이나 근육의 세포가 활동할 때 일종의 전류를 발생시킨다는 사실이 알려져 있다.

어딘지 모르게 바닥을 알 수 없는 깊은 매력을 띠고 있어서, 힘 있게 한 번 노려보면 이따금 오싹해질 때가 있었기 때문입니다.

7

그때, 제 가슴에는 실망과 애모, 서로 모순된 두 가지가 번갈아 가며 싸우고 있었습니다. 제가 선택을 잘못한 것, 나오미는 제가 기대한 만큼 영리한 여자가 아니었다는 것, 이 사실은 아무리 제가 **잘 봐주려 해도** 부정할 수 없었고, 그녀가 나중에 훌륭한 여성이 될 것이라는 바람은 지금에 와서는 전적으로 꿈이었다는 사실을 깨닫게 된 것입니다. 역시 가정환경이 나쁜 자는 어쩔 수 없어, 센조쿠초의 딸에게는 카페의 여급이 어울려, 격에 맞지 않는 교육을 받아도 소용없어. 저는 마음속 깊이 그런 **체념**을 품게 되었습니다. 하지만 저는 한편으로는 체념하면서 다른 한편으로는 점점 강하게 그녀의 육체에 매혹당했습니다. 그렇습니다. 저는 특별히 '육체'라고 하겠습니다. 왜냐하면 그것은 그녀의 피부와 이, 입술, 머리카락, 눈동자 그 외의 온갖 자태의 아름다움이지, 거기에는 그 어떤 정신적인 것은 추호도 없었기 때문입니다. 즉 그녀의 머리는 제 기대를 배신하면서, 육체는 더욱더 바라는 대로 아니 그 이상으로 아름다움을 더해갔습니다. '바보 같은 여자'

'어쩔 수 없는 녀석이다'라고 생각하면 생각할수록 더욱 짓궂게 그 아름다움에 유혹당합니다. 이것은 실로 제게 있어서 불행한 일이었습니다. 저는 서서히 그녀를 '길러준다'라는 순수한 마음을 잊어버리고, 오히려 **반대로** 질질 끌려가게 되어, 이래서는 안 된다고 깨달았을 때는 이미 자신도 어떻게 할 수 없게 되어 있었습니다.

'세상일이 모두 내 생각대로 되는 건 아니야. 난 나오미를 정신과 육체 양면에서 아름답게 만들려고 했어. 정신 면에서는 실패했지만 육체 면에서는 훌륭하게 성공했잖아. 난 그녀가 육체 면에서 이 정도로 아름다워질 줄 생각도 못 했어. 그러고 보면 그 성공은 다른 실패를 보충하고도 남잖아.'

저는 애써 그렇게 생각하고 제 마음을 다잡았습니다.

"조지 씨, 요즘 영어 시간에 내게 바보, 바보 하지 않네."

나오미는 벌써 제 마음의 변화를 눈치채고 말했습니다. 학문 쪽으로는 둔해도, 제 안색을 읽는 데 있어서는 실로 예리했습니다.

"응. 너무 많이 하면 오히려 네가 고집을 부리고 결과가 좋지 않아서 방침을 바꾸기로 했어."

"흥."

코끝으로 웃으며,

"그건 그래. 그렇게 터무니없이 바보, 바보 소리를 들으면 난 절대 말을 듣고 싶지 않아. 나, 사실은 말이야, 대부분의 문제는 알고 있었지만 일부러 조지 씨를 곤란하게 하려고, 못하는 척한 거야. 그걸 조지 씨는 몰랐어?"

"허참, 정말이야?"

저는 나오미가 하는 말이 허세에 억지라는 것을 알면서, 일부러 놀라는 척했습니다.

"당연하지. 그런 문제를 못 푸는 녀석이 어디 있어? 그걸 진짜로 못 푼다고 생각한 조지 씨가 훨씬 바보야. 난 조지 씨가 화 낼 때마다 웃겨서 죽는 줄 알았어."

"어이가 없군. 완전히 내가 한 방 먹었군."

"어때? 내가 조금 더 영리하지?"

"응, 영리해. 나오미 짱한테는 못 당하겠는걸."

그러면 그녀는 득의양양해져서 배를 잡고 웃었습니다.

독자 여러분, 여기서 제가 갑자기 이상한 이야기를 꺼내는 것을, 부디 비웃지 말고 들어주세요. 그러니까, 이전에 제가 중학교에 다닐 때 역사 시간에 안토니우스*와 클레오파트라에 관한 부분을 배운 적이 있습니다. 여러분도 알다시피 그 안토니우스가 옥타비아누스**의 군대를 맞아 나일강 위에서 싸울 때 안토니우스를 따라온 클레오파트라는 아군의 형세

* (BC 82~BC 30) 고대 로마의 군인·정치가. 카이사르 휘하의 장군으로 활약하며, 옥타비아누스, 레피두스와 함께 제2차 삼두 정치로 동방을 원정했다. 악티움 해전에서 이집트 여왕 클레오파트라와 함께 옥타비아누스에게 패배했다.

** (BC 63~AD 14) 고대 로마의 초대 황제. 기원전 44년 카이사르가 암살된 후 유언에 따라 그의 양자가 되어 안토니우스, 레피두스와 함께 제2차 삼두 정치를 실시했으며, 여러 차례의 싸움 끝에 로마 제국의 지배자가 되었다. 특히 악티움 해전을 승리로 이끌어 로마의 내전 종식을 가져다준 공로로 기원전 27년에 원로원으로부터 프린켑스, 아우구스투스라는 칭호를 받았다. 학술, 문예를 장려해 로마 문화의 황금시대를 열었다.

가 불리해지는 걸 보고 도중에 즉시 배를 돌려 달아나버립니다. 안토니우스는 이 박정한 여왕의 배가 자신을 버리고 가는 것을 보자 위급 존망의 때임에도 불구하고, 전쟁 같은 건 제쳐 놓고, 자신도 즉시 여왕의 뒤를 쫓아갑니다.

"여러분"이라고, 그때 역사 선생님은 우리에게 말씀하셨습니다.

"이 안토니우스라는 남자는 여자 뒤꽁무니를 쫓아 뛰어다니다가 목숨을 잃었으니, 역사상 이 정도의 어리석음을 드러낸 인간은 없어요. 실로 고금의 유례없는 비웃음거리죠. 영웅호걸도 **거 참** 이렇게 돼버리면……."

그 말투가 우스워서 학생들은 교사의 얼굴을 바라보면서 동시에 **와** 하고 웃었습니다. 저도 웃었던 사람 중 한 명이라는 사실은 말할 것도 없습니다. 하지만 중요한 것은 이 부분입니다. 저는 당시 안토니우스가 어째서 그런 박정한 여자에게 미혹되었는지 너무 이상했습니다. 아니, 안토니우스뿐만 아니라 바로 전에도 율리우스 카이사르* 같은 영웅이 클레오파트라에게 걸려 남자 체면을 깎습니다. 그런 예는 여러 있습니다. 도쿠가와德川 시대**의 집안 분쟁이나 한 나라의 치란 흥망

* (BC 100~BC 44)로마 공화정 말기의 정치가 장군. 기원전 60년 폼페이우스, 크라수스와 함께 삼두 정치(三頭政治)를 수립하고 이를 바탕으로 로마의 집정관에 취임하였다. 갈리아 전쟁, 알렉산드리아 전쟁을 치르며 로마의 최고 지배자가 되어 율리우스력(Julius曆) 사용과 각종 사회 정책 사업 등을 실시했으나 권력 집중에 반대한 원로원의 브루투스와 카시우스 등에게 암살되었다.

** 에도(江戸)시대라고도 불린다. 도쿠가와 이에야스가 세운 에도 막부가 일본을 통치한 1603년부터 1868년까지의 시기를 말한다.

의 발자취를 더듬어보면 반드시 뒤에 엄청난 요부의 농간이 있습니다. 한데 그 농간이라는 것이 일단 거기에 걸리면 누구라도 홀딱 속을 정도로 몹시 음험하고 교묘하게 짜여 있는 게 아닌 듯합니다. 클레오파트라가 아무리 영리한 여자였다고 해도 설마 시저나 안토니우스보다 지혜가 있었다고는 생각되지 않습니다. 비록 영웅이 아니라도 여자에게 진심이 있는지, 그녀의 말이 거짓인지 진실인지 정도는, 주의하면 통찰할 수 있습니다. 그런데도 실제로 자신의 신세를 망친다는 사실을 알면서도 속는다는 것은 너무나도 한심한 일이다. 실제로 그랬다면 영웅이란 뭐 그리 대단한 자가 아닐지도 모른다. 저는 속으로 그렇게 생각하며 마르쿠스 안토니우스가 '고금의 유례없는 비웃음거리'이자 '이 정도 역사상 어리석음을 드러낸 인간은 없다'라는 선생님의 비평을 그대로 긍정한 것입니다.

저는 지금도 선생님의 말과 깔깔 웃었던 자신의 모습을 떠올릴 때가 있습니다. 그리고 떠올릴 때마다, 이제 더는 웃을 자격이 없는 것을 절실히 느낍니다. 왜냐하면 저는 무슨 이유로 로마의 영웅이 바보가 되었는지, 안토니우스 정도 되는 자가 **왜 어이**없이 요부의 농간에 말려들었는지, 그 심정이 지금에는 분명히 이해될 뿐만 아니라 거기에 대해서 동정마저 금할 수 없을 정도니까요.

세상 사람들은 '여자가 남자를 속인다'라고 합니다. 하지만 제 경험에 의하면 결코 처음부터 '속이는 것'이 아닙니다. 처음에는 남자가 자진해 '속는 것'을 기뻐합니다. 홀딱 반해 버린 여자가 생기면 그녀가 하는 말이 거짓이든 진실이든 남자 귀에는 모두 사랑스럽게 들립니다. 가끔 그녀가 거짓 눈물을 흘리며 기대거나 하면, '아하, 이 녀석, 이 수법으로 나를 속이려 하는군. 하지만 넌 재미있는 녀석이야, 사랑스러운 녀석이야. 난 네 속셈을 잘 알고 있지만 속아줄게. 자 **충분히** 날 속여…….'

그런 식으로 남자는 배짱 있게, 말하자면 어린아이를 기쁘게 해주려는 기분으로 일부러 그 수법에 속아줍니다. 남자는 여자에게 속을 생각은 없습니다. 오히려 여자를 속이는 거라고, 생각하며 마음속으로 웃습니다.

그 증거로 저와 나오미가 역시 그랬습니다.

"내가 조지 씨보다 영리하지."

그렇게 말하고 나오미는 저를 속였다고 생각합니다. 저는 자신을 멍청이로 꾸미고 속은 척합니다. 제겐 어리석은 그녀의 거짓말을 들춰내기보다도 오히려 그녀를 득의양양하게 하여 그녀가 기뻐하는 얼굴을 보는 편이 더 기쁘니까요. 그뿐만 아니라 저는 거기에 제 양심을 만족시킬 구실까지도 가지고 있었습니다. 비록 나오미가 영리한 여자가 아니라 해도 영리하다는 자신감을 갖게 하는 것은 나쁘지 않다, 일본 여자의 가장 큰 단점은 확고한 자신감이 없는 점이다, 그 때문에 그녀들은 서양 여자들보다 위축되어 보인다, 근대적 미인의 자격은 얼굴보다는 재기발랄한 표정과 태도에 있는 것이니, 설령 자신감이라고 할 정도는 아니더라도 단순한 자만심이어도 좋으니, '나는 영리하다' '나는 미인이다'라고 굳게 믿는 것이 결국 그녀를 미인으로 만든다. 저는 그런 생각이었기 때문에, 나오미가 똑똑한 채하는 버릇을 금하지 않았을 뿐만 아니라 오히려 더욱 부추겼습니다. 늘 기분 좋게 그녀에게 속아서 그녀의 자신감을 점점 강하게 키워주었습니다.

일례를 들면, 저와 나오미는 그 무렵 자주 군대 장기*나 트럼프를 하며 놀았습니다. 진지하게 하면 제가 이길 수 있는데, 될 수 있으면 그녀가 이기도록 해주었기 때문에 서서히 그녀는 '승부에 있어서는 자신이 훨씬 세다'라고 자만해,

"자, 조지 씨 간단히 해치워줄 테니 덤벼."

라며, 완전히 저를 얕보는 태도로 도전해옵니다.

"응, 그럼 한판 복수전을 해볼까. 뭐, 진지하게 하면 너 따위에게 지지 않겠지만 상대가 어린애라고 생각하니까 그만 방심해서."

"뭐, 됐어. 이기고 나서 큰소리치셔."

"좋아! 이번에야말로 진짜 이겨줄 테니까!"

그렇게 말하면서 저는 일부러 서툴게 두어 번 져줍니다.

"어때? 조지 씨, 어린애한테 져서 분하지 않아? 더 이상은 안 돼. 뭐라 하든 나한텐 못 당해. 글쎄 어떨까, 서른한 살이나 먹은 어른이 이런 놀이에서 열여덟 살 어린애한테 지다니, 조

* 청일 전쟁, 러일 전쟁에 영향을 받아 군대 조직을 본떠서 만들어졌다. 적진으로 말을 움직여 먼저 군기를 탈취하는 사람이 승자가 된다. 특히 다이쇼 시대 후기부터 쇼와 시대 초기까지 유행했다.

지 씨는 전혀 하는 방법을 몰라."

그리고 그녀는 "역시 나이보다는 머리야"라든가, "자기가 바보니까, 분해도 어쩔 수 없어"라고, 더욱더 우쭐대며,

"흥."

하고, 건방지게 코웃음을 칩니다.

하지만 무서운 것은 결과입니다. 처음에는 제가 나오미의 기분을 맞춰줍니다. 적어도 저 자신은 그렇게 생각하고 있습니다. 그런데 점점 그것이 습관이 되자 나오미는 정말 강한 자신감을 갖게 되어 다음번에는 아무리 제가 진지하게 임해도 실제로 그녀를 이길 수 없는 것입니다.

사람과 사람 사이의 승부는 실력에 의해서만 정해지는 것이 아니라, 거기에는 '기세'라는 것이 있습니다. 다시 말하면 동물전기입니다. 하물며 내기를 할 때는 그것이 더욱 강하게 작용해서 나오미는 저와 결전하면 처음부터 저를 압도해 기를 꺾고, 엄청난 기세로 공격하기 때문에 이쪽은 조금씩 쓰러지게 되고 뒤처져버립니다.

"**그냥** 하면 재미없으니까 돈을 걸고 하자."

결국 나오미는 내기에 완전히 맛을 들여 돈을 걸지 않으면 게임을 하지 않았습니다. 내기를 하면 할수록 제 패배는 늘어갔습니다. 나오미는 한 푼도 없는 주제에 자신이 마음대로 단위를 10전이나 20전으로 정해서 용돈을 가로챕니다.

"아아, 30전 있으면 그 옷을 살 수 있는데……. 노 트럼프를 해서 딸까?"

이런 말로 도전해옵니다. 가끔은 그녀가 지는 때도 있지만, 그럴 때는 또 다른 수법을 알고 있어서 그 돈이 꼭 필요하면 무슨 짓을 해서라도 이겼습니다.

나오미는 언제나 그 '수법'을 사용할 수 있도록 게임을 할 때는 대부분 헐렁한 가운 같은 것을 일부러 느슨하고 **단정치 못하게** 두르고 있었습니다. 그리고 형세가 불리해지면 음란하게 앉은 자세를 느슨하게 하면서 옷깃을 풀어헤치기도 하고 발을 내밀기도 하는데, 그래도 안 되면 제 무릎에 기대어 뺨을 쓰다듬거나 입가를 잡고 부르르 흔들거나 온갖 유혹을 시도했습니다. 저는 이 '수법'에 걸려들면 한없이 약해졌습니다. 그중에서도 최후의 수단* –이것은 쉽게 쓸 수는 없지만, –을 취하면 머릿속이 왠지 흐리멍텅하게 흐려지고, 갑자기 눈앞이 어두워져서 승부 같은 건 뭐가 뭔지 모르게 되어버립니다.

"비겁해, 나오미 짱, 그런 짓을 하면……."

"비겁하지 않아. 이것도 하나의 수법인걸."

갑자기 정신이 아찔하고 모든 것이 흐릿해서 제 눈에는 만면에 교태를 담은 나오미의 얼굴만이 어렴풋이 보입니다. 히죽거리는 기묘한 웃음을 띠고 있는 그 얼굴만이…….

"비겁해, 비겁해, 트럼프에 그런 수법은 없어……."

"흥, 없을 리가 있나, 여자와 남자가 내기를 하면, 여러 **술법**

* 당시 일본 여성은 아직 팬티를 입지 않고, 허리 주위에 고시마키(아랫도리 맨살에 두르는 속치마)라는 천을 둘렀을 뿐이므로, 앉는 자세에 따라서는 음부가 훤히 보이게 된다.

을 쓰는 거야. 다른 데에서 본 적이 있어. 어렸을 때 집에서 언니랑 어떤 남자가 화투를 치는 걸 봤어. 그때 여러 **술법**을 썼어. 트럼프도 화투랑 같은 거잖아……."

저는 생각합니다. 안토니우스가 클레오파트라에게 정복당한 것도, 요컨대 이런 식으로 서서히 저항력을 빼앗겨 농락당했을 것이라고. 사랑하는 여자에게 자신감을 갖게 하는 것은 좋지만, 그 결과로 남자는 자신감을 잃게 됩니다. 그렇게 되면 남자는 여자의 우월감을 쉽게 이길 수 없습니다. 그리고 생각지도 못한 재앙은 거기서 비롯됩니다.

8

딱 나오미가 열여덟이 되던 해의 가을, 늦더위가 혹독한 9월 초순의 어느 저녁이었습니다. 저는 그날, 회사 일이 일찍 마무리되어 한 시간 정도 빨리 오모리의 집에 돌아왔는데, 뜻밖에 문을 열고 들어선 정원에서 한 번도 본 적 없는 한 소년이 나오미와 뭔가 이야기하는 모습을 보았습니다.

소년의 나이는 역시 나오미와 비슷한 정도로, 많아도 기껏해야 열아홉을 넘지 않았을 거라고 여겨졌습니다. 시로지가스리*로 만든 홑옷을 입고, 양키 취향의 화려한 리본이 달린 밀짚모자를 쓰고, 스틱으로 자신의 게다** 끝을 두드리면서 말하고 있는, 불그레한 얼굴에, 눈썹이 진하고, 얼굴 생김새는 나쁘지 않지만 만면에 **여드름**이 있는 남자. 나오미는 그 남자의 발밑에 쪼그리고 앉아 있었는데, 화단 뒤에 가려져 있어 어떤 모습을 하고 있는지 확실히 보이지 않았습니다. 백일홍

* 흰 바탕에 물감이 살짝 스친 것 같은 부분을 규칙적으로 배치한 무늬가 있는 직물.

** 왜나막신.

과 풀협죽도, 칸나 꽃이 피어 있는 사이로 그 옆얼굴과 머리카락만이 약간 어른거릴 뿐이었습니다.

남자는 저를 보자 모자를 벗어 가벼운 인사를 하고는,

"그럼, 또."

라고 나오미 쪽을 돌아다보면서 빠르게 문 쪽으로 걸어갔습니다.

"그럼, 안녕."

나오미는 따라서 일어섰지만, 남자는 "안녕"이라고 등을 돌린 채 말하곤, 내 앞을 지날 때 모자챙에 잠시 손을 대고 얼굴을 감추듯이 나갔습니다.

"누구야, 저 남자는?"

질투라기보다는 '꽤 신기한 장면이군'이라는 가벼운 호기심으로 물었습니다.

"어머? 그는 내 친구야, 하마다浜田 씨라는……."

"언제 친구가 됐는데?"

"오래전부터야. 저 사람도 이사라고에 성악을 배우러 다녀. 얼굴은 저렇게 **여드름**투성이로 지저분하지만, 노래를 부르면 정말 멋져. 훌륭한 바리톤이야. 얼마 전 음악회에서도 나와 같이 콰르테토*를 했어."

말하지 않아도 좋을 얼굴에 관한 험담을 했기 때문에 저는 문득 의심이 들어 그녀의 눈을 보았지만, 나오미의 거동은 침

* 사중창.

착했고 조금도 평소와 다르지 않았습니다.

"가끔 놀러 오나?"

"아니, 오늘이 처음이야. 근처에 왔다가 들른 거래. 이번에 사교 댄스 클럽을 만드니까 나도 꼭 들어오라고 말하러 온 거야."

제가 다소 불쾌했던 것은 사실입니다. 하지만 하나하나 들어보니, 그 소년이 전적으로 그 이야기만을 하러 왔다는 것은 거짓말이 아닌 듯했습니다. 무엇보다 그와 나오미가 제가 돌아올 시간에 정원에서 이야기했다는 사실, 그것은 제 의심을 풀기에 충분했습니다.

"그래서 넌 댄스를 한다고 했어?"

"생각해보겠다고 말했는데……."

라고 그녀는 갑자기 어리광부리는 간살맞은 소리를 내면서,

"응, 하면 안 돼? 제발! 하게 해줘! 조지 씨도 클럽에 들어와서 같이 배우면 되잖아."

"나도 클럽에 들어갈 수 있나?"

"응, 누구라도 들어올 수 있어. 이사라고의 스기사키杉崎 선생님이 아는 러시아인이 가르쳐. 잘은 모르겠는데 시베리아에서 도망쳐서 돈이 없어 곤란한 모양이야. 그걸 도와주고 싶어서 클럽을 만들었대. 그러니까 한 사람이라도 제자가 많은 편이 좋아. 응? 하게 해줘!"

"넌 괜찮지만 내가 익힐 수 있을까?"

"괜찮아. 금방 익힐 수 있을 거야."

"하지만 내겐 음악적 소양이 없어서 말이야."

"음악 같은 건 하는 사이에 저절로 알게 돼. ……응, 조지 씨도 해야 해. 나 혼자 해봤자 춤추러 갈 수 없잖아. 제발, 그 다음에 가끔 둘이 춤추러 가자. 매일 집에 있어봤자 시시해."

나오미가 요즘 이런 생활에 약간 지루함을 느낀다는 것은 어렴풋이 알고 있었습니다. 생각해보면 저희가 오모리에 보금자리를 꾸민지 벌써 4년이 됩니다. 그리고 그동안 저희는 여름휴가를 제외하고는 이 '동화의 집' 안에 틀어박혀 넓은 세상과의 교제를 끊고 언제나 단둘이서 얼굴을 맞대고 있으니 아무리 다양한 '놀이'를 해봤자 결국 무료함을 느끼는 것도 무리는 아닙니다. 더구나 나오미는 몹시 싫증을 잘 내는 **성격**으로, 어떤 놀이든 처음에는 무섭게 몰두하지만 결코 오래가지는 않았습니다. 그러면서도 뭔가 하고 있지 않으면 한 시간도 **가만히** 있지 못하기 때문에, 트럼프도 싫다, 군대 장기도 싫다, 영화배우 흉내도 싫다, 정도가 되면, 할 수 없이 잠시 버려두고 돌아보지 않았던 화단의 꽃을 만지작거리며 부지런히 흙을 파서 뒤엎기도 하고 씨를 뿌리기도 하고 물을 주기도 했지만, 그것도 한때의 변덕에 지나지 않았습니다.

"아아, 재미없어. 뭐 재미있는 거 없나."

소파 위에서 몸을 뒤로 젖히고 읽다 만 소설책을 내팽개치며 커다란 하품을 하는 것을 볼 때도, 이 단조로운 두 사람의 생활에 변화를 줄 방법은 없을까 하고 저도 내심 걱정하고 있었습니다. 마침 그런 때였기에 댄스를 배우는 것도 나쁘지는 않을 거야. 이미 나오미도 3년 전의 나오미가 아니야. 가마쿠라에 갔을 때와는 사정이 다르니까. 그녀를 멋지게 차려 입혀서 사교계에 데뷔시키면 아마도 많은 부인들 앞에서도 **뒤떨어지는 일**은 없을 거야, 라는 상상은 제게 말할 수 없는 자부심을 느끼게 했습니다.

전에도 말했듯이 저는 학생 시절부터 유독 친한 친구도 없고, 지금까지 불필요한 교제를 피하며 살아오기는 했지만, 결코 사교계에 나가는 것이 싫지는 않았습니다. 촌놈에다가 겉치레 말을 잘 못하고 사람 대응하는 게 내가 생각해도 서툴렀기 때문에, 소극적이긴 했지만 그런 만큼 오히려 화려한 사회를 동경하는 마음도 있었습니다. 애초에 나오미를 아내로 삼은 것도 그녀를 **몹시** 아름다운 부인으로 만들어 날마다 데리고 다니며 세상 사람들에게 이러니저러니 하는 말을 듣고 싶고, "자네 부인은 멋진 하이칼라군" 하고 사교장에서 칭찬받고 싶은, 그런 야심이 크게 작용했기 때문에 언제까지나 그녀를 '새장' 속에 가두어둘 마음은 없었습니다.

나오미 말로는 그 러시아인 댄스 교사는 알렉산드라 슈렘스카야라는 이름의, 어느 백작 부인이라고 했습니다. 남편인 백작은 혁명 소동으로 행방불명이 되었고 그들에게 아이가 둘 있었는데 지금은 어디에 있는지 모른다고 합니다. 간신히 자기만 일본으로 도망쳐왔으나 몹시 생활이 궁핍해 이번에 댄스 교습을 시작하게 되었다고 합니다. 그래서 나오미의 음악 선생인 스기사키 하루에 여사가 부인을 위해 클럽을 결성하고, 간사가 된 사람은 그 하마다라는 게이오기주쿠慶應義塾* 학생이었습니다.

교습장으로 배정된 곳은 미타三田의 히지리자카聖坂에 있는 요시무라吉村라는 서양 악기점의 2층으로, 부인은 거기에 매주 2회, 월요일과 금요일에 옵니다. 회원은 오후 4시부터 7시 사이에 편한 시간을 정해서, 1회 1시간씩 배우고 다달이 내는 수업료는 일 인당 20엔, 그것을 매달 선불로 낸다는 규정이었습니다. 저와 나오미 둘이서 가면 매달 40엔이나 드니, 아무리 상대가 서양인이라도 터무니없다고 생각했지만, 나오미가 말하길, 댄스라는 건 일본 춤도 그렇고 어차피 사치스러운 것이니 그 정도 받는 것이 당연하다, 게다가 그렇게 연습하지 않아도 재주 있는 사람이라면 한 달 정도, 서툰 사람이라도 세 달 하면 익힐 수 있으니 비싸다고 해도 별거 아니라는 거였습니다.

"무엇보다 그 슈렘스카야라는 사람을 도와줘야 할 것 같아. 예전엔 백작 부인이었던 사람이 그렇게 형편없이 무너져버리다니, 정말 가엾지 않아? 하마다 씨한테 들었는데, 댄스를 몹시 잘 해서 사교 댄스뿐 아니라, 희망자가 있으면 스테지 댄스도 가르칠 거래. 댄스만은 그런 사람에게 배우는 게 최고야.

* 일본의 명문 사립대학. 도쿄 6대학 중의 하나이며, 와세다 대학과 함께 최상위권 사립대학으로 알려져 있다. 후쿠자와 유키치(福沢諭吉)가 창립한 란가쿠주쿠(蘭学塾)에 유래를 두고 있으며 1920년에 개교했다.

예능인 댄스는 천해서 안 돼."

그녀는 아직 본 적도 없는 부인을 계속 편들며 마치 댄스에 정통한 사람인 양 말했습니다.

나오미와 저는 어쨌거나 입회하게 되어 매주 월요일과 금요일에, 나오미는 음악 수업을 끝내고, 저는 회사에서 퇴근하는 즉시 그 길로 오후 6시까지 히지리자카의 악기점에 가는 거로 했습니다. 첫날에는 오후 5시에 다마치역에서 나오미가 나를 기다렸다가 함께 갔는데, 악기점은 언덕 중간에 있는 폭이 좁고 자그마한 가게였습니다. 안으로 들어가자 피아노니 오르간이니 축음기니 하는 다양한 악기가 좁은 장소에 늘어서 있고, 이층에서는 이미 댄스가 시작된 모양인지 시끄러운 발소리와 축음기 소리가 들렸습니다. 마침 계단 오르는 곳에 게이오 학생인 듯한 대여섯 명이 **우글우글** 모여 있었는데 그들이 저와 나오미를 보는 것이 그다지 기분 좋지 않았습니다.

"나오미 씨."

그때 스스럼없는 커다란 목소리로 그녀를 부르는 사람이 있었습니다. 보니 그 학생들 중 한 명으로, 플랫 만돌린-이라는 걸까요, 납작한 마치 일본의 월금 같은 모양의 악기를 겨드랑이에 끼고 음을 맞추면서 철사로 된 현을 띠링띠링 울리고 있습니다.

"안녀엉."

나오미도 여성스럽지 않은 학생 같은 어조로 응하며,

"어떻게 된 거야 **마 짱**은? 너 댄스 안 해?"

"싫어, 난."

그 **마 짱**이라고 불린 남자는 히죽히죽 웃고 만돌린을 선반 위에 놓으며

"그런 거 난 질색이야. 무엇보다 매달 수업료를 20엔이나 내야 한다니, 너무 비싸."

"하지만 처음으로 배우니 거니 어쩔 수 없잖아."

"뭐, 결국 조만간 모두들 익힐 테니까 그렇게 되면 녀석들을 붙잡아서 배우지 뭐. 댄스 같은 건 그걸로 충분해. 어때, 요령 좋지?"

"치사해 **마 짱**은! 지나치게 요령이 좋아. 그런데 '하마 씨'는 2층에 있어?"

"응, 있어. 가 봐."

이 악기점이 그 부근 학생들의 '집합소'인 듯, 나오미도 가끔 오는 모양인지, 점원 등도 모두 그녀와 아는 사이였습니다.

"나오미 짱, 지금 아래에 있던 학생들은 누구야?"

저는 그녀의 안내를 받아 계단을 오르면서 물었습니다.

"게이오의 만돌린 클럽 사람들이야. 입은 **거칠지만**, 그렇게 나쁜 사람들은 아니야."

"모두 네 친구들인 거야?"

"친구라고 할 정도는 아니지만 가끔 여기에 뭘 사러 오면 저 사람들을 만나니까 그래서 알게 된 거야."

"댄스를 하는 사람들은 저런 자들이 대부분인 거야?"

"글쎄, 어떤지……. 그렇지 않을 거야. 학생보다는 더 나이

든 사람이 많지 않을까? 지금 가보면 알겠지."

2층에 올라가니 복도 맨 앞쪽에 교습장이 있고, "원, 투, 쓰리" 하면서 발장단을 맞추고 있는 대여섯 명의 모습이 즉시 제 눈에 들어왔습니다. 일본 방을 두 칸 터서 신발을 신은 채 들어갈 수 있는 마루방으로 만들었는데, 아마도 잘 미끄러지게 하기 위해서겠지요, 예의 하마다라는 남자가 여기저기 종종걸음으로 다니며 고운 가루를 마루 위에 뿌리고 있습니다. 아직 해가 긴, 더운 날이었으므로, 완전히 장지를 열어젖힌 서쪽 창으로 강렬한 석양이 들어오고 그 불그레한 빛을 등에 받으며 하얀 조젯 상의에 감색 서지 스커트를 입고 방과 방 사이의 칸막이 부분에 서 있는 사람은, 말할 것도 없이 슈렘스카야 부인이었습니다. 두 아이가 있다는 사실로 짐작건대 실제 나이는 서른대여섯이나 될까요? 보기에는 겨우 서른 전후 정도로 과연 귀족 출신의 위엄을 지닌 야무지게 생긴 부인, –그 위엄은 약간의 무서움을 느끼게 할 정도로 창백함을 띤 맑은 혈색 탓으로 여겨졌지만, 늠름한 표정과 산뜻한 의복, 가슴이니 손가락에 반짝이는 보석을 보면 생활이 곤란한 사람이라고는 도저히 여겨지지 않았습니다.

부인은 한 손에 회초리를 들고 다소 신경질적으로 미간을 찌푸리며 연습하는 사람들의 발치를 노려보며 "원, 투, 쓰리" –러시아인의 영어였으므로 '쓰리'를 '트리'라고 발음합니다. –라고 조용히, 하지만 명령하는 태도로 반복하고 있습니다. 거기에 맞춰, 교습생들이 줄을 맞춰 불안한 스텝을 밟으며 왔다 갔다 하는 모습은, 여사관이 병사를 훈련하고 있는 것 같아서, 언젠가 아사쿠사의 긴류칸金竜舘에서 본 적 있는 〈여군 출정〉*을 떠올렸습니다. 교습생 중에 세 사람은 하여간 학생은 아닌 듯 신사복을 입은 젊은 남자이고 나머지 두 사람은 여학교를 막 나온 어느 집의 따님이겠지요. 검소한 차림으로 하카마를 입은 남자와 함께 열심히 연습을 하고 있었는데, 자못 성실한 아가씨인 듯 나쁜 느낌은 들지 않았습니다. 부인은 한 사람이라도 발을 틀리는 사람이 있으면 즉시,

"No!"

라고 날카롭게 꾸짖고 옆으로 다가와 시범을 보입니다. 이해가 더뎌서 너무 자주 틀리면,

"No good!"

이라고 외치면서, 회초리로 철썩 마루를 때리거나, 남자건 여자건 가차 없이 그 사람의 발을 때립니다.

"참 열심이시네요. 저러지 않으면 안 돼요."

"정말 그래요, 슈렘스카야 선생님은 정말 열심이세요. 일본인 선생님이라면 도저히 저렇게는 못하는데, 서양 분은 부인이라도 그 부분은 정확해서 정말 기분이 좋아요. 그리고 저렇

* 1917년 1월 22일부터 29일까지 아사쿠사 도키와자(常磐座)에서 가무극 협회가 처음으로 공연하고 크게 히트해 아사쿠사 오페라 황금시대를 구축하는 토대가 된 작품. 제1차 대전에서 남자 병사가 부족해 여자 병사가 출정한다는 뮤지컬 코미디. 본문의 긴류칸의 바른 표기는 긴류칸(金龍舘). 〈여군 출정〉은 긴류칸이 아니라 도키와자에서 공연함. 긴류칸과 도키와자는 이웃하고 있어 공통의 입장권으로 들어갈 수 있어서 작가가 착각한 듯.

게 수업 시간에는 한 시간이건 두 시간이건 조금도 쉬지 않고 계속 가르치시니까 이 더위에 여간 힘든 게 아닐 것 같아서, 아이스크림이라도 드릴까요 했더니, 수업 시간에는 아무것도 필요 없다고 하시며 절대 드시지 않아요."

"어머, 그런데도 용케 지치시지 않네요."

"서양 분은 몸이 튼튼해서, 우리와는 다르군요. 하지만 생각하면 가엾은 분이에요. 원래는 백작 부인으로 뭐 하나 불편함 없이 사셨을 텐데, 혁명 때문에 이런 일까지 하게 되셔서."

대합실이 된 옆방의 소파에 앉아 교습장의 모습을 구경하면서 두 부인이 자못 감탄한 듯 이런 말을 하고 있습니다. 한 사람은 스물 대여섯의 입술이 얇고 크며, 툭눈금붕어 느낌의 둥근 얼굴에 눈이 튀어나온 부인으로, 머리카락을 가르지 않고 이마 가장자리에서 정수리까지 **고슴도치**의 궁둥이처럼 서서히 높게 부풀려 뒤로 내민 부분에 몹시 커다란 흰 대모갑 비녀를 꽂고, 이집트의 기하학적 무늬가 있는 고급 비단으로 만든 마루오비*에 오비 위에 비취색 끈을 매고 있는데, 슈렘스카야 부인의 처지를 동정하며, 끊임없이 그녀를 칭찬하는 사람은 이 부인이었습니다. 거기에 맞장구를 치고 있는 또 한 명의 부인은, 땀 때문에 두껍게 바른 **분**이 **얼룩덜룩**해져 곳곳에 잔주름이 있는 거친 피부가 드러난 거로 미루어보아 아마도 마흔에 가깝겠지요. 일부러 그런 건지 태어날 때부터

* 천의 폭을 둘로 접어 안팎을 한 감으로 만든 폭넓은 여자 옷의 띠.

인지 트레머리로 묶은 붉은 머리카락이 부스스 곱슬곱슬하고, 마르고 호리호리한 체격에 **옷차림**은 화려하게 꾸몄지만 왠지 간호사 출신 같은 용모의 여자였습니다.

이 부인들을 둘러싸고 얌전하게 자신의 차례를 기다리는 사람들도 있고, 그중에는 이미 한차례 연습을 했는지 아예 팔짱을 끼고 교습장 구석에서 춤추는 사람들도 있었습니다. 간사인 하마다는 부인의 대리 격인지, 스스로 그런 체하는 건지, 그런 사람들의 상대가 되어 춤을 춰주기도 하고, 축음기의 레코드를 바꾸기도 하며 혼자 눈이 돌 정도로 활약하고 있습니다. 애당초 여자는 그렇다 치고, 남자 중에 댄스를 배우러 오는 사람은 어떤 회사에 다니는 인간일까 살펴보니 이상하게도 멋진 옷을 입고 있는 사람은 하마다 정도이고, 나머지는 대부분 박봉의 월급쟁이인 듯 촌스러운 감색의 쓰리피스를 입은 융통성 없어 보이는 사람들이 많았습니다. 그렇다고는 하지만 나이는 모두 저보다 젊은 것 같았고 삼십 대로 여겨지는 신사는 단 한 사람밖에 없었습니다. 그 남자는 모닝코트를 걸치고 금테에 두꺼운 안경을 썼으며, 시대에 뒤떨어진 기묘하게 긴 팔자수염을 길렀는데, 가장 이해력이 떨어지는 듯 몇 번이고 부인에게 "No good"이라고 혼나며 회초리로 철썩 맞습니다. 그때마다 히죽히죽 얼빠진 얇은 웃음을 웃으면서, 다시 처음부터 "원, 투, 쓰리"를 합니다.

저런 남자가 나잇살이나 먹고 어떻게 댄스를 할 마음이 들었을까? 아니, 생각하면 나 역시 저 남자와 마찬가지 아닌가?

그렇지 않아도 화려한 장소에 간 적이 없는 제가 이 부인들의 눈앞에서 저 서양인에게 **혼나는** 순간을 생각하면, 아무리 나오미 때문이라고 하지만, 뭐랄까, 보고 있는 동안 식은땀이 솟아나는 듯하여 제 차례가 돌아오는 것이 두려웠습니다.

"야, 어서 와."

라며 하마다는 두세 번 계속해서 춤을 추고, 손수건으로 **여드름**투성이 이마의 땀을 닦으면서, 옆으로 다가왔습니다.

"이거, 저번에는 실례했습니다."

라며 오늘은 다소 득의양양하게, 새삼스럽게 제게 인사를 하고 나오미 쪽을 향하면서

"이렇게 더운데 잘 와줬어. 너 말이야, 미안하지만 부채 가지고 있으면 빌려줄래? 아무튼 어시스턴트도 그리 쉬운 일은 아니야."

나오미는 오비 사이에서 부채를 꺼내 건네주고,

"하지만 하마 씨는 상당히 잘해, 어시스턴트 자격이 있어. 언제부터 익히기 시작한 거야?"

"나 말이야? 난 벌써 반년이나 했어. 하지만 넌 재주가 좋으니까 즉시 익힐 거야, 댄스는 남자가 리드하는 거고, 여자는 거기에 따라가면 되니까."

"저, 여기 있는 남자들은 어떤 사람들이 많나요?"

내가 그렇게 묻자,

"네? 이 사람들 말입니까?"

라고 하마다는 정중한 말투로,

“이 사람들은 대부분 동양석유 주식회사 사원들이 많습니다. 스기사키 선생님의 친척분이 회사의 중역을 하고 계셔서, 그분의 소개라고 하더군요.”

동양석유회사 사원과 사교 댄스! 꽤나 묘한 조합이라고 생각하면서 저는 거듭 물었습니다.

“그럼 저기 있는 수염을 기른 신사도 역시 사원인가요?”

“아니, 저 사람은 아닙니다. 저분은 닥터입니다.”

“닥터?”

“네, 역시 그 회사의 위생 고문을 하고 계시는 닥터입니다. 댄스만큼 운동이 되는 것은 없다며, 저분은 오히려 그 때문에 하고 계십니다.”

“그래, 하마 씨?”

라고 나오미가 끼어들었습니다.

“그렇게 운동이 되나?”

“응, 되고말고. 댄스를 하면 겨울에도 잔뜩 땀을 흘려서, 셔츠가 **흠뻑** 젖을 정도이니까 운동으로서는 확실히 좋아. 게다가 슈렘스카야 부인의 수업은 저렇게 교습이 맹렬하니까.”

“저 부인은 일본어를 아나요?”

제가 그렇게 물은 것은 실은 조금 전부터 그게 신경 쓰였기 때문입니다.

“아니, 일본어는 거의 모릅니다. 대부분 영어로 하고 있습니다.”

“영어는 좀…… 제가 스피킹이 좀 서툴러서…….”

"뭐, 모두 마찬가진걸요. 슈렘스카야 부인도 상당한 브로큰 잉글리쉬라서 우리보다 형편없을 정도니까 전혀 걱정 없습니다. 게다가 댄스 교습 같은 건 아무 말이 필요 없습니다. 원, 투, 쓰리이고, 나머지는 몸짓으로 아니까요……."

"어머, 나오미 씨, 언제 왔어요?"

그때 그녀에게 말을 건 사람은 그 대모갑 비녀를 꽂은, 툭 눈금붕어 부인이었습니다.

"아, 선생님, 저 좀 봐요, 스기사키 선생님이야."

나오미는 그렇게 말하더니 제 손을 잡고 그 부인이 있는 소파 쪽으로 끌고 갔습니다.

"저기, 선생님, 소개하겠습니다. 이쪽은 가와이 조지."

"아, 그래."

라고 스기사키 여사는 나오미가 얼굴을 붉혔기 때문에 전부 듣지 않고도 알아차린 듯 일어서 인사를 하면서,

"처음 뵙겠어요, 저는 스기사키입니다. 잘 오셨어요. 나오미 씨, 그 의자를 이쪽으로 가지고 와요."

그리고 다시 내 쪽을 돌아보고,

"자, 앉으세요. 이제 곧 시작이지만 그렇게 서서 기다리시면 지치시니까."

"……."

저는 뭐라고 인사했는지 분명히 기억하지 못하지만 아마도 입안에서 **우물우물**했을 뿐일 겁니다. 이렇게 '저' 같은 격식 차린 딱딱한 말투를 쓰는 부인들이 저는 가장 대하기 힘들었

습니다. 그뿐만이 아니라 저와 나오미의 관계를 어떤 식으로 여사가 해석하고 있는지, 나오미가 그것을 어느 정도까지 암시해 두었는지 그만 깜박하고 묻는 것을 잊었기 때문에 더더욱 **허둥지둥**했습니다.

"저, 소개하겠는데요."

하며 여사는 제가 머뭇머뭇하는 것에 개의치 않고 예의 곱슬머리 부인을 가리키면서,

"이분은 요코하마의 제임스 브라운 씨의 아내세요. 이분은 오이마치의 전기회사에 다니시는 가와이 조지 씨."

과연, 이 여자는 외국인의 아내였군, 그러고 보니 간호사보다도 라샤멘* 타입이라고 생각하면서 저는 더욱 긴장하여 머리 숙여 인사를 할 뿐이었습니다.

"당신, 실례지만, 댄스 교습을 받는 건 퍼스트 타임이신가요?"

그 곱슬머리는 즉시 나를 붙들고, 이런 식으로 말하기 시작했는데, '퍼스트 타임'이라는 부분을 묘하게 거드름 피우는 발음으로 몹시 빨리 말했기 때문에,

"네?"

라고 말하면서 제가 쩔쩔매고 있자,

"네, 처음이세요."

라고 스기사키 여사가 옆에서 대답해주었습니다.

* 서양인의 첩이 된 일본 여자를 낮추어 이르는 말.

"어머, 그러세요? 하지만 말이죠, 뭐랄까요, 그야 젠틀맨은 레이디보다도 모어 모어 디피컬트하지만, 시작하면 바로 뭐랄까요……."

이 '모어 모어'라는 말을, 저는 몰랐는데, 잘 들어보니 'more more'라는 의미였습니다. '젠틀맨'을 '젠를맨'을 '리틀'을 '리를', 모두 그런 식의 발음으로 이야기 중에 영어를 끼워 넣습니다. 그리고 일본어에도 일종의 기묘한 악센트가 있어서, 세 번에 한 번은 '뭐랄까요'를 연발하면서 기름종이에 불이 붙은 것처럼 끝도 없이 떠들어댑니다.

그러고 나서 다시 슈렘스카야 부인 이야기, 어학 이야기, 음악 이야기…… 베토벤 소나타가 어떻다거나 제3심포니가 어떻다거나 어쩌구 회사의 레코드가 저쩌구 회사의 레코드보다 좋다거나 나쁘다거나, 제가 완전히 **풀이 죽어** 입을 다물어 버렸기 때문에 이번에는 여사를 상대로 종알종알 지껄여대는 그 말투로 짐작하건대 이 브라운 씨의 부인이라는 사람은 스기사키 여사의 피아노 제자라도 되는 걸까요. 그리고 저는 이런 경우에 "잠시 실례하겠습니다"라고 적당한 때를 가늠하여 자리를 피하는 요령 좋은 짓은 못하니 이 수다쟁이 부인들 사이에 끼인 불운을 탄식하면서 싫든 좋든 그것을 들어야만 했습니다.

이윽고 수염 닥터를 시작으로 하여 석유회사 일단의 교습이 끝나자, 여사는 저와 나오미를 슈렘스카야 부인 앞으로 데리고 가서, 처음에 나오미, 다음에 저를, -이건 아마도 레이디를 우선하는 서양류의 예절에 따른 것이겠지요- 몹시 유창한 영어로 소개했습니다. 그때 여사는 나오미를 '미스 가와이'라고 부른 것 같습니다. 저는 내심 나오미가 어떤 태도로 서양인과 응대할까, 흥미를 느끼고 기다렸지만, 평소에는 자만심 강한 그녀도 부인 앞에 나오자 과연 조금 당황한 기색으로, 부인이 뭔가 한두 마디 하면서 위엄 있는 눈에 미소를 담고 손을 내밀자, 나오미는 얼굴을 붉히며 아무 말도 하지 않고 어물어물 악수를 했습니다. 저는 더더욱 그래서 솔직히 그 창백한 조각 같은 윤곽을 올려다볼 수도 없었습니다. 그렇게 말없이 고개를 숙인 채 다이아몬드의 작은 알갱이가 무수히 빛나고 있는 부인의 손을 살짝 마주 잡았을 뿐입니다.

9

저는 촌스러운 인간임에도 불구하고 제 취미는 하이칼라를 선호하고 모든 일에 서양류를 흉내낸 사실을 이미 독자 여러분도 아실 겁니다. 만약 제게 충분한 돈이 있어서 마음대로 할 수 있었다면, 저는 어쩌면 서양에 가서 생활하고 서양 여자를 아내로 삼았을지도 모르지만, 그것은 상황이 허락하지 않았기 때문에 일본인 중에서 그나마 서양인 느낌의 나오미를 아내로 삼은 것입니다. 그리고 또 하나는 비록 제게 돈이 있었다고 해도 남자다움에 있어서 자신이 없었습니다. 어쨌거나 키가 다섯 자 두 치의 왜소한 체격에, 피부가 검고 치열이 고르지 못해 저 당당한 체격의 서양인 여자를 아내로 맞이하는 것은 분수를 몰라도 너무 모르는 일입니다. 역시 일본인에게는 일본인끼리가 좋으니까 나오미 같은 여자가 가장 제 조건에 맞는다, 그렇게 생각하며 저는 만족했던 것입니다.

그렇게는 말했지만, 백인종 부인에게 접근할 수 있는 것은 제게 있어서 하나의 기쁨-아니, 기쁨 이상의 영광이었습니다. 사실대로 말하면, 저는 교제가 서툴고 어학에 재능이 없는 데 정나미가 떨어져서 그런 기회는 평생 오지 않는 것이라고 포기하고, 가끔 외인단의 오페라*를 보거나 영화에 나오는 여배우 얼굴에 친숙해진다든지 하여 조금이나마 그들의 아름다움을 꿈처럼 사모하고 있었습니다. 그런데 뜻밖에도 댄스 교습은 서양 여자-게다가 그것도 백작 부인-와 가까이할 기회를 만든 것입니다. 해리스 양 같은 할머니는 별도로 하고, 제가 서양 부인과 악수할 '영광'을 누린 것은 그때가 처음이었습니다. 저는 슈렘스카야 부인이 그 '하얀 손'을 제 쪽으로 내밀었을 때 저도 모르게 가슴이 **두근**거려 그걸 잡아도 되는지 잠시 주저했을 정도였습니다.

나오미의 손도 나긋나긋하고 윤기가 있으며, 손가락이 길쭉길쭉 가늘어 물론 우아하지 않은 것은 아닙니다. 하지만 그 '하얀 손'은 나오미의 손처럼 **가냘프지** 않고, 손바닥이 두껍고 두툼하게 살집이 있으며, 손가락도 나긋나긋 길면서 가냘프고 얄팍한 느낌이 없는 '두툼'하고도 '아름다운' 손입니다. 저는 그런 인상을 받았습니다. 그리고 끼고 있는 눈동자처럼 번쩍번쩍한 커다란 반지도 일본인이라면 분명 불쾌감을 주었을 텐데, 오히려 손을 아름답게 보이게 하고 기품 있고 화려한 느낌을 더합니다. 그리고 무엇보다도 나오미와 다른 점은 이

* 본격적인 외국 오페라단의 일본 공연은 1919년 9월 1일부터 24일까지 제국극장에서 공연한 러시아 그랜드 오페라단이 공연이 최초였다. 이 무렵 일본에서는 백인 여성과 접할 기회는 극히 적었다.

상할 정도로 하얀 피부색입니다. 하얀 피부에 연한 보랏빛 혈관이 대리석의 얼룩무늬를 생각나게 하듯 희미하게 비쳐 보이는 요염함입니다. 저는 지금까지 나오미의 손을 **장난감**처럼 다루며,

"네 손은 정말 예뻐, 마치 서양인 손처럼 하얘."

라고, 말하며 자주 칭찬했는데, 이렇게 보니 안타깝게도 역시 다릅니다. 하얀 듯해도 나오미의 하얀 색은 선명하지 않습니다. 아니, 일단 이 손을 본 후에는 **거무**튀튀하게 보입니다. 그리고 또 하나 제 주의를 끈 것은 손톱이었습니다. 열 손가락의 손톱이 똑같은 조개껍데기를 모아놓은 듯 하나같이 선명하고 가지런하며 복숭아색으로 빛날 뿐 아니라, 아마도 이것이 서양의 유행일까요, 손톱 끝이 삼각형으로 뾰족하게 깎여 있었습니다.

나오미가 저와 나란히 서면 한 치 정도 작다는 것은 앞에서 썼지만, 부인은 서양인치고 자그마한 것처럼 보여 저보다 키가 크고 뒤축이 높은 구두를 신은 탓인지 같이 춤을 추면 딱 제 머리에 닿을락 말락 한 곳에 그녀의 노출된 가슴이 있었습니다. 부인이 처음에,

"Walk with me!"

라고 말하면서 제 등에 팔을 두르고 원 스텝* 밟는 법을 가르쳤을 때 저는 새카만 제 얼굴이 그녀의 피부에 닿지 않도록

* 20세기 초에 미국에서 시작된 댄스. 4분의 2박자의 사교 댄스.

얼마나 조심했는지 모릅니다. 그 매끄럽고 청초한 피부를 그저 먼 곳에서 바라보는 것만으로 충분했습니다. 악수하는 것조차 미안하게 생각했는데, 그 부드럽고 얇은 옷을 사이에 두고 그녀 가슴에 안기다니. 저는 해서는 안 될 일을 한 것 같아 제 숨이 냄새나지는 않을까, 이 **끈적끈적**한 기름 묻은 손이 불쾌감을 주지는 않을까, 그런 것만 신경이 쓰여, 가끔 그녀의 머리카락 한 가닥이 떨어져도 철렁하지 않을 수 없었습니다.

그뿐만이 아니라 부인의 몸에는 일종의 달콤한 향기가 있었습니다.

"저 여자, 암내가 심해. 냄새가 지독해!"

라고 예의 만돌린 클럽의 학생들이 그런 험담을 하는 것을 저는 나중에 들은 적이 있고, 서양인 중에는 암내 나는 사람이 많다고 하니, 부인은 아마도 그런 사람이 분명합니다. 그 냄새를 지우기 위해 시종 주의해 향수를 뿌렸을 텐데, 하지만 제게는 향수와 암내가 섞인 달고도 신 듯 아련한 향기가 결코 싫지 않았을 뿐만 아니라, 항상 말로 다 할 수 없이 고혹적이었습니다. 그것은 제게 아직 본 적도 없는 바다 저편의 나라들과 참으로 아름다운 이국의 화원을 연상하게 했습니다.

'아, 이것이 부인의 하얀 몸에서 나는 향기인가.'

라고, 저는 황홀해지면서 늘 그 향기를 탐하듯이 맡았습니다.

저같이 서툴고, 댄스 같은 화려한 분위기에 가장 어울리지 않는 남자가, 나오미 때문이라고는 하지만 어째서 그 이후 질리지도 않고 한 달이고 두 달이고 교습에 다닐 마음이 들었나, 굳이 자백하자면 그것은 분명 슈렘스카야 부인이 있었기 때문입니다. 매주 월요일과 금요일 오후, 부인의 가슴에 안겨 춤추는 것. 그 짧은 한 시간이, 어느 틈에 저의 가장 큰 즐거움이 되었습니다. 저는 부인 앞에선 나오미의 존재를 완전히 잊었습니다. 그 한 시간은 예를 들면 향기 짙은 술처럼 저를 취하게 했습니다.

"조지 씨는 생각보다 열심이네, 바로 싫증 내지 않을까 했는데."

"왜?"

"왜냐면 내가 댄스를 할 수 있을까, 하고 말했잖아."

그래서 저는 그런 이야기가 나올 때마다 나오미에게 미안한 생각이 들었습니다.

"할 수 없을 것 같았는데 해보니 유쾌하네. 게다가 닥터가 해서 하는 말은 아닌데 운동이 많이 돼."

"그거 봐. 그러니 뭐든 생각만 하지 말고 해보는 거야."

나오미는 제 마음의 비밀은 알아채지 못하고 그렇게 말하며 웃었습니다.

그건 그렇고, 꽤나 배웠으니까 이제 슬슬 괜찮다고 해서 우리가 처음으로 긴자의 카페 엘도라도에 간 것은 그해 겨울이었습니다. 아직 그 무렵, 도쿄에는 댄스홀이 그렇게 많지 않았기 때문에, 제국호텔*이나 가게쓰엔花月園**을 제외하면 그 카페가 그 당시 유일했을 겁니다. 그런데 제국호텔이나 가게쓰엔은 외국인이 주라서 복장과 예의가 까다롭다니까 처음에는 엘도라도가 좋겠다고 얘기가 된 것입니다. 하긴 그건 나오미가 어디선가 소문을 듣고 와서 '꼭 가보자'고 제의한 것이었고, 아직 저는 공공연한 장소에서 춤출 정도의 배짱은 없었지만,

"안 돼, 조지 씨!"

라고, 나오미가 저를 쏘아보며,

"그렇게 소심한 소리를 하니까 안 되는 거야. 댄스라는 건 연습만으론 아무리 해도 능숙해지지 않아. 사람들 속에서 넉살 좋게 춤추는 사이에 능숙해지는 거야."

"그야 분명 그렇지만, 난 넉살이 좋지 못해서……."

"그럼 좋아. 나 혼자라도 갈 테니까. ……하마 씨든 **마 짱**이든 불러내서 출 테니까."

"**마 짱**이라면 얼마 전에 만돌린 클럽 남자 말이지?"

"응, 그래. 그 사람은 연습을 한 번도 하지 않았지만 어디든 가서 상대를 가리지 않고 춰서 요즘엔 완전히 능숙해졌어. 조지 씨보다 훨씬 잘 춰. 그러니 넉살이 좋지 못하면 손해야.

* 수도 도쿄에 외국에서 온 손님을 대접할 본격적인 호텔이 없는 것은 나라의 수치라고 여긴 정부의 지도로, 1980년 현재의 치요다구 우치사이와이초(内幸町)에 개업한 일본을 대표하는 고급 호텔. 무도회장도 있었다.

** 신바시 요리점 「가게쓰(花月)」의 주인 히라오카 히라다카(平岡 廣高)가 1914년 요코하마시 쓰루미(鶴見)에 만든 유원지 안에 1920년경 개장한 댄스 홀.

……저기, 가자. 나 조지 씨랑 춰줄 테니까. ……저기, 부탁이니까 같이 가자! ……착하지, 착하지. 조지 씨는 정말 착한 아이!"

그래서 결국 가기로 결정하자, 이번에는 '뭘 입고 갈까'로 오랜 논의가 시작되었습니다.

"잠깐 조지 씨, 어느 게 좋아?"

그녀는 가기 사오일 전부터 소란을 피우며, 있는 대로 옷을 끄집어내서 그걸 하나하나 입어봅니다.

"아, 그게 좋겠어."

제가 나중에는 귀찮아서 적당히 대답하면,

"그런가? 이거 이상하지 않아?"

라고 거울 앞에서 빙글빙글 돌며,

"이상해, 뭔가. 난 이런 건 마음에 안 들어."

하며 즉시 벗어 휴지처럼 발로 **꾸깃꾸깃하게** 꾸겨 걷어찬 다음 또 다른 걸 걸칩니다. 하지만 저것도 싫고 이것도 싫어서,

"저기, 조지 씨, 새로운 걸 맞춰줘!"

가 되는 것이었습니다.

"댄스 하러 가려면 훨씬 화려한 것이 있어야 해. 이런 옷은 돋보이지 않아. 제발! 맞춰줘! 어차피 앞으로 가끔 갈 건데, 옷이 없으면 안 되잖아."

그 무렵, 제 월급은 이미 그녀의 사치를 감당하지 못했습니다. 원래 저는 금전에 관한 한 상당히 꼼꼼한 편이어서, 독신 시절에는 매월 용돈을 정해 쓰고 남으면 얼마 안 되더라도

저금했기 때문에 나오미와 집을 얻을 당시에는 상당히 여유가 있었습니다. 그리고 저는 나오미와 사랑에 빠져 있긴 했지만, 회사 일은 결코 소홀히 한 적이 없고, 여전히 근면 성실한 모범적인 사원이었기 때문에 중역의 신용도 서서히 두터워지고, 월급도 인상되어, 반년마다 받는 보너스를 더하면, 월평균 400엔은 되었습니다. 그러하니 평범하게 살면 둘이서 편안히 살 수 있었을 텐데 그게 아무리 노력해도 부족했습니다. 너무 세세하게 말하는 것 같은데, 우선 매달 생활비가 아무리 적게 잡아도 300백 엔이 듭니다. 이 중 집세가 35엔(원래는 20엔이었는데 4년간 15엔이나 올랐습니다) 그리고 가스세, 전기세, 수도세, 장작과 숯 비용, 세탁비 등 여러 잡비를 뺀, 나머지 200엔 내외에서 230~240엔은 어디에 사용하냐면 대부분이 식비였습니다.

그도 그럴 것이, 어린 시절에는 일품요리인 비프스테이크로 만족했던 나오미였는데, 어느 틈에 점점 입이 고급이 되어 세 번의 식사 때마다 "이게 먹고 싶어" "저게 먹고 싶어"라며, 나이에 맞지 않게 사치스러운 말을 합니다. 게다가 재료를 사서 자신이 요리하는 귀찮은 일은 싫어하기 때문에 대부분 근처 요리점에 주문합니다.

"아, 뭔가 맛있는 게 먹고 싶어."

나오미가 심심할 때면 내뱉는 말이었습니다. 그리고 이전에는 양식만 좋아했지만 요즘에는 그렇지도 않아서 세 번에 한 번은 "어느 가게의 어떤 요리가 먹고 싶어"라든가 "어디 어디의 초밥을 주문해보자" 같은, 건방진 소리를 합니다.

낮에는 제가 회사에 있으니 나오미 혼자 먹는데, 오히려 그럴 때 사치가 심했습니다. 저녁에 회사에서 돌아오면 부엌 구석에 음식점의 **손잡이 달린 배달통**이나 양식점 용기 따위가 놓여 있는 것을 가끔 보았습니다.

"나오미 짱, 너, 또 시켜 먹었구나! **주문 요리**만 먹으면 돈이 너무 많이 들어. 무엇보다 여자 혼자서 요리를 시키다니, 조금 아깝다는 생각이 들지 않아?"

이런 말에도 나오미는 아주 태연하게,

"혼자니까 주문한 거야. **반찬** 만드는 게 귀찮은걸."

하며 일부러 **부루퉁해서** 소파 위에 엎드려 있습니다.

이러니 견딜 수가 없습니다. **반찬**만이라면 그래도 괜찮지만, 가끔은 밥을 짓는 것조차 귀찮아서 밥까지 음식점에서 시키는 형편이었습니다. 그래서 월말이 되면 새 요리점, 소고기 요리점, 일본요리점, 서양요리점, 초밥 가게, 장어 가게, 과자 가게, 과일 가게 등 여기저기서 가지고 오는 청구서의 합계가, 골고루 잘 먹었구나 하고 놀랄 정도로 고액이었습니다.

식비 다음으로 많이 드는 건 세탁비였습니다. 나오미가 양말 한 짝도 결코 스스로 빨려 하지 않고 빨랫감을 모두 모아 세탁소에 맡기기 때문입니다. 그래서 가끔 잔소리를 할라치면 반드시,

"나, 하녀 아니야."

라고 말합니다.

"빨래를 하면 손가락이 굵어져서 피아노를 칠 수 없게 되잖아. 조지 씨는 나를 뭐라고 했어? 자기의 보물이라고 했잖아? 그런데 이 손이 굵어지면 어떻게 해?"

라고 말합니다.

처음에는 나오미가 집안일도 하고 부엌일도 했는데, 지금처럼 된 것은 불과 1년이나 반년 전입니다. 빨랫감은 그렇다 치고, 무엇보다 곤란한 것은 집 안이 날이 갈수록 난잡하고 불결해져가는 것이었습니다. 벗은 것은 벗은 채 놔두고 먹은 것은 먹은 채 놔두는 형편으로, 찔끔찔끔 지저분하게 먹은 접시와 주발, 마시다 만 컵, 때에 찌든 속옷이나 유모지* 같은 것이, 언제 봐도 여기저기에 내던져져 있습니다. 바닥은 물론 의자에도 테이블에도 먼지가 쌓여 있지 않은 적이 없고, 인도산 사라사 커튼도 이제는 옛 모습은 간데없이 낡아버렸고, 그렇게 화려한 '새장'이었던 동화의 집은 완전히 분위기가 바뀌서, 방에 들어가면 훅 하고 코를 찌르는 냄새가 납니다. 저는 말문이 막혀,

"자자, 내가 청소해줄 테니, 너는 마당에 나가 있어."

라며 쓸고 털고 해보지만, 털면 털수록 **쓰레기**가 나올 뿐만 아니라, 너무 어질러져 있었기 때문에 치우고 싶어도 손을 쓸 수가 없었습니다.

이렇게는 살 수가 없어서 두세 번 하녀를 고용한 적도 있지

* 옛날, 여성이 목욕할 때 몸에 두르던 옷.

만, 오는 하녀마다 질려서 닷새를 견디는 하녀가 없었습니다. 무엇보다 처음부터 하녀를 고용할 생각이 없었고, 하녀가 와도 잘 곳이 없습니다. 게다가 우리도 편하게 **노닥노닥**할 수 없어서 잠깐 둘이 노닥거리는 것도 왠지 거북합니다. 나오미는 일손이 느니, 더더욱 제멋대로 굴며 손가락 하나 까딱하지 않고 하녀를 사정없이 부려먹습니다. 그리고 여전히 "어느 요리점에 가서 무엇을 주문해 와"라고 오히려 더 편리해진 만큼 사치를 부립니다. 결국 하녀라는 존재는 몹시 비경제적이기도 하고 우리의 '놀이'에도 방해되기 때문에 하녀도 겁을 먹었겠지만 우리도 굳이 두고 싶지 않아졌습니다.

어쨌든 매달 생활비가 그만큼 든다고 치고, 나머지 100엔에서 150엔 중에서 한 달에 10엔이나 20엔은 저금하고 싶었지만, 나오미의 씀씀이가 헤퍼서 그럴 여유는 없었습니다. 그녀는 반드시 한 달에 한 벌은 옷을 맞춥니다. 아무리 **모슬린**이나 메이센이라도 안감과 겉감을 사고, 게다가 스스로 만들지 않기 때문에 만드는 비용을 들여, 50엔이나 60엔은 사라져 버립니다. 그리고 옷이 마음에 들지 않으면 벽장 안에 처박은 채 입지 않고, 마음에 들면 무릎에 구멍이 날 때까지 입습니다. 그 때문에 그녀의 옷장 안에는 너덜너덜해진 헌 옷이 가득 들어 있습니다. 그리고 신발도 사치를 부립니다. 조리, 통나무로 깎아 만든 게다, 굽 높은 게다, 굽 낮은 게다, 가벼운 게다, 외출용 게다, 평소에 신는 게다 -이것들은 한 켤레 7~8엔에서 2~3엔으로, 열흘에 한 번 정도는 사기 때문에 쌓이면

싼 것이 아닙니다.

"이렇게 게다를 신어서야 견딜 수 없으니 구두로 하면 좋지 않을까?"

라고 말해봐도 예전에는 여학생다운 하카마에 구두 신고 걷는 걸 좋아한 주제에, 요즘에는 수업을 받으러 갈 때도 평상복 차림으로 **하느작하느작** 외출하는 식으로,

"나 이래 봬도 도쿄 토박이야. **옷차림**은 어떻든 간에 신발만은 제대로가 아니면 마음이 안 풀려."

라며 저를 촌놈 취급합니다.

용돈도 음악회다, 전차비다, 교과서다, 잡지다, 소설이다, 해서 3엔, 5엔 정도씩 삼일이 멀다 하고 가지고 갑니다. 이 외에 또 영어와 음악 수업료가 25엔, 이것은 매달 규칙적으로 지불해야 합니다. 그러자면 400엔의 수입으로는 감당하기 힘들어서 저금은커녕 거꾸로 저금을 찾아야 합니다. 독신 시절 어느 정도 모아놓은 것도 찔끔찔끔 사라져갑니다. 그리고 돈이란 것은 손대기 시작하면 참으로 금방 없어져서 삼사 년 동안 저축한 돈을 전부 써서 지금은 한 푼도 없습니다.

불행하게도 저 같은 남자는 외상값 지불을 연기해달라고 말하는데 서툴러서, 계산은 제 날짜에 하지 않으면 마음이 안정되지 않았기 때문에, 월말이 되면 말로 표현할 수 없는 맘고생을 했습니다.

"그렇게 쓰면 월말을 넘길 수가 없잖아."

라고 타일러도,

"넘길 수 없으면 기다려달라고 하면 돼."

라고 말합니다.

"3년, 4년이나 같은 곳에서 살면서, 월말 지불을 연기하지 못할 것도 없어. 6월 말, 12월 말에는 반드시 지불할 거라고 말하면 어디든 기다려줄 거야. 조지 씨는 소심하고 융통성이 없어서 탈이야."

그런 식으로 그녀는 자신이 사고 싶은 것은 모두 현금으로, 다달이 지불해야 할 것은 보너스가 들어올 때까지 뒤로 미루는 방법을 쓰면서도 외상값 지불을 연기해달라는 말은 하기 싫어서,

"나, 그런 말 하는 거 싫어. 그건 남자가 할 일 아니야?"

라면서 월말이 되면 불쑥 어딘가로 뛰쳐나갑니다.

저는 나오미를 위해 모든 수입을 바치고 있다고 해도 좋았습니다. 그녀를 조금이라도 **보다** 멋지고 말쑥하게 하는 것, 불편하거나 궁색하지 않고 마음 편하게 키워주는 것, 그것이 원래 제 소망이었기 때문에, 힘들다 힘들다 불평하면서도 그녀의 사치를 허용해버립니다. 그러면 그만큼 다른 방면에서 절약해야만 합니다. 다행히 저는 제 자신의 교제비는 조금도 들지 않았는데, **가끔** 회사 관련 모임 등이 있는 경우 의리상 당연히 참석해야 하지만 빠져나갈 수 있으면 빠져나가려고 합니다. 그 외에 제 용돈, 옷값, 점심값 등을 몹시 절약합니다. 매일 타는 쇼센 전차도 나오미는 2등 정기권을 사는데 저는 3등으로 견딥니다. 밥을 짓는 것이 귀찮다고 **음식점** 요리를 시

키면 안 되겠다 싶어 제가 밥을 지어주고 **반찬**을 만들어주는 일도 있습니다. 하지만 그게 또 나오미 마음에 들지 않습니다.

"남자가 부엌에서 일하지 않아도 되잖아, 꼴사나워."

라고, 그렇게 말합니다.

"조지 씨는 뭐, 일 년 내내 같은 옷만 입지 말고 조금 더 세련된 **차림**을 하는 게 어때? 나만 멋지고 조지 씨가 그런 식이면 싫어. 그럼 같이 못 다녀."

그녀와 함께 다니지 못하면 아무런 즐거움도 없으니까 저도 소위 '세련된' 옷 하나는 맞춰야만 합니다. 그리고 그녀와 외출할 때는 전차도 2등에 타야만 합니다. 즉 그녀의 허영심을 손상하지 않도록 그녀 혼자만의 사치스러움으로 끝나지 않는 결과가 됐습니다.

그런 사정으로 생활이 곤란한 상황에, 요즘 또 슈렘스카야 부인에게 40엔씩 내야 했으므로 이 이상 댄스 의상을 사주거나 하면 **이러지**도 **저러지**도 못하게 됩니다. 하지만 그걸 이해할 나오미가 아닙니다. 마침 월말이었던 터라 제게 현금이 있어서 더욱 그것을 내놓으라며 말을 듣지 않습니다.

"그러니까 너, 지금 이 돈을 써버리면 당장 월말에 곤란해질 걸 알잖아."

"곤란해도 어떻게든 될 거야."

"어떻게든 되다니, 어떻게 되는데? 어떻게 될 방법이 전혀 없어."

"그럼 뭣 때문에 댄스 같은 걸 배웠어? 됐어. 그럼, 이제 내

일부터 아무 데도 안 갈 거야."

그렇게 말하고 그녀는 그 커다란 눈에 눈물을 가득 담고 원망하듯 저를 노려보며 **새침하게** 있었습니다.

"나오미 짱, 너, 화난 거야? ……저기, 나오미 짱, 잠깐…… 이쪽을 봐줘."

그날 밤, 저는 잠자리에서 등을 돌리고 자는 척하는 그녀의 어깨를 흔들면서 말했습니다.

"이봐, 나오미 짱, 잠깐 이쪽을 보라고……."

그리고 부드럽게 손을 뻗어 생선구이를 뒤집듯이 빙글 제 쪽으로 돌리자 저항 없이 나긋나긋한 몸이 살며시 눈을 반쯤 감은 채 순순히 제 쪽을 향했습니다.

"왜 그래? 아직도 화났어?"

"……."

"저기, 이봐……. 화 안 내도 되잖아. 어떻게든 해볼 테니까……."

"……."

"이봐, 눈을 떠봐, 눈을……."

말하면서 속눈썹이 부들부들 떨리고 있는 눈꺼풀을 들어 올리자 조갯살처럼 안에서 살짝 들여다보이는 **동그란** 눈동자는 자고 있기는커녕 정면으로 제 얼굴을 바라보고 있습니다.

"그 돈으로 사줄게, 응, 좋지……."

"하지만, 그러면 곤란하지 않아……?"

"곤란해도 돼. 어떻게든 할게."

"그럼, 어떻게 할 건데?"

"고향 집에 말해서, 돈을 좀 보내달라고 할 거니까 괜찮아."

"보내줄까?"

"응, 그야 보내주지. 난 지금까지 한 번도 고향 집에 폐를 끼친 적이 없고, 둘이 집 한 채를 빌려서 살면 여러 가지 돈이 든다는 정도는 어머니도 알고 있을 게 분명하니까……."

"그래? 하지만 어머니께 미안하지 않아?"

나오미는 걱정하는 듯한 말투였지만 사실 그녀의 마음속에는 '시골집에 말하면 좋을 텐데'라고, 진작부터 그런 생각을 품었던 것을 어렴풋이 저도 알고 있었습니다. 제가 그렇게 말을 꺼낸 것은 그녀가 원하는 바였습니다.

"뭐, 전혀 미안하지 않아. 하지만 지금까지는 내 자존심이 그런 건 허락하지 않았지."

"그런데 무슨 이유로 마을을 바꿨어?"

"네가 아까 우는 걸 보니 불쌍해져서 말이야."

"그래?"

라고 말하고 파도가 치는 것처럼 가슴을 흔들며 부끄러운 듯이 미소를 띠면서,

"나, 진짜 울었나?"

"이제 **어디**에도 가지 않겠다며, 눈에 가득 눈물을 담고 있었잖아. 언제까지나 너는 **떼쟁이**야, 커다란 베이비……."

"내 파파! 귀여운 파파!"

나오미는 갑자기 제 목에 달라붙어, 붉은 입술을 바쁜 우

체국 직원이 스탬프를 찍듯이 이마와 코, 눈꺼풀 위와 귓볼 뒤, 제 얼굴을 온갖 곳에 약간의 틈도 없이 마구 찍었습니다. 그것은 제게 뭔가, 동백나무의 꽃처럼 **묵직하고** 촉촉하며 부드러운 무수의 꽃잎이 내리는 듯한 상쾌함과 그 꽃잎의 향기 속에 제 머리가 완전히 묻힌 것 같은 황홀한 기분을 느끼게 했습니다.

"왜 그래, 나오미 짱? 넌 마치 미치광이 같아."

"응, 미치광이야. ……난 오늘 밤 미치광이가 될 정도로 조지 씨가 사랑스러워. ……아니면 귀찮아?"

"귀찮을 거 없어. 나도 기뻐. 미치광이가 될 정도로 기뻐. 너를 위해서라면 어떤 희생을 치러도 상관없어. ……응, 왜 그래? 또 우는 거야?"

"고마워, 파파. 난 파파에게 감사하고 있어. 그래서 나도 모르게 눈물이 나네. ……저기, 알겠어? 울면 안 돼? 안 되면 닦아줘."

나오미는 품에서 휴지를 꺼내서 자기가 닦지 않고 그것을 제 손에 쥐어줬는데, 눈동자는 꼼짝 않고 제 쪽으로 향한 채 닦아주기 전에 한층 눈물을 펑펑 흘려 속눈썹 끝까지 넘치게 했습니다. '아아, 이 얼마나 촉촉하고 아름다운 눈인가. 이 아름다운 눈물방울을 이대로 결정으로 만들어 간직해둘 수는 없을까' 생각하면서, 저는 처음에 그녀의 뺨을 닦아주고, 그 동글동글 불거진 눈물방울에 닿지 않도록 눈 주위를 닦아주었습니다. 살이 느슨해지거나 팽팽해지거나 할 때마다, 방울은 여러 형태로 바뀌어, 볼록 렌즈처럼 되기도 하고 오목 렌즈처럼 되기도 하다가 결국에는 우수수 무너져 모처럼 닦은 뺨 위에 다시 빛의 실을 질질 끌면서 흘러갑니다. 그러면 저는 다시 한번 그 뺨을 닦아주고 아직 어느 정도 젖어 있는 눈 위를 어루만져주고, 그러고 나서 그 종이로 계속해서 가냘프게 오열하고 있는 그녀의 콧구멍을 누르며,

"자, 코 풀어."

라고 말하면, 그녀는 "흥" 소리를 내며 몇 번이고 코를 풀었습니다.

그다음 날, 제게 200엔을 받아 나오미는 혼자 미쓰코시에 가고, 저는 회사에서 점심시간에 어머니께 처음으로 염치없이 돈을 요구하는 편지를 썼습니다.

'……여러 가지로 요즘에는 물가가 비싸고 2~3년 전과는 놀랄 정도로 틀려서 이렇다 할 사치를 하는 것도 아닌데, 매달의 경비에 쫓겨 도회 생활도 좀처럼 쉽지 않고…….'

라고 그렇게 쓴 것을 기억하는데, 부모에게 이런 능란한 거짓말을 할 정도로, 그 정도로 자신이 대담해졌다고 생각하니 두려운 생각이 들었습니다. 하지만 어머니는 저를 신뢰하고 있는 데다 아들의 소중한 아내인 나오미에 대해서도 자애를 가지고 있다는 사실은, 이삼일 지나고 나서 도착한 답장을 봐도 알 수 있었습니다. 편지 안에는 '나오미에게 옷이라도 사주렴' 하고 제가 말한 것보다도 100엔 많은 돈이 동봉되어 있었습니다.

10

엘도라도에 댄스 하러 간 그날은 토요일 밤이었습니다. 오후 7시 반부터라기에 5시 무렵 회사에서 돌아오니, 나오미는 이미 목욕을 마친 후 상반신을 벗고 열심히 화장을 하고 있었습니다.

"아, 조지 씨, 다 됐어."

라고 거울로 제 모습을 보자마자 한 손을 뒤쪽으로 뻗어 그녀가 가리킨 소파 위에는 미쓰코시에 부탁해서 급히 만든 옷과 마루오비가 포장이 풀려 길게 죽 놓여 있었습니다. 옷은 옷자락과 소맷부리에 솜을 넣고 옷자락, 깃, 소맷자락, 소맷부리를 겹으로 하여 두 벌의 옷을 겹친 것처럼 보이게 지은 겹옷, 금사 치리멘*이라고 할까요, 거무스름한 빨간색 옷감에는 노란 꽃과 초록 잎으로 점점이 흩어 놓은 무늬가 있고, 오비에는 은실로 꿰맨 두세 줄기의 파도가 넘실대고, 군데군데 신분이 높은 사람이 타는 배 같은 고풍스러운 배가 떠 있습니다.

* 일본 옷에 쓰이는 고급 견직물. 가는 생사로 짠 치리멘. 주름이 자잘하고 부드러우며 광택이 있음.

"어때? 내 안목 좋지?"

나오미는 양손에 분을 녹여, 아직 김이 나는 살집 좋은 어깨에서 목덜미까지 그 손바닥으로 좌우에서 마구 찰싹찰싹 두드리며 말했습니다.

하지만 솔직하게 어깨가 두껍고 엉덩이가 크며 가슴이 튀어나온 그녀의 몸에는, 그 물처럼 부드러운 옷감이 그다지 어울리지 않았습니다. 모슬린이나 메이젠을 입고 있으면 혼혈아 같은 이국적인 아름다움이 있지만, 신기하게도 이런 진지한 의상을 입으면 오히려 그녀는 무늬가 화려하면 화려할수록 상스럽게 보여서 요코하마 근처에 있는 외국인 상대 선술집 여자 같은 느낌이 들 뿐이었습니다. 저는 그녀가 혼자서 득의만만해 있었으므로 굳이 반대는 하지 않았지만 이런 강렬한 차림의 여자와 함께 전차를 타거나 댄스홀에 가는 것은 몸이 움츠러드는 느낌이었습니다.

나오미는 옷을 입자,

"자, 조지 씨, 당신은 감색 신사복을 입어."

라고 별나게도 제 옷을 꺼내 와서 먼지를 털고 다리미질을 해주었습니다.

"난 감색보다 갈색이 좋은데."

"바보야! 조지 씨는!"

라고 그녀는 예의 꾸짖는 듯한 어조로 한번 노려보고,

"무도회는 감색 신사복이나 턱시도를 입는 거잖아. 그리고 칼라도 소프트한 게 아니라 스티프한 걸 하는 거야. 그게 에

티켓이니까, 앞으로 기억해둬."

"허, 그래."

"그래, 하이칼라인 척하는 주제에 그걸 몰라서 어떻게 해. 이 감색 신사복은 상당히 더럽지만, 양복은 주름이 쫙 펴져 있고 형태가 흐트러지지 않으면 되는 거야. 자, 내가 제대로 해줄 테니까 오늘 밤은 이걸 입어. 그리고 조만간 턱시도를 맞춰야만 해. 그렇지 않으면 나, 같이 춤 안 춰줄 거야."

그러고 나서 넥타이는 감색이나 검은색의 무늬 없는 나비넥타이가 좋다는 것, 구두는 에나멜로 해야 하지만 그게 없으면 보통의 검은 단화로 할 것, 빨간 가죽은 예의에 벗어나 있다는 것, 양말도 사실은 비단이 좋지만 그렇지 않더라도 색은 무늬 없는 검은색을 골라야 한다는 것. 어디서 듣고 왔는지 그런 설명을 하면서 나오미는 자신의 옷뿐 아니라 제 것에도 하나하나 참견하여 결국 집을 나서기까지는 꽤 시간이 걸렸습니다.

도착했을 때는 7시 반을 지나 댄스가 이미 시작되었습니다. 떠들썩한 재즈 밴드의 음악을 들으면서 계단을 올라가자 식당의 의자를 치운 댄스홀 입구에 'Special Dance–Admission: Ladies Free, Gentlemen 3엔'이라고 표시한 벽보가 있고, 한 명의 남자가 회비를 받고 있었습니다. 물론 카페이므로 홀이라고 해도 그렇게 멋진 곳이 아니고, 둘러보니 춤추는 사람은 10쌍 정도인데 이미 그 정도의 인원수에도 상당히 왁자지껄 시끄러웠습니다. 홀 한쪽에 테이블과 의자가 두 줄로 나란히 놓인 자리가 있는데, 표를 사서 입장한 사람들은 각각 그 자리를 점령하고, 가끔 거기서 쉬면서 다른 사람이 춤추는 것을 구경하는 구조로 된 거죠. 거기에는 낯선 남자와 여자가 저쪽에 한 무리, 이쪽에 한 무리가 모여서 이야기하고 있습니다. 그리고 나오미가 들어오자 그들은 서로 뭔가 서로 소곤거리며, 이런 곳이 아니면 볼 수 없는 뭔가 이상한, 반은 적의를 품은 듯한 반은 경멸하는 듯한 눈길로 요란한 그녀의 모습을 탐색하듯이 바라보았습니다.

"이봐, 이봐, 저기 저런 여자가 왔어."

"같이 온 남자는 누구지?"

라고 그들이 저에게 말하는 것 같았습니다. 그들의 시선이 나오미뿐만 아니라 그녀 뒤에 서 있는 제게도 쏟아지는 것을 느꼈습니다. 제 귀에는 오케스트라의 음악이 시끄럽게 울려 퍼지고, 제 눈앞에는 춤추는 군중이, ……모두 저보다 훨씬 잘 출 것 같은 군중이 커다란 하나의 원을 만들어 빙글빙글 돌고 있습니다. 동시에 저는 자신이 겨우 5자 2치의 작은 남자라는 것, 피부색이 토인처럼 검고 이가 가지런하지 못하다는 것, 2년이나 전에 맞춘 그저 그런 감색 신사복을 입고 있다는 것 등을 생각하자, 얼굴이 활활 달아올라 온몸이 떨려서 '더는 올 곳이 아니야'라고 생각하지 않을 수 없었습니다.

"이런 곳에 서 있어 봤자야……. 어딘가 저쪽…… 테이블 쪽으로 가자고."

나오미도 주눅이 들었는지 제 귀에 입을 대고 작은 소리로 말했습니다.

“하지만, 이렇게 춤추고 있는 사람들 사이를 뚫고 가도 될까?”

“괜찮아, 분명…….”

“하지만 부딪히면 미안하잖아.”

“부딪히지 않게 가면 돼……. 자, 봐. 저 사람도 저기를 뚫고 가잖아. 그러니까 괜찮아, 가보자고.”

저는 나오미의 뒤를 따라 홀의 군중을 가로질러 갔는데, 다리가 떨리는 데다 바닥이 미끌미끌해 넘어질 것 같아, 맞은편으로 건너갈 때까지가 힘들었습니다. 그리고 한번 쿵 하고 넘어질 뻔해,

“쳇.”

하고 나오미가 노려보며 얼굴을 찡그렸습니다.

“아, 저기 한 자리 비어 있는 거 같아, 저 테이블로 하자.”

라고, 나오미는 그런데도 나보다는 넉살이 좋아 빤히 쳐다보는 사이를 쓱 지나서 어느 테이블에 도착했습니다. 하지만, 그렇게 댄스를 기대했던 주제에, 즉시 추자고는 하지 않고 왠지 잠시 진정되지 않는 듯 가방에서 거울을 꺼내서 몰래 화장을 고치거나,

“넥타이가 왼쪽으로 돌아갔어.”

라며 내밀히 제게 주의를 기울이면서, 홀 쪽을 지켜보았습니다.

“나오미 짱, 하마다 군이 와 있잖아.”

"나오미 **짱**이라고 부르는 거 아니야. **씨**라고 해."

그렇게 말하고 나오미는 찌푸린 얼굴로,

"하마다 씨도 와 있고 **마 짱**도 와 있어."

"응, 어디에?"

"응, 저기에……."

그리고 당황해 소리를 죽이고 "손가락질을 하면 실례야"라고 조용히 저를 타이른 다음,

"저기 그러니까 핑크색 양장을 입은 아가씨와 같이 춤을 추고 있잖아, 그게 **마 짱**이야."

"야."

라고 말하면서 그때 **마 짱**은 우리들 쪽으로 다가와, 상대 여자의 어깨너머로 **히죽히죽** 웃어 보였습니다. 핑크색 양장은 키가 크고 육감적인 긴 팔을 드러낸 뚱뚱한 여자로, 풍성하다기보다 거추장스러울 정도로 숱이 많은 새카만 머리카락을 어깨 언저리에서 싹둑 잘라 곱슬거리게 파마한 데다가, 리본 머리띠를 하고 있었는데, 얼굴은 빨이 붉고 눈이 크고 입술이 도톰하고 그리고 어디까지나 순일본식의 우키요에浮世絵*에라도 나올 법한 가늘고 긴 코에 갸름한 얼굴이었습니다. 저도 여자 얼굴에는 비교적 관심이 많은 편인데, 이렇게 이상하리만큼 조화롭지 못한 얼굴은 아직 본 적이 없습니다. 생각건대 이 여자는 자기 얼굴이 지나치게 일본인 같은 것을 불만스워서서

* 에도 시대에 성행한 풍속화. 주로 화류계 여성이나 연극배우 등을 소재로 함.

가급적 서양인처럼 하려고 몹시 고심한 듯. 자세히 보니 대체로 밖으로 드러난 피부란 피부에는 가루를 뿌린 듯 분을 발랐고, 눈 주위에는 페인트처럼 반짝반짝 빛나는 청록색 물감을 칠했는데, 볼이 새빨간 것도 틀림없이 볼연지를 과하게 발랐기 때문입니다. 게다가 저런 리본 머리띠를 한 모습은 딱하지만 아무리 보아도 요괴로밖에 생각되지 않았습니다.

"이봐, 나오미 **짱**……."

무심코 저는 그렇게 말하고 서둘러 **씨**라고 고쳐 말하고 나서,

"저 여자는 저래도 귀한 집 따님일까?"

"응, 그래. 꼭 매춘부 같지만……."

"넌 저 여자를 알아?"

"알진 못하지만, 자주 **마 짱**에게 이야기를 들었어. 저기, 머리에 리본을 매고 있잖아. 저 아가씨는 눈썹이 이마의 **아주** 위쪽에 있어서, 그걸 감추기 위해 머리띠를 하고, 따로 눈썹을 아래쪽에 그린대. 저기, 봐 봐. 저 눈썹은 가짜야."

"하지만 용모는 그렇게 나쁘지 않잖아. 붉은 거라든가 파란 거 등을 저렇게 덕지덕지 처발라서 이상한 거야."

"다시 말해서, 바보야."

나오미는 점점 자신감을 회복한 듯, 자부심 강한 평소의 어투로 말하고 나서,

"얼굴도 별로야. 저런 여자를 조지 씨는 미인이라고 생각해?"

"미인이라고 할 정도 아니지만, 코도 높고 몸매도 나쁘지

않고, 평범하게 꾸미면 볼 만할 것 같은데."

"어머 뭐야! 뭐가 볼만 하다는 거야! 저런 얼굴은 **쌔고** 쌨어. 게다가 어때, 서양인처럼 보이려고 별의별 치장을 한 건 그렇다 쳐도, 그게 전혀 서양인처럼 안 보이니 다행이지. 완전 원숭이야."

"그런데 하마다 군과 추고 있는 사람은 어딘가에서 본 것 같은 여자 같은데."

"아마 봤을 거야. 저 사람은 제국극장의 하루노 기라코春野綺羅子야."

"와, 하마다 군은 키라코를 아는 거야?"

"응, 알아. 저 사람은 춤을 잘 춰서 여기저기서 여배우와 친구가 돼."

하마다는 갈색 신사복을 입고, 송아지 가죽으로 만든 초콜릿색 구두에 스패츠를 신고, 군중 속에서도 한층 눈에 띄는 능숙한 스텝으로 춤추고 있었습니다. 하지만 몹시 무례한 것은, 어쩌면 이런 춤이 있는지도 모르지만, 상대 여자와 얼굴을 딱 붙이고 있었습니다. 섬세한 상아 같은 손가락을 가진, 꽉 끌어안으면 휘어 부러질 것 같은 자그마한 기라코는, 무대에서 보는 것보다 훨씬 미인으로 그 이름처럼 더없이 아름답고 요염한 의상에, 돈스緞子*인지 슈친朱珍**인지, 검은 천에 금

* 연사(練絲)로 짠 두껍고 광택이 있는 비단.

** 무늬를 넣은 수자직.

실과 진한 초록색으로 용을 그린 마루오비를 매고 있었습니다. 여자 쪽이 키가 작아 하마다는 마치 머리카락 냄새를 맡기라도 하듯, 머리를 비스듬히 기울이고, 귀 부근을 기라코의 옆머리에 붙이고 있었습니다. 기라코는 기라코대로 눈꼬리에 주름질 정도로 힘껏 남자의 뺨에 이마를 대고 있었습니다. 두 얼굴은 네 개의 눈동자를 깜빡이면서, 몸은 떨어지는 일이 있어도 목과 목은 조금도 떨어지지 않고 춤을 추었습니다.

"조지 씨, 저 춤 알아?"

"뭔지 모르지만 그다지 보기 좋은 건 아니군."

"정말이야, 정말 품위 없어."

나오미는 퉤퉤 침을 뱉는 듯한 말투로,

"저건 치크 댄스라고 해서, 점잖은 장소에서 출 수 있는 게 아니래. 미국 같은 데서 저걸 추면 퇴장해달라고 한대. 하마 씨도 정말 꼴사납다니까."

"하지만 여자도 그래."

"그야 그렇지. 어차피 여배우는 애당초 여기에 여배우를 입장시킨 게 나빠. 그렇게 하면 진정한 레이디는 오지 않게 돼."

"네가 엄청 심하게 잔소리를 했는데, 감색 신사복을 입은 사람은 별로 없잖아. 하마다 군도 저런 **차림**이고……."

이것은 제가 처음부터 눈치채고 있던 일이었습니다. 아는 체하기를 좋아하는 나오미는 소위 에티켓 같은 걸 조금 듣고 와서, 억지로 제게 감색 신사복을 입혔지만, 막상 와 보니 그런 복장을 한 사람은 두세 명 정도로, 턱시도를 입은 사람은 한 명도 없고, 나머지는 대부분 색다른 색깔의 공들여 만든 슈트를 입고 있었습니다.

"그야 그렇지만, 저건 하마 씨가 틀린 거야. 감색을 입는 게 정식인 거야."

"그래도…… 그러니까 저 서양인을 봐. 저것도 홈스펀*이잖아. 그러니까 뭐든 괜찮은 거지."

"그렇지 않아. 다른 사람은 어떻든 자신만은 정식 **차림**을 하고 와야 해. 서양인이 저런 **차림**을 하고 오는 건, 일본인이 나쁘기 때문이야. 그리고 하마 씨처럼 많은 경험을 쌓아서 춤을 잘 추는 사람이라면 모를까, 조지 씨 같은 사람은 **차림**이라도 제대로 하지 않으면 꼴사나워."

홀의 댄스의 흐름이 일시에 멈추고, 성대한 박수가 터졌습니다. 오케스트라가 멈췄기 때문에 그들은 모두 조금이라도 오래 춤추고 싶다는 듯이, 휘파람을 열심히 불고, 발을 구르며 앵콜을 외치고 있었습니다. 그러자 음악이 다시 시작되고, 멈췄던 흐름이 재차 빙글빙글 움직이기 시작합니다. 다시 어느 정도 지나면 멈춰버리고, 다시 앵콜……. 두 번이고 세 번이고 반복되고, 결국 아무리 손뼉을 쳐도 음악이 나오지 않게 되면, 춤추던 남자는 상대 여자 뒤에서 수행자처럼 호위하면서 일동은 줄지어 테이블 쪽으로 돌아옵니다. 하마다와 **마짱**은 기라코와 핑크색 양장을 각자의 테이블로 데려다준 다

* 집에서 잣은 수제 털실로 만든 직물 또는 그 모조품. 감촉이 거칠고 투박하지만 야성적이어서 스포티한 옷에 어울린다.

음 의자에 앉히고 여자 앞에서 정중히 인사를 하고는 나란히 우리 쪽으로 다가왔습니다.

"야, 안녕. 꽤나 느긋하시네."

그렇게 말한 사람은 하마다였습니다.

"무슨 일이야, 춤 안 춰?"

마 짱은 예의 무례한 어조로, 나오미 뒤에 선 채 눈부신 그녀의 옷차림을 위에서 찬찬히 내려다보고,

"약속이 없으면 이다음에 나랑 출래?"

라고 했습니다.

"싫어. **마 짱**은 지지리도 못 추니까!"

"바보 같은 소리, 수업료는 내지 않지만 그런데도 제대로 출 수 있으니 신기하지."

라고 커다란 주먹코의 콧구멍을 벌리고, 입을 'ㅅ' 모양으로 만들어 헤헤 웃어 보인 다음,

"타고난 재주가 좋으셔서 말이야."

"흥, 잘난 체하지 마! 저 핑크색 양장이랑 추는 모습은 그리 좋은 그림이 아니었어."

놀랍게도 나오미는 이 남자를 향해 이런 난폭한 언어를 내뱉었습니다.

"이거 곤란한걸."

하고 **마 짱**은 고개를 움츠리고 머리를 긁으며, 흘끗 먼 테이블에 있는 핑크색 양장 쪽을 돌아보면서,

"나도 뻔뻔스러운 점에서는 남에게 뒤지지 않는다고 여겼

는데, 저 여자한테는 못 당하겠어. 저 옷차림으로 여기에 나타났으니."

"뭐야 저거, 완전 원숭이야."

"아하하하, 원숭이라고? 원숭이, 맞는 말이야, 정말 원숭이가 틀림없어."

"맞는 말이라고? 네가 데리고 왔잖아. 진짜 **마 짱**, 꼴사나우니까 주의 좀 줘. 서양인처럼 보이려고 해봤자 저 면상으로는 무리야. **애당초** 얼굴 생김새가 일본도, 일본도 저런 순일본이 없으니까."

"요컨대 슬픈 노력이군."

"아하하하, 그래 정말, 요컨대 원숭이의 슬픈 노력이야. 일본 옷을 입어도 서양인처럼 보이는 사람은 서양인처럼 보이니까."

"그러니까 너처럼 말이지."

나오미는 "흥" 하고 코를 들어 올리고, 득의만만하게 코웃음을 치면서,

"그래. 차라리 내가 혼혈아처럼 보여."

"구마가이熊谷 군."

하고 하마다는 제게 마음을 쓰는 듯 머뭇거리는 모습이었는데, 그 이름으로 **마 짱**을 불렀습니다.

"그러고 보니 넌 가와이 씨와는 처음 아닌가?"

"응, 얼굴은 여러 번 본 적은 있지만."

'구마가이'라고 불린 **마 짱**은 역시 나오미의 등 너머 의자

뒤에 우뚝 선 채, 제 쪽으로 힐끗 불쾌감을 주는 시선을 던졌습니다.

"저는 구마가이 마사타로라고 합니다. 자기소개를 해두죠, 잘 부탁드립니다."

"본명은 구마가이 마사타로, 별명은 **마 짱**이라고 해요."

나오미는 아래서 구마가이의 얼굴을 올려다보며,

"저기, **마 짱**, 내친김에 조금 더 자기소개를 하는 게 어때?"

"아니, 안 돼. 너무 지껄이면 결점이 드러나니까. 자세한 건 나오미 씨에게 듣기 바랍니다."

"어머, 별꼴이야, 자세한 거라니 내가 뭘 안다는 거야."

"아하하하."

이 패거리에게 둘러싸여 있는 게 불쾌하다고 생각했지만, 나오미가 기분 좋게 **떠들어댔기** 때문에 저도 어쩔 수 없이 웃으며 말했습니다.

"자, 어떻습니까. 하마다 군도, 구마가이 군도 여기에 앉지 않겠어요?"

"조지 씨, 나 목마르니까 뭔가 마실 것 좀 시켜줘. 하마 씨, 넌 뭐가 좋아? 레몬 스쿼시?"

"뭐, 난 뭐든 상관없는데……."

"**마 짱**, 넌?"

"이왕 얻어먹는 거라면 위스키 소다를 부탁하고 싶어."

"어머, 기막혀. 나 술꾼은 정말 싫어, 입 냄새가 나서!"

"냄새나도 상관없어, 냄새나는 게 좋다고 하니까."

"저 원숭이가?"

"아, 안 돼. 그런 말은 사양할게."

"아하하하."

나오미는 주위를 신경 쓰지 않고, 몸을 앞뒤로 흔들면서,

"그럼 조지 씨, 보이를 불러줘. 위스키 소다 하나, 그리고 레몬 스쿼시 셋. ……아, 기다려! 레몬 스쿼시는 그만둘래, 프루트 칵테일이 좋아."

"프루트 칵테일?"

저는 들어본 적도 없는 음료를 어떻게 나오미가 알고 있는지 이상했습니다.

"칵테일이라면 술이잖아?"

"틀렸어, 조지 씨는 몰라. 저기, 하마 짱도 **마 짱**도 들어줘, 이 사람은 이렇게 촌스럽다니까."

나오미는 '이 사람'이라고 할 때 집게손가락으로 제 어깨를 가볍게 두드리고,

"그래서 진짜, 댄스에 와도 이 사람과 둘이 있으면 얼빠져서 못 견디겠어. 멍하게 있다가 아까도 미끄러져 넘어질 뻔했어."

"마루가 미끄러워서야."

라고 하마다는 저를 변호했습니다.

"처음에는 누구라도 얼이 빠지는 법이야. 익숙해지면 차츰 차츰 잘 하게 되지만……."

"그럼, 나는 어때? 나도 역시 잘 못 해?"

"아니, 너는 달라. 나오미 군은 배짱이 좋으니까. ……이를

테면 사교술의 천재야."

"하마 씨도 천재인 편이잖아."

"허, 내가?"

"그래, 하루노 기라코와는 어느 틈에 친구가 되고! 저기, **마 짱**, 그렇게 생각하지 않아?"

"응, 응."

구마가이는 아랫입술을 쑥 내밀고, 턱을 추어올린 다음 고개를 끄덕여 보였다.

"하마다, 너, 기라코에게 작업 건 거야?"

"놀리지 마. 내가 그런 짓을 할 것 같아?"

"하지만 하마 씨는 새빨개져서 변명을 하니 귀엽네. 어딘가 정직한 구석이 있어. 저기, 하마 씨, 기라코 씨를 여기에 불러오지 않을래? 제발! 불러와! 나한테 소개해줘."

"그러면서 또 놀리려는 거지? 네 독설에 걸리는 날에는 당해낼 수 없으니까."

"괜찮아. 놀리지 않을 테니까 불러와. 떠들썩한 편이 좋잖아."

"그럼, 나도 저 원숭이를 불러올까?"

"아, 그게 좋겠어, 그게 좋겠어."

라며, 나오미는 구마가이를 돌아보고,

"**마 짱**도 원숭이를 불러와. 모두 함께 어울리자."

"응, 좋아. 하지만 벌써 댄스가 시작됐어, 일단 너랑 춤추고 나서 그럴게."

"나 마 짱은 싫지만 어쩔 수 없지, 춤춰줄까?"

"그만해. 막 배운 주제에."

"그럼 조지 씨, 나 한번 출 테니까 보고 있어. 나중에 당신과도 춰줄 테니까."

저는 틀림없이 슬픈 듯한 이상한 표정을 지었을 거라고 여겨지는데, 나오미는 벌떡 일어나 구마가이와 팔짱을 끼면서 다시 세차게 움직이기 시작한 군중의 흐름 속으로 들어가버렸습니다.

"야, 이번엔 7번 폭스트롯*이군."

라고, 하마다도 저와 둘이 되자 왠지 화제에 궁한지 포켓에서 프로그램을 꺼내 보고 슬금슬금 엉덩이를 들어 올렸습니다.

"저기, 잠시 실례하겠습니다. 이번 순서는 기라코 씨와 약속이 있어서."

"어서 가세요. 신경 쓰지 말고."

저는 홀로, 세 사람이 사라진 자리에 보이가 가지고 온 위스키 소다와 소위 '프루트 칵테일'이란 것 등 4개의 컵을 앞에 놓고 멍하니 홀의 광경을 바라봐야만 했습니다. 하지만, 애초에 저는 제가 춤추고 싶은 것이 아니라, 이런 장소에서 나오미가 얼마나 돋보이는지, 어떤 식으로 춤을 추는지, 그걸 보고 싶었기 때문에 결국 이편이 마음 편했습니다. 그래서 휴우

* 1910년대 미국에서 유행한 춤 또는 그 춤곡을 말한다. 음악은 4분의 4박자이고, 템포는 1분에 30~32소절의 속도로 연주된다.

하고 해방된 마음으로 인파 속에서 보일 듯 말 듯한 나오미의 모습을 열심히 눈으로 뒤쫓고 있었습니다.

'음, 상당히 잘 추는군! ……저 정도면 꼴사납진 않군. ……저런 걸 저 아이는 잘해…….'

귀여운 댄스용 조리를 신은 하얀 버선발을 발돋움하고 빙글빙글 몸을 돌리자 화려하고 긴 소맷자락이 팔랑팔랑 춤을 춥니다. 한 발을 내디딜 때마다 겉섶이 나비처럼 팔랑팔랑 뛰어오릅니다. 게이샤가 북채를 쥐었을 때와 같은 손놀림으로 구마가이의 어깨를 잡은 하얀 손가락, 묵직한 동체를 단단히 죈 현란한 오비, 한 줄기 꽃처럼 이 군중 속에서 눈에 띄는 목덜미, 옆얼굴, 정면, 목덜미 언저리…… 이렇게 보니, 과연 일본 옷도 꽤 괜찮았습니다. 그뿐만 아니라 저 핑크색 양장을 비롯한 별난 의상의 부인들이 있는 탓인지, 제가 은근히 걱정하고 있던 그녀의 요란한 취향도 결코 그렇게 상스럽지 않았습니다.

"아, 덥다, 더워! 어땠어, 조지 씨, 내 춤을 보고 있었어?"

춤이 끝나자 그녀는 테이블로 돌아와 갑자기 프루트 칵테일 컵을 앞으로 잡아끌었습니다.

"응, 보고 있었어. 그 정도면 전혀 처음이라고 생각되지 않아."

"그래! 그럼 다음 원스텝 때는 조지 씨와 춰줄게. 응, 괜찮지? ……원스텝은 쉬우니까."

"저 패들은 어떻게 된 거야? 하마다 군과 구마가이 군은?"

"응, 지금 와. 기라코와 원숭이를 끌고. 프루트 칵테일을 두 잔 더 주문해주면 좋겠어."

"그러고 보니 뭐야, 지금 핑크색은 서양인과 춤추고 있었던 것 같은데."

"응, 그래. 그게 웃기지 않아."

나오미는 컵 바닥을 응시하고, 꿀꺽꿀꺽 마른 입을 축이면서,

"저 서양인은 친구도 뭐도 아니야, 그게 갑자기 원숭이가 있는 데로 와서 춤 주세요 라고 했대. 다시 말하면 이쪽을 바보 취급하는 거야. 소개도 없이 그런 말을 하다니 분명 매춘부지 뭔지로 착각한 거야."

"그럼 거절하면 됐잖아?"

"그러니까 그게 웃기잖아. 저 원숭이가 또, 상대가 서양인이니까 거절하지 못하고 춤춘 게! 정말 어이없는 바보야. 망신거리!"

"하지만 너, 그렇게 함부로 욕하는 거 아니야. 옆에서 들으면 조마조마하니까."

"괜찮아. 내겐 내 나름의 생각이 있어. -뭐, 저 여자에겐 그 정도 말해주는 게 좋아. 그렇지 않으면 이쪽까지 피해를 보니까. **마 짱**에게도 저래서는 곤란하니까 주의를 주라고 한 거야."

"그야, 남자가 말하는 건 괜찮지만……."

"잠깐! 하마 짱이 기라코를 데리고 왔어, 레이디가 오면 즉

시 의자에서 일어나는 거야."

"저, 소개하겠습니다."

하마다는 우리 두 사람 앞에 병사의 '차렷' 같은 자세로 멈췄습니다.

"이쪽이 하루노 기라코 양입니다."

이런 경우 '이 여자는 나오미에 비해 나은가, 못한가'라고 저는 저절로 나오미의 아름다움을 표준으로 하는데, 지금 하마다 뒤에서 나긋나긋한 **교태**를 부리며, 그 입가에 여유롭게 자신 있는 미소를 띠면서, 한 발짝 걸어 나온 기라코는 나오미보다 한 살이나 두 살 많을까요. 하지만 생기 넘치는 아가씨답다는 점에서는 체격이 작은 탓도 있겠지만, 조금도 나오미와 다를 게 없고, 그리고 의상의 호화로움은 오히려 나오미를 압도하는 것이 있었습니다.

"처음 뵙겠습니다……."

라고 얌전히 말하고, 영리해 보이는 작고 둥글며 커다란 눈동자를 내리깔고, 약간 가슴을 당기듯이 인사하는 그 태도에는 과연 여배우인 만큼 나오미 같은 거친 데가 없습니다.

나오미는 하는 짓이 활발함을 넘어 지나치게 난폭합니다. 말투도 **퉁명스럽고** 여자로서의 상냥함이 결여되어 자칫하면 상스러워집니다. 요컨대 그녀는 야생의 짐승이고 여기에 비하면 기라코는 말투, 눈짓, 목 돌리는 법, 손 올리는 법, 모든 것이 세련되어 주의 깊고 신경질적으로 인공미의 극치를 다해 연마한 귀중품이라는 느낌이 있었습니다. 예를 들어 그녀가 테이블에 앉아 칵테일 컵을 쥐었을 때, 손바닥부터 손목을 보니 실로 가냘픕니다. 가만히 쳐져 있는 소맷자락의 무게에도 견디지 못할 정도로 나긋나긋 가냘픕니다. 곱고 윤기 나는 **피부**의 아리따움은 나오미 못지않아서, 제가 얼마나 탁자 위에 놓인 네 개의 손을 번갈아 쳐다보았는지 모릅니다. 하지만 두 사람의 얼굴은 느낌이 몹시 다릅니다. 나오미가 메리 픽퍼드에 양키 걸이라면, 이쪽은 아무래도 이탈리아나 프랑스 언저리의 정숙한 가운데 어렴풋한 요염함을 띤 그윽하고 아름다운 미인입니다. 같은 꽃이라도 나오미는 들에 피는 꽃이고, 기라코는 온실에 피는 꽃입니다. 그 팽팽한 얼굴 안에 있는 작은 코는 이 얼마나 살이 얇고 투명한 코인가! 상당한 명장이 만든 인형이나 뭔가가 아닌 이상, 아기의 코라도 설마 이렇게 섬세하지는 않을 것입니다. 그리고 마지막으로 깨달은 것은 나오미가 평소에 자랑하는 멋진 치열, 그것과 완전히 똑같은 진주알이 새빨간 수박을 가른 것 같은 기라코의 귀여운 구강 안에, 그 씨처럼 가지런히 나 있었습니다.

제가 열등감을 느끼는 것과 동시에 나오미도 열등감을 느낀 것이 분명합니다. 기라코가 합석하고 나서 나오미는 조금 전의 교만한 모습과는 다르게, 놀리기는커녕 별안간 **잠잠히** 입을 다물어버려, 모두 흥이 깨졌습니다. 하지만 그렇지 않아도 지기 싫어하는 그녀는 자신이 '기라코를 불러와'라고 말했기에, 이윽고 평소의 장난스러운 기분을 회복한 듯,

"하마 씨, 잠자코 있지 말고 뭔가 말해봐. 저, 기라코 씨는

그러니까 언제부터 하마 씨랑 친구가 됐어요?"

라고 그런 식으로 슬슬 시작했습니다.

"저?"

기라코는 말하고, 맑은 눈동자를 반짝 빛내며

"바로 얼마 전부터예요."

"제가……."

라고 나오미도 상대의 '저'라는 말투에 끌려 들어가,

"지금 봤지만 상당히 잘 추시네요. 많이 배우셨어요?"

"아니요. 제가 한 건 그러니까, 전부터 하고 있는데, 전혀 능숙해지지 않아요. 재주가 없어서……."

"어머, 그렇지 않아요. 저기 하마 씨, 어떻게 생각해?"

"그야 잘 하죠. 기라코 씨는 여배우 양성소에서, 정식으로 배웠으니까."

"어머, 그런 말씀을 하시다니."

라고 기라코는 얼굴을 붉히며 **수줍은** 듯한 기색을 보이고 고개를 숙여버립니다.

"하지만 정말 잘 춰요. 둘러보니, 남자 중에서 가장 잘 추는 사람은 하마 씨, 여자는 기라코 씨……."

"어머?"

"뭐야, 댄스 품평회야? 남자 중에서 가장 잘 추는 사람은 누가 뭐래도 나잖아."

라고 거기에 구마가이가 핑크색 양장을 데리고 끼어들었습니다.

이 핑크색은 구마가이의 소개에 의하면 아오야마青山*에 살고 있는 실업가의 딸로, 이노우에 기쿠코井上菊子라고 했습니다. 이미 혼기를 지난 스물대여섯 살 정도로, 이건 나중에 들었는데, 이삼 년 전에 어느 곳에 시집을 갔다가 너무 댄스를 좋아해서 최근에 이혼했다고 합니다. ―일부러 그런 야회복을 입어 어깨와 팔을 드러낸 옷차림은, 아마도 풍만하고 아름다운 육체미를 자랑하려는 것일 텐데, 이렇게 마주한 모습은 풍만하고 아름답다고 하기보다는 번질번질 기름기 오른 중년 여자 같은 모습이었습니다. 하기야 빈약한 체격보다는 이 정도 살이 찐 것이 양장에는 어울리겠지만, 무엇보다 곤란한 것은 그 생김새였습니다. 서양 인형에 일본 전통 인형의 머리를 붙인 듯한, 서양과는 몹시 인연이 먼 이목구비, ―그것도 그대로 두면 좋을 텐데, 되도록 서양인처럼 꾸미려고 여기저기 쓸데없이 손봐서, 모처럼의 용모를 망쳐버렸습니다. 보니 과연, 진짜 눈썹은 머리띠 아래 숨겨져 있는 게 틀림없고, 그 눈 위에 그려져 있는 것은 명백한 가짜 눈썹입니다. 그리고 눈가의 푸른 눈 화장, 볼 화장, 점, 입술 선, 콧날, 얼굴의 거의 온갖 부분이 부자연스럽게 만들어져 있습니다.

"**마 짱**, 넌 원숭이 싫어?"

라고 갑자기 나오미가 그런 말을 했습니다.

"원숭이?"

* 도쿄도 미나토(港)구 서부에서 시부야(渋谷)구 동부에 걸친 지구 이름. 메이지 시대 이후, 고급 주택지가 되었다.

그렇게 말하고 구마가이는 픽 하고 웃음을 터뜨리고 싶은 것을 참으면서,

"왜, 이상한 걸 묻네?"

"우리 집에 원숭이 두 마리를 기르고 있어. 그래서 **마 짱**이 좋아하면 한 마리 주려고 생각해. 어때? **마 짱**은 원숭이 좋아하지 않아?"

"어머, 원숭이를 기르고 있어요?"

라고 진지한 얼굴로 기쿠코가 그걸 물었기 때문에 나오미는 더욱더 우쭐거리며 **장난** 좋아하는 눈을 빛내며,

"네, 기르고 있어요. 기쿠코 씨는 원숭이 좋아해요?"

"저 말이죠, 동물은 뭐든 좋아해요. 강아지든 고양이든."

"그리고 원숭이라도?"

"네, 원숭이라도."

그 대답이 너무 우스워서, 구마가이는 옆쪽을 보며 포복절도하고, 하마다는 손수건을 입을 대고 킥킥 웃고, 기라코도 왠지 눈치챈 듯 히죽히죽 웃고 있습니다.

"흥, 저 여자는 상당히 바보야. 머리가 둔한 거 아니야?"

이윽고 8번 원스텝이 시작되어 구마가이와 기쿠코가 홀로 가버리자, 나오미는 기라코가 있는 앞인데도 꺼리지 않고, 천한 말투로 말했습니다.

"저기, 기라코 씨, 그렇게 생각하지 않았어요?"

"저, 글쎄요……."

"아니, 저분이 원숭이 같은 느낌이 나잖아요. 그래서 내가

일부러 원숭이, 원숭이라고 말해준 거예요."

"어머."

"모두가 그렇게 웃고 있는데, 눈치채지 못하다니 상당한 바보야."

기라코는 반은 어이없다는 듯한, 반은 경멸하는 듯한 눈빛으로 나오미의 얼굴을 훔쳐보면서, 어디까지나 "어머"라는 말만 했습니다.

11

"자, 조지 씨, 원스텝이야. 춤춰줄 테니까 이리 와."

저는 나오미에게 이 말을 듣고 겨우 그녀와 춤을 추는 영광을 가졌습니다. 저로서는 쑥스러웠지만, 평소의 연습을 실전에서 시험할 기회이기도 하고, 특히 상대가 귀여운 나오미였기 때문에 결코 기쁘지 않은 것은 아닙니다. 설사 웃음거리가 될 정도로 서투르다 해도, 그 서투름은 오히려 나오미를 돋보이게 할 테니, 오히려 제가 바라는 바입니다. 그리고 또 제게는 묘한 허영심도 있었습니다. 즉, '저 사람은 저 여자의 남편인가 봐'라는 말을 듣고 싶은 것입니다. 다시 말하면 '이 여자는 내 거야. 어때, 잠시 내 보물을 봐줘'라고 크게 자랑하고 싶습니다. 그것을 생각하면 저는 영광스러움과 동시에 몹시 통쾌한 기분이 들었습니다. 그녀를 위해 오늘까지 치른 희생과 고생이 단번에 보상받은 듯한 기분이었습니다.

아무래도 조금 전 그녀의 모습으로는, 오늘 밤은 나와 춤추고 싶지 않은 거겠지. 내가 조금 더 잘 추게 될 때까지는 싫겠지. 싫다면 나도 그때까지 억지로 추겠다고 하지 않아 라고,

이제 적당히 포기하고 있는데, "춤춰줄게"라고 왔기 때문에 그 한마디가 얼마나 저를 기쁘게 했는지 모릅니다.

그래서 열병에 걸린 사람처럼 흥분하면서 나오미의 손을 잡고 최초의 원스텝을 내디딘 것까지는 기억하고 있는데, 그 후부터는 정신이 없습니다. 그리고 정신이 없으면 없을수록 음악이고 뭐고 들리지 않게 되어, 스텝은 엉망이 되고 눈은 아물아물하고 심장은 몹시 두근거립니다. 요시노 악기점의 2층에서 축음기의 레코드로 추던 것과는 전혀 사정이 달라, 이 인파의 큰 바다 가운데로 저어나가 보니 물러나려고 해도 나아가려고 해도 어떻게 해야 할지 전혀 짐작이 가지 않았습니다.

"조지 씨, 뭘 부들부들 떨고 있어. 정신 차리지 않으면 안 돼!"

라고 나오미는 시종 제 귓가에 잔소리를 합니다.

"이봐, 이봐 또 미끄러졌어! 그렇게 급하게 도니까! 좀 더 차분히! 차분하게 하라니까!"

하지만 그런 말을 들으면 저는 한층 흥분합니다. 게다가 바닥에는 특히 오늘 밤의 댄스를 위해 잘 미끄러지게 했기 때문에, 교습장이라고 여기고 멍하게 있다가는 즉시 쭈르르 미끄러집니다.

"이것 봐! 어깨를 올리면 안 된다니까! 더 이 어깨를 내려! 내리라고!"

그렇게 말하고 나오미는 제가 열심히 잡고 있는 손을 뿌리치고 가끔 매몰차게 어깨를 꽉 누릅니다.

"칫, 그렇게 손을 **꽉** 잡고 있으면 어떻게 해! 그렇게 나를 **붙들고** 늘어지면 내가 너무 갑갑하잖아! ……저런, 또 어깨가!"

이건 뭐, 완전히 그녀에게 야단맞기 위해 춤을 추고 있는 듯했는데, 그 꽥꽥 호통치는 소리조차도 제 귀에는 들리지 않을 정도였습니다.

"조지 씨, 난 이제 그만할래."

곧 나오미는 화를 내며, 아직 사람들은 열렬히 앙코르를 외치고 있는데 성큼성큼 저를 내버려두고 자리로 돌아가버렸습니다.

"아, 놀랐어. 아직 조지 씨랑은 도저히 못 추겠어. 집에서 더 연습하셔."

하마다와 기라코가 오고, 구마가이가 오고, 기쿠코가 와서 테이블은 다시 떠들썩해졌지만, 저는 환멸의 비애에 젖어, 말없이 나오미의 조롱거리가 될 뿐이었습니다.

"아하하하, 너처럼 말하는 날에는 기가 약한 사람은 더 못 춰. 그렇게 말하지 말고 춰줘."

저는 구마가이의 말에 또 부아가 치밀었습니다. '춰줘'라니 무슨 소리란 말인가. 날 뭐로 생각하는 거야? 이 애송이가!

"뭐, 나오미 군이 말한 만큼 못 추지 않아요. 더 못 추는 사람이 얼마든지 있잖아요."

라고 하마다는 말하고,

"어떻습니까, 기라코 씨, 이번 폭스트롯에 가와이 씨와 춰드리면?"

"네, 자……."

기라코는 역시 여배우다운 애교를 피우며 고개를 끄덕였습니다. 하지만 저는 당황해 손을 흔들면서,

"아, 안 돼요, 안 돼."

라고 우스꽝스러울 정도로 허둥대며 그렇게 말했습니다.

"안 될 일이 있겠어요. 당신처럼 그렇게 사양하니까 안 되는 거예요. 그렇죠, 기라코 씨."

"네, ……자 정말로."

"아니 안 돼요, 도저히 안 돼요, 능숙하게 되고 나서 부탁합니다."

"춰주신다고 하니까, 추면 되잖아"

라고 나오미는 그것이 제게 있어서 분에 넘치는 명예인 것처럼 위압적인 태도로 말하고,

"조지 씨는 나와만 추려고 하니까 안 되는 거야. 자, 폭스트롯이 시작됐으니까 다녀와. 댄스는 모르는 사람과 추는 게 좋아."

"Will you dance with me?"

그때 그렇게 말하는 소리와 함께 성큼성큼 나오미 곁에 다가온 사람은 조금 전에 기쿠코와 추던 훤칠한 키에 **기생오라비** 같은 얼굴에 분을 바른 젊은 외국인이었습니다. 등을 둥글게 구부려 나오미 앞으로 몸을 숙이고, 생글생글 웃으면서 겉치레 말이라도 하는 걸까요, 뭔가 빠르게 나불나불 지껄입니

다. 그리고 뻔뻔스러운 어조로 "플리스, 플리스"라고 하는 부분만을 저는 알 수 있었습니다. 그러자 나오미도 곤란한 표정을 지으며 얼굴이 홍당무처럼 되었는데, 그런 주제에 화를 내지도 못하고 히죽거리고 있습니다. 거절하고 싶기는 한데, 뭐라고 하면 가장 완곡하게 표현할 수 있는지, 그녀의 영어는 이럴 때 한마디도 나오지 않습니다. 외국인은 나오미가 웃었기 때문에 호의가 있다고 여겼는지, "자"라고 하며 재촉하는 듯한 거동을 취하면서 강요하듯 그녀의 대답을 요구합니다.

"Yes……."

그렇게 말하고 그녀가 마지못해 일어났을 때 그 뺨은 더욱 세차게 타오르듯 붉어졌습니다.

"아하하하, 녀석, 그렇게 큰소리치더니 서양인한테 걸리니 꼼짝 못 하네."

라고 구마가이가 깔깔 웃었습니다.

"서양인은 뻔뻔스러워서 곤란해요. 조금 전에도 저, 정말로 난처했어요."

그렇게 말한 사람은 기쿠코였습니다.

"그럼 좀 부탁드릴까요."

저는 기라코가 기다리고 있어 싫든 좋든 그렇게 말해야만 하는 처지였습니다.

원래 오늘에 국한된 일은 아니지만, 엄격히 말하면 제 눈에는 나오미 외에 여자라는 존재는 한 명도 없습니다. 물론 미인을 보면 예쁘다고는 느낍니다. 하지만 예쁘면 예쁠 뿐으로 그저 멀리서 손도 대지 않고, 가만히 바라보고 싶다고 생각할 뿐이었습니다. 슈렘스카야 부인의 경우는 예외였지만, 그것도 제가 그때 경험한 황홀한 기분은 아마도 평범한 정욕은 아니었을 겁니다. '정욕'이라고 하기에는 너무도 신비로운 운치가 있고 포착하기 어려운 꿈꾸는 기분이었을 겁니다. 게다가 상대는 완전히 우리와 동떨어진 외국인이고 댄스 교사였기 때문에, 일본인 데다 제국극장 여배우, 게다가 눈부시게 아름다운 의상을 걸친 기라코에 비하면 마음이 편했습니다.

그런데 기라코는 의외로 춤을 춰보니 실로 가벼웠습니다. 몸 전체가 두둥실 솜 같고, 부드러운 손은 마치 나무의 새순 같은 감촉입니다. 그리고 제 호흡을 매우 잘 이해해, 저같이 서툰 사람을 상대하면서 영리한 말처럼 호흡을 딱 맞춥니다. 이렇게 되자 가볍다는 것 그 자체에 말로 표현할 수 없는 쾌감이 있습니다. 제 마음은 별안간 흥분으로 들끓고, 제 발은 자연스럽게 활발한 스텝을 밟아, 마치 회전목마를 탄 것처럼 어디까지고 스르르 거침없이 돌아갑니다.

'유쾌하구나, 유쾌해! 이거 신기하군. 재미있어!'

저는 저도 모르게 그런 생각이 들었습니다.

"어머, 잘 추네요. 조금도 추기 어렵지 않아요."

……빙글빙글빙글! 물레방아처럼 돌고 있는 도중, 기라코의 목소리가 제 귀를 스쳤습니다. ……상냥하고 어렴풋한 그야말로 기라코다운 달콤한 목소리였습니다…….

"아니, 그렇지 않아요. 당신이 잘 추기 때문이에요."

"아니에요, 정말로……."

잠시 후에 다시 그녀는 말했습니다.

"오늘 밤의 밴드는 참 괜찮네요."

"네."

"음악이 좋지 않으면 애써 춰도 왠지 김이 빠져요."

정신이 들어보니 기라코의 입술은 딱 제 **관자놀이** 아래에 있었습니다. 이것이 이 여자의 버릇인 모양으로, 아까 하마다에게 한 것처럼, 그 옆머리가 제 뺨에 닿아 있었습니다. 부드러운 머리카락이 스치는 감촉, ……그리고 이따금 새어 나오는 희미한 속삭임, 오랫동안 사나운 말 같은 나오미의 발굽에 밟혀 있던 제겐, 그것은 상상한 적도 없는 '여성스러움'의 극치였습니다. 뭐랄까 그러니까, 가시에 찔린 상처 자국을 친절한 손으로 쓰다듬어주고 있는 것 같은…….

"나, 정말이지, 거절하려고 생각했는데, 서양인은 친구가 없으니 동정해주지 않으면 불쌍해."

이윽고 테이블에 돌아오자 나오미가 다소 **풀이 죽은** 모습으로 변명하고 있었습니다.

16번 왈츠가 끝난 것은 거의 11시 반이었을까요. 아직 뒤에 번외의 몇 곡이 있었습니다. 나오미는 늦었으니까 자동차로 돌아가자고 했지만, 간신히 달래서 마지막 전차에 늦지 않도록 신바시로 걸어갔습니다. 구마가이와 하마다도 동반한 여자들과 함께 저희들을 배웅하러 왔습니다. 모두의 귀에 재즈 밴드가 아직도 울리는 모양인지, 누군가 한 명이 어떤 멜로디를 부르기 시작하자, 즉시 그 가락에 맞추어 불렀지만, 노래를 모르는 저는 그들의 요령과 기억력과 그 젊고 밝은 목소리가 그저 샘이 날 뿐이었습니다.

"라, 라, 라라라."

라고 나오미는 한층 높은 음조로 박자를 맞추며 걸었습니다.

"하마 씨, 너는 뭐가 좋아? 난 〈캐러밴〉*이 제일 좋아."

"오, 〈캐러밴〉!"

이라고 기쿠코는 괴상한 목소리로 말했습니다.

"멋져! 그건."

"하지만 난……."

라고 이번엔 기쿠코가 말을 이어받아,

"〈위스퍼링〉**도 나쁘지 않다고 생각해요. 굉장히 그건 춤추기 좋고."

"〈나비 씨〉***가 좋잖아. 나는 그게 제일 좋아."

그리고 하마다는 〈나비 씨〉를 즉시 휘파람으로 불렀습니다.

개찰구에서 그들과 헤어져, 겨울 밤바람이 부는 플랫폼에 서서 전차를 기다리는 동안 저와 나오미는 그다지 말을 하지 않았습니다. 환락 후의 쓸쓸함이라고 할 만한 기분이 제 가

* 듀크 엘린턴의 대표작 중 하나. 폭스트롯 곡으로 연주 시간은 3분.

** 폭스트롯 곡으로 폴 화이트먼 악단의 대히트곡.

*** 프레이 편곡, 폴 화이트먼 오케스트라 연주의 폭스트롯 곡.

슴을 지배하고 있었습니다. 그렇다고는 하지만 나오미는 그런 걸 느끼지 않은 게 분명합니다.

"오늘 밤은 재미있었어, 가까운 시일 안에 또 가자."

라고 말을 걸었지만, 저는 흥이 깨진 표정으로 "응" 하고 입 속으로 대답했을 뿐이었습니다.

뭐야? 이게 댄스라는 건가? 부모를 속이고, 부부 싸움을 하고, 심하게 울기도 하고 웃기도 한 끝에, 내가 맛본 무도회라는 것은 이런 시시한 것이었나? 녀석들은 모두 허영심과 **아첨**과 자만심과 아니꼬움의 집단 아닌가?

그렇다면 난 무엇 때문에 간 것인가? 나오미를 녀석들에게 과시하기 위해?

그렇다면 나도 역시 허영심 덩어리다. 그런데 내가 그렇게 자랑하던 보물은 어땠나!

'어떤가, 자네. 자네가 이 여자를 데리고 다녔더니, 과연 자네 바람대로 사람들이 **앗** 하고 놀랐나?'

라고 저는 자신을 비웃는 듯한 심정으로 제 마음에 그렇게 말하지 않을 수 없었습니다.

'이봐, 자네. 하룻강아지 범 무서운 줄 모른다더니 자넬 말하는 거야. 그야 자네에게 있어서 이 여자는 세상 제일의 보물이지. 하지만 그 보물을 많은 사람이 모이는 장소에 내보냈더니 어땠나? 허영심과 자만심의 집단! 자네는 그럴듯한 말을 했지만, 그 집단의 대표자는 이 여자가 아니었나? 자기 혼자 잘난 척하고 함부로 다른 사람의 험담을 하고, 옆에서 봤을 때 가장 꼴불견인 건 대체 자네는 누구라고 생각하나? 서양인에게 매춘부로 오해받고, 게다가 간단한 영어 한마디 못하고, 쩔쩔매면서 춤 상대가 된 건 기쿠코 양뿐만이 아닌 듯했네. 게다가 이 여자의, 그 거친 말투는 뭔가. 적어도 레이디인 척하는 여자가, 그 말투는 뭐란 말인가. 기라코 양이나 기쿠코 양이 훨씬 **조심성**이 있지 않은가.'

이 불쾌한, 회한이라고 할까, 실망이라고 할까, 뭐라 형용할 수 없는 싫은 기분은 이 밤 집에 갈 때까지 제 가슴에 들러붙어 있었습니다.

전철 안에서도 저는 일부러 반대편에 걸터앉아, 제 앞에 있는 나오미라는 존재를 다시 한번 찬찬히 눈여겨볼 마음이 생겼습니다. 대체 난 이 여자의 어디가 좋아서, 이렇게까지 홀딱 반한 걸까? 저 코일까? 저 눈일까? 그런 식으로 열거하자 신기하게도 제게 그렇게 매력적인 얼굴이 오늘 밤은 실로 시시하고 하찮게 여겨졌습니다. 그러자 제 기억의 밑바닥에는 제가 처음으로 이 여자와 만났을 무렵, 그 다이아몬드 카페 시절 나오미의 모습이 희미하게 떠올랐습니다. 하지만 지금과 비교하면 그 당시는 훨씬 좋았다. 순진하고 티 없고 내성적이며 음울한 부분이 있어서, 이런 거칠고 건방진 여자와는 전혀 닮지 않았다. 난 이 무렵의 나오미에게 반했기 때문에 그때의 타성이 지금까지 이어져온 거지만, 생각해보면 모르는 사이에 이 여자는 정말 **참을 수 없이** 불쾌한 녀석이 된 거다. '영리한 여자는 나다'라고 하는 듯이 새침하게 앉아 있는 모습은 어떤가, '천하의 미인은 나다'라는 듯한 '나만큼 하이칼라한, 서양인 같은 여자는 없을 거다'라고 말하는 듯한, 저 교만한 표정은 어떤가. 저러면서 영어의 '영'자도 못하고, 수동태와 능동태의 구별조차 못 한다는 건 아무도 모르지만 나만은 잘 알고 있다…….

저는 몰래 머릿속으로 이런 욕지거리를 퍼부어 보았습니다. 그녀는 조금 몸을 젖히고 얼굴을 위를 향하고 있었기 때문에, 마침 제 자리에서는 그녀가 가장 서양인 비슷하다고 뽐내는 들창코의 콧구멍이 까맣게 보였습니다. 그리고 그 콧구멍 좌우에는 두툼한 콧망울이 있었습니다. 생각하면 저는 이 콧구멍과는 아침저녁으로 아주 친숙합니다. 매일 밤마다 제가 이 여자를 안아줄 때 항상 이런 각도에서 이 동굴을 들여다보고, 바로 얼마 전에도 한 것처럼 코를 풀어주고, 콧방울 주위를 애무해주고, 또 어떤 때는 제 코와 이 코를 쐐기처럼 엇갈리게 해서 즉 이 코는-여자의 얼굴 한가운데 부착된 이 작은 고깃덩어리는, 마치 제 몸의 일부와 같아서 결코 다른 사람의 것처럼 생각되지 않습니다. 하지만 그렇게 느끼고 보니 한층 그것이 밉살스럽고 역겨웠습니다. 흔히 배가 고플 때 맛없는 것을 정신없이 우적우적 먹는 일이 있습니다. 점점 배가 불러옴에 따라 갑자기 지금까지 쑤셔 넣은 것의 맛없음 정도를 알아차리자마자, 단번에 가슴이 메슥메슥하기 시작하고 토할 것 같이 됩니다.-뭐 말하자면 그와 비슷한 심정일까요? 오늘 밤도 여전히 이 코를 상대로 얼굴을 맞대고 잘 것을 상상하면, '이제 이런 음식은 질색이야'라고 말하고 싶은 듯하여, 왠지 속이 거북하고 진절머리가 났습니다.

'이것도 역시 부모의 벌이야. 부모를 속이고 재미를 보려 해 봤자 제대로 될 리가 없어.'

저는 그런 식으로 생각했습니다.

하지만 독자 여러분, 이것으로 제가 완전히 나오미에게 질렸을 거라고 추측해서는 곤란합니다. 아니, 저 자신도 지금까지 이런 일은 없기 때문에, 한때는 그렇다고 생각했을 정도였지만, 막상 오모리의 집에 돌아가서 둘만이 되고 보니 전차 안에서의 그 '배부름'의 마음은 서서히 어디론가 **말끔히** 사라지고, 다시 나오미의 온갖 부분이, 눈도 코도 손도 다리도, 고혹함이 가득하게 되고, 그리고 그것들 하나하나가 제게 있어서 다 맛볼 수 없는 최상의 것이 되었습니다.

저는 그 후, 자주 나오미와 춤추러 가게 됐지만, 그때마다 그녀의 결점이 싫어져서 돌아오는 길에는 반드시 불쾌한 기분이 됩니다. 하지만, 언제나 그것이 오래가는 일 없이, 그녀에 대한 애증은 하룻밤 사이에 몇 번이고 고양이 눈처럼 바뀌었습니다.

12

한산했던 오모리의 집에는 하마다와 구마가이와 그들의 친구들과 주로 무도회에서 가까워진 남자들이, 차차 빈번히 출입하게 되었습니다.

오는 시각은 대개 해 질 녘, 제가 회사에서 돌아올 무렵으로, 모두 축음기를 틀고 춤을 춥니다. 나오미가 손님을 좋아하는 데다가, 신경이 쓰이는 고용살이를 하는 사람이나 노인네도 없고, 게다가 여기 아틀리에는 댄스에 안성맞춤이어서 그들은 시간 가는 줄 모르고 놀다 갑니다. 처음에는 얼마간 삼가며 저녁밥 시간이 되면 돌아간다고 말했지만,

"잠깐! 왜 가는데? 밥 먹고 가."

라고 나오미가 억지로 붙잡았기 때문에, 결국에는 오면 반드시 '오모리테이大森亭'의 양식을 시켜서 저녁을 대접하는 것이 관례처럼 되었습니다.

눅눅한 장마철의 어느 밤의 일이었습니다. 하마다와 구마가이가 놀러 와서 11시 지나서까지 떠들고 있었습니다. 밖은 심한 비바람이 불어 비가 쏴쏴 유리창에 부딪혔기 때문에, 두

사람 모두 "가자 가자" 하면서도 잠시 주저하고 있자,

"어머, 굉장한 날씨네, 이래서는 도저히 못 가니까 오늘 밤은 자고 가."

라고 나오미가 불쑥 그렇게 말했습니다.

"응, 괜찮잖아. 자고 가도. **마 짱**은 물론 괜찮지?"

"응, 난 어느 쪽이든 상관없지만, ……하마다가 가면 나도 갈래."

"하마 씨도 상관없을걸. 그렇지, 하마 씨?"

그렇게 말하며 나오미는 제 안색을 살피고,

"괜찮아, 하마 씨, 전혀 사양할 것 없어. 겨울이라면 이불이 부족하겠지만, 지금이라면 네 명 정도 어떻게든 될 거야. 게다가 내일은 일요일이니까 조지 씨도 집에 있고, 아무리 늦잠을 자도 상관없어."

"어때요, 자고 갈래요? 이런 비에는 돌아가기 정말 힘드니까"

라고, 저도 어쩔 수 없이 권했습니다.

"저기, 그렇게 해. 그리고 내일은 또 뭔가 하면서 놀자. 그래, 그래, 저녁때 가게쓰엔에 가도 좋아."

결국 두 사람은 자고 가게 되었는데,

"그런데 모기장은 어떻게 하지?"

라고 내가 말하자,

"모기장은 하나밖에 없으니 모두 같이 자면 돼. 그편이 재미있잖아."

그런 일이 나오미에게는 몹시 신기한 모양인지, 수학여행이라도 간 것처럼 깔깔대며 말했습니다.

이것은 제겐 의외였습니다. 모기장은 두 사람에게 제공하고, 저와 나오미는 모기향이라도 피우면서 아틀리에의 소파에서 밤을 보내면 된다고 생각했지, 네 명이 한 방에 우글우글 한데 모여 자는 일 따위는 생각지도 못했습니다. 하지만 나오미가 그럴 생각이고, 두 사람에 대해서 싫은 얼굴을 할 수도 없고, ……여느 때처럼 우물쭈물하고 있는 동안에 그녀는 재빨리 정하고,

"자, 이불을 깔 테니 세 사람 모두 도와줘."

라고 앞장서서 호령하면서, 다다미 네 장 반 크기의 다락방에 올라갔습니다.

이불의 순서는 어떻게 할까 싶었습니다. 모기장이 몹시 작았기 때문에 네 명이 일렬로 베개를 늘어놓을 수는 없습니다. 그래서 세 명이 나란히 눕고, 한 명이 그들과 직각으로 누워야 합니다.

"저기, 이렇게 하면 되잖아. 남자 세 명이 거기서 나란히 눕고, 나는 이쪽에서 혼자 잘게."

라고 나오미가 말합니다.

"이거, 큰일 났군."

모기장이 쳐지자, 구마가이는 모기장 사이로 안을 들여다보면서 그렇게 말했습니다.

"이래서는 어떻게 해도 돼지우리야. 모두 어지럽게 **뒤엉겨**

버려."

"어지럽게 뒤엉겨도 괜찮잖아. 사치스러운 말 하지 마."

"흥! 남의 집에 신세 지는 처지에 말이지."

"당연하지, 어차피 오늘 밤은 거의 잘 수 없을 테니까."

"난 잘 거야. 쿨쿨 코를 골며 잘 거야."

쿵 하고 구마가는 지면을 울리며 옷을 입은 채 가장 먼저 기어들어 갔습니다.

"자려고 해도 재우지 않을 거야. 하마 씨, **마 짱**을 재우면 안 돼, 자려고 하면 간질여주는 거야."

"아, 덥다. 도저히 이래서는 잘 수 없겠어."

가운데 이불에 몸을 뒤로 젖히고 무릎을 세우고 있는 구마가이의 오른편에, 양복바지와 속옷 셔츠 하나를 걸치고 반듯이 누워 있는 하마다는 배가 쏙 들어가 있었습니다. 그리고 조용히 집 밖의 빗소리를 귀담아듣고 있는 듯이 한 손을 이마 위에 올리고 한 손으로 탁탁 부채질하는 소리가 한층 더 덥게 느껴졌습니다.

"그리고 뭐랄까, 난 여자가 있으면 도저히 마음 놓고 잘 수 있을 것 같지 않아."

"난 남자야. 여자가 아니야. 하마 씨도 여자 같이 안 느껴진다고 했잖아."

모기장 밖의 어두운 곳에서 잠옷으로 갈아입을 때 나오미의 하얀 등이 순간 보였습니다.

"그야, 말하긴 했지만……."

"……역시 옆에서 자면 여자 같이 느껴져?"

"아, 뭐 그렇지."

"그럼, **마 짱**은?"

"난 아무렇지 않아. 너 같은 건 여자 축에 들지 못해."

"여자가 아니면 뭐야?"

"음, 그러니까 넌 바다표범이야."

"아하하하하, 바다표범과 원숭이, 어느 쪽이 좋아?"

"어느 쪽도 싫어."

라고 구마가이는 일부러 졸린 듯한 목소리를 냈습니다. 저는 구마가이의 왼편에 누우면서, 세 사람이 끊임없이 재잘재잘하는 소리를 잠자코 듣고 있었지만, 나오미가 모기장 안으로 들어오면 하마다 쪽이나, 내 쪽, 결국 어느 쪽이든 머리를 향해야 하는데, 하고 속으로 그것을 신경 쓰고 있었습니다. 왜냐하면 나오미의 베개가 어느 쪽도 아닌 애매한 위치에 내던져져 있었기 때문입니다. 아무래도 아까 이불을 깔 때, 그녀는 일부러 그런 식으로 나중에 어떻게 돼도 좋도록 놓은 게 아닌가 싶습니다. 나오미는 분홍색 오글오글 잔주름이 있는 가운으로 갈아입자, 이윽고 모기장 안으로 들어와 우뚝 서서,

"불 끌까?"

라고 그렇게 말했습니다.

"응, 꺼줘……."

그렇게 말하는 구마가이의 목소리가 들렸습니다.

"그럼 끌게……."

"아, 아파!"

라고 구마가이가 말한 순간, 갑자기 나오미는 그의 가슴에 뛰어올라, 남자의 몸을 발판으로 삼아 모기장 안에서 딸각하고 스위치를 껐습니다.

어두워졌지만, 집 앞 전신주에 있는 가로등 불빛이 창문에 비쳤기 때문에 방 안은 서로의 얼굴과 옷을 구별할 수 있을 정도로 **희미하게** 밝았습니다. 나오미가 구마가이의 목을 넘어, 자신의 이불로 뛰어내리는 순간, 잠옷자락이 **획** 벌어질 때 일어난 바람이 제 코를 간질거렸습니다.

"**마 짱**, 담배 한 대 피우지 않을래?"

나오미는 바로 자려 하지 않고, 남자처럼 다리를 벌리고 베개 위에 털썩 앉아, 위에서 구마가이를 내려다보면서 말했습니다.

"제발! 이쪽을 봐!"

"젠장, 무슨 일이 있어도 날 재우지 않을 셈이군."

"우후후후, 제발! 이쪽을 봐!" 보지 않으면 괴롭힐 거야."

"아, 아파! 그만해, 그만해, 그만하라구! 생물이니까 조금 소중히 다뤄줘, 발판이 되거나 걷어차이면 아무리 튼튼해도 못 견뎌."

"우후후후후."

저는 모기장의 천장을 보고 있기 때문에 분명히는 몰랐지만, 나오미는 발끝으로 남자의 머리를 꾹꾹 민 모양입니다.

"어쩔 수 없지."

라고 말하며 이윽고 구마가이는 몸을 뒤집었습니다.

"**마 짱**", 일어났어?"

그렇게 말하는 하마다의 목소리가 들렸습니다.

"응, 일어났어. 너무 괴롭힘을 당해서."

"하마 씨, 너도 이쪽을 봐. 아니면 괴롭힐 거야."

하마다는 이어서 몸을 뒤집어 배를 깔고 엎드린 듯했습니다.

동시에 구마가이가 뒤적뒤적 소매 속에서 성냥을 찾는 소리가 났습니다. 그리고 성냥을 그었기 때문에 희미하게 제 눈꺼풀 위가 밝아졌습니다.

"조지 씨, 당신도 이쪽을 보는 게 어때? 혼자 뭘 하는 거야."

"으, 응……."

"왜 그래, 졸려?"

"으, 응…… 조금 졸고 있는 참이었어……."

"우후후후후, 웃겨. 일부러 자는 척하는 거 아니야? 응, 그렇잖아? 애가 타잖아?"

저는 딱 알아맞혔기 때문에 눈을 감고는 있었지만 얼굴이 새빨개진 듯했습니다.

"나 괜찮아. 그냥 이렇게 떠들 뿐이야. 그러니까 안심하고 자도 돼. ……아니면 진짜 애가 타면 잠깐 이쪽을 보지 않을래? 억지로 태연한 척하지 않아도."

"역시 괴롭힘당하고 싶은 거 아닐까."

그렇게 말한 건 구마가이로, 담배에 불을 붙여 빠끔 소리를 내면서 피기 시작했습니다.

"싫어! 이런 사람을 괴롭혀 봤자 소용없어. 매일 괴롭히고 있는걸."

"좋으시겠어요."

하마다가 이렇게 말한 것은 진심으로 그렇게 말한 것이 아니라, 나에 대한 일종의 겉치레 말로밖에는 들리지 않았습니다.

"저기, 조지 씨, 하지만 괴롭힘당하고 싶다면 해줄까?"

"아니, 됐어."

"됐으면 내 쪽을 봐. 그렇게 혼자 동떨어져 있으면 이상하잖아."

저는 빙글 몸을 돌려 베개 위에 턱을 올렸습니다. 그러자 한쪽 무릎을 세우고 정강이를 여덟 팔八로 벌리고 있는 나오미의 다리의 한쪽은 하마다의 코끝에, 한쪽은 제 코끝에 있습니다.

그리고 구마가이는 그 여덟 팔八자 사이에 머리를 들이밀고, 느긋하게 시키시마를 피우고 있습니다.

"어때? 조지 씨, 이 광경은?"

"응……."

"응이 뭐야."

"어이가 없군. 정말 바다표범이 분명해."

"그래, 바다표범이야. 지금 바다표범이 얼음 위에서 쉬고 있는 참이야. 앞에 세 마리 누워 있는 것도, 바다표범 수컷들이야."

짙은 구름이 낮게 드리운 것처럼, 머리 위로 늘어진 연둣빛 모기장…… 밤눈에도 검고 길게 풀어헤친 머리카락 속의 하얀 얼굴…… 단정하지 못한 가운 탓에 여기저기 드러난 가슴과 팔과 장딴지와…… 이 모습은 나오미가 언제나 저를 유혹하는 포즈의 하나로, 이런 모습을 보면 저는 마치 던져진 먹이를 눈앞에 둔 짐승같이 됩니다. 저는 분명히 나오미가 여느 때와 같은 꼬드기는 듯한 표정을 하고, 짓궂은 눈으로 미소를 지으며, 가만히 이쪽을 내려다보고 있는 것을 어두침침한 가운데 느꼈습니다.

"어이가 없다는 말은 거짓말이야. 내가 가운을 입으면 못 참겠다고 말한 주제에, 지금은 모두가 있으니까 참고 있는 거야. 저기, 조지 씨, 내 말이 맞지?"

"바보 같은 소리 마."

"우후후후후, 그렇게 잘난 척하면 항복하게 만들어줄까?"

"이봐 이봐, 불온해. 그런 이야기는 내일 밤에 해줬으면 싶군."

"찬성!"

이라고 하마다도 구마가이의 뒤를 따라 말한 다음,

"오늘 밤은 모두 공평하게 해줬으면 좋겠어."

"그래서 공평하게 하고 있잖아. 서로 원망이 없도록 하마 씨 쪽에는 이쪽 발을 뻗고 있고, 조지 씨 쪽에는 이쪽 발을 뻗고 있고."

"그럼 나는?"

"**마 짱**은 가장 이득을 보고 있잖아. 가장 나랑 가깝게 있으면서 이런 곳에 머리를 들이밀고 있잖아."

"대단히 영광스러울 따름이야."

"그래 네가 가장 이득이야."

"하지만 너, 설마 그렇게 밤새 깨어 있을 건 아니지? 대체 잘 때는 어떻게 할 거야?"

"글쎄, 어떻게 할까, 어디로 머리를 둘까. 하마 씨에게 할까, 조지 씨에게 할까."

"그런 머리, 어느 쪽으로 두든 그다지 문제가 되진 않아."

"아니, 그렇지 않아. **마 짱**은 가운데니까 괜찮지만, 내겐 문제야."

"그래? 하마 씨, 그럼 하마 씨 쪽에 머리를 둘까?"

"그러니까 그게 문제야. 이쪽으로 머리를 두어도 걱정이고, 그렇다고 가와이 씨 쪽으로 두어도 역시 왠지 애가 타고……."

"게다가 이 여자는 잠버릇이 고약해."

라고 구마가이가 또 끼어들어서,

"조심하지 않으면 발 쪽에 있는 녀석은 밤새 걷어차일 지도 몰라."

"어때요, 가와이 씨, 정말로 잠버릇이 고약하나요?"

"네, 고약해요, 그것도 보통이 아니에요."

"이봐, 하마다."

"응?"

"잠결에 발바닥을 핥았다며?"

그렇게 말하고 구마가이는 껄껄 웃었습니다.

"발바닥을 핥아도 상관없잖아. 조지 씨는 늘 그래. 얼굴보다 발이 귀엽다고 하는걸."

"그건 일종의 페티시즘이네."

"그렇다니까. 그렇지, 조지 씨, 그렇잖아? 당신은 실은 발쪽이 좋지?"

그러고 나서 나오미는 "공평하게 하지 않으면 나빠"라며, 내 쪽에 발을 뒀다가 하마다 쪽으로 뒀다가 하며, 5분 정도마다, 몇 번이고 몇 번이고 이불 위 이쪽저쪽에 누웠습니다.

"자, 이번엔 하마 씨가 발 차례!"

라고 말하고 누워서 몸을 **컴퍼스**처럼 빙글 돌리기도 하고, 돌리다가 두 발을 들어 모기장 천장을 차기도 하고, 저쪽 끝에서 이쪽 끝으로 휙 베개를 던지기도 합니다. 그 바다표범의 활약하는 모습이 격렬했기 때문에, 그렇지 않아도 이불의 반이 **비어져** 나와 있는 모기장 자락이 휙휙 젖혀지고 모기가 몇 마리나 날아들어 옵니다. "이거 안 되겠는걸, 굉장한 모기다"라고, 구마가이가 벌떡 일어나, 모기를 퇴치하기 시작했습니다. 누군가가 모기장을 밟아 줄을 끊어, 떨어뜨려버렸습니다. 그 떨어진 모기장 안에서 나오미가 더욱 펄펄 날뜁니다. 줄을 고쳐, 모기장을 다시 거는데 또 긴 시간이 걸립니다. 그런 소란이 겨우 어느 정도 가라앉은 것은 동쪽이 밝아지기 시작한 때였습니다.

빗소리, 바람소리, 옆에서 자고 있는 구마가이의 코 고는 소리, ……저는 그것이 귀에 들려, 그만 졸다가도 금방 잠에서 깼습니다. 이 방은 둘이 자도 좁아서 답답한 데다가, 나오미의 살과 옷에 달라붙어 있는 달콤한 향기와 땀 냄새가 발효된 것처럼 들어차 있습니다. 거기에 오늘 밤은 커다란 남자가 둘이나 더 늘었기 때문에, 더욱 견딜 수 없는 사람의 훈김으로, 밀폐된 벽 안은 왠지 지진이라도 날 것처럼 숨이 막힐 듯이 더웠습니다. 가끔 구마가이가 몸을 뒤척이면, 흠뻑 땀이 밴 손이며 무릎이 서로 미끈미끈 닿습니다. 나오미를 보니, 베개는 제 쪽에 있는데 그 베개에 한쪽 발을 올리고, 한쪽 무릎을 세우고, 그 발등은 제 이불 아래에 집어넣고, 목을 하마다 쪽으로 기울이고, 양팔은 쫙 벌린 채 그 대단한 말괄량이도 피곤했는지 기분 좋게 자고 있습니다.

"나오미 짱……."

이라고, 저는 모두의 조용한 숨소리를 들으며, 입속으로 그렇게 말하고, 제 이불 아래 있는 그녀의 발을 쓰다듬어 보았습니다. '아, 이 발, 새근새근 자고 있는 희고 아름다운 발, 이것은 분명 내 것이다. 난 이 발을 그녀가 작은 소녀였을 때부터 매일 밤 욕조에 넣어 비누로 씻어주었어. 그리고 이 부드러운 피부, 열다섯 살부터 그녀의 몸은 무럭무럭 자랐지만, 이 발만은 마치 자라지 않는 것처럼 여전히 작고 귀엽다. 그렇다, 이 엄지발가락도 그때와 같다. 새끼발가락의 모양도, 발뒤꿈치의 둥그스름함도, 불룩한 발등의 살도, 모두 그때와 같지 않은가.' ……저는 저도 모르게, 그 발등을 **살짝** 제 입술에 대지 않고는 배길 수 없었습니다.

날이 밝은 후, 저는 다시 잠이 들었는지, 이윽고 **와** 하는 웃음소리에 눈을 떠보니 나오미가 제 콧구멍에 **종이 노끈**을 쑤셔 넣고 있었습니다.

"어때? 조지 씨, 잠이 깼어?"

"응, 지금 몇 시야?"

"벌써 열 시야. 하지만 일어나도 별수 없으니까 **대포***가 울릴 때까지 자자고."

비가 그치고 일요일의 하늘은 파랗게 개었는데, 방 안에는 아직 사람의 **훈김**이 남아 있었습니다.

* 정오를 알리기 위해 1871년부터 1929년까지 매일 천황이 거처하는 황거의 대포로 쏜 공포.

13

당시 저의 이런 절제 없을 꼴을 회사 사람들은 아무도 몰랐습니다. 집에 있을 때와 회사에 있을 때, 제 생활은 확연히 양분되어 있었습니다. 물론 사무를 볼 때도 머릿속에는 나오미의 모습이 항상 어른거리고 있었는데, 별반 그것이 일의 방해가 되는 정도는 아니었고, 더구나 타인이 알아차릴 리도 없습니다. 그래서 동료들의 눈에 저는 여전히 군자로 보일 거라고, 그렇게 굳게 믿고 있었습니다.

그런데 어느 날, 아직 장마가 끝나지 않았을 무렵의 잔뜩 찌푸린 어느 밤의 일이었습니다. 동료의 한 사람인 나미가와波川라는 기사가, 이번에 회사에서 해외 발령을 받아 그 송별회가 쓰키지築地*의 세이요켄精養軒**에서 열린 일이 있었습니다. 회식이 끝나고, 디저트 코스 때 인사말이 끝나자 모두 줄줄이 식당에서 흡연실로 몰려가, 식후의 리큐르를 마시면서 왁자지

* 도쿄 중앙구의 지명. 에도 시대 전기에 매립하였으며 어시장으로 유명함.

** 정부 고관과 재계의 지원으로 1872년 쓰키지에 개업한 건평 200평의 호텔 겸 서양 요리점.

걸 잡담을 시작했을 무렵, 이제 가도 되겠지 싶어 일어서자,

"이봐, 가와이 군. 좀 앉아보게."

라고 히죽히죽 웃으며 불러 세운 사람은 S라는 남자였습니다. S는 약간 취해서 T와 K, H 등과 함께 소파 하나를 점령하고, 그 한 가운데 저를 억지로 끌어들이려고 했습니다.

"뭐, 그렇게 도망치지 않아도 되잖아. 지금부터 어딘가 가나? 이렇게 비가 오는데."

라고 S는 그렇게 말하고 모호하게 선 채 제 얼굴을 올려다보면서, 다시 한번 히죽히죽 웃었습니다.

"아니, 그렇지 않지만……."

"그럼, 곧장 돌아가는 건가."

그렇게 말한 사람은 H였습니다.

"응, 미안하지만 먼저 실례하겠네. 우리 집은 오모리여서 이런 날씨에는 길이 좋지 않아. 빨리 가지 않으면 인력거가 끊겨 버리네."

"아하하하, 웃기지 말게."

라고 이번에는 T가 말했습니다.

"어이, 가와이 군. 이미 내막은 다 밝혀졌네."

"뭐가……?"

'내막'이란 어떤 의미인가. T의 말을 이해할 수 없어 저는 잠시 당황해하면서 되물었습니다.

"놀랐어, 정말. 군자라고만 생각하고 있었는데……."

라고 다음에는 K가 몹시 감탄했다는 듯 고개를 갸웃하며,

"가와이 군이 댄스를 하다니, 아무튼 시대가 참 진보했어."

"이봐, 가와이 군."

S는 주위 사람을 신경 쓰면서 제 귀에 속삭였습니다. "그, 자네가 데리고 다니는 멋진 미인은 누군가? 한번 우리에게도 소개하게."

"아니, 소개할 만한 여자가 아니네."

"그러니까, 제국극장의 여배우라고 하던데. ……그러니까 아닌가, 영화배우라는 소문도 있고, 혼혈아라는 설도 있는데. 그 여자의 정체를 말하게. 말하지 않으면 못 가게 할 거야."

제가 명백하게 불유쾌한 표정으로 우물우물하고 있는 것도 알아채지 못하고, S는 정신없이 무릎을 내밀고 정색을 하며 물었습니다.

"그러니까, 자네, 그 댄스가 아니면 못 부르나?"

저는 조금 더 있었으면 '바보'라고 말했을지도 모릅니다. 아직 회사에서는 아마 아무도 알아채지 못했을 거라고 생각했는데, 어찌 생각이나 했겠습니까, 알아챘을 뿐만 아니라 난봉꾼으로 명성을 떨치고 있는 S의 말로 짐작건대, 녀석은 우리를 부부라고는 믿지 않고, 나오미를 어디서나 부를 수 있는 종류의 여자처럼 생각하고 있었습니다.

'바보, 남의 아내를 '부를 수 있냐'라니! 무례한 말을 하는군.'

이 참기 어려운 모욕에 대해서, 저는 당연히 안색을 바꿔 이렇게 호통쳐야 했습니다. 아니, 분명 **아주** 잠깐 저는 **휙** 안색을 바꿨습니다.

"이봐, 가와이, 가와이, 가르쳐줘. 정말!"

라고 그들은 제가 사람 좋은 것을 믿고, H가 어디까지나 뻰뻰스럽게 그렇게 말하고 K쪽을 돌아보면서,

"이봐, K, 자네는 어디서 들었다고 했지."

"난 게이오의 학생에게 들었어."

"흥, 뭐라고?"

"내 친척 녀석이야. 댄스에 미친 놈인데 늘 댄스장에 출입해서, 그 미인을 알아."

"어이, 이름은 뭐라고 하나?"

라고 T가 옆에서 목을 내밀었습니다.

"이름은……그러니까, ……묘한 이름이었어. ……나오미, ……나오미라고 한 것 같은데."

"나오미? ……그럼 역시 혼혈아인가."

그렇게 말한 S는 놀리듯이 제 얼굴을 들여다보고,

"혼혈아라면 여배우는 아니군."

"상당히 문란하대. 그 여자. 심하게 게이오 학생 등을 집적거리고 다닌대."

저는 이상한, 경련 같은 엷은 웃음을 띤 채 입가를 실룩실룩 떨뿐이었는데, K의 이야기에 그 엷은 웃음은 갑자기 얼어붙은 듯 뺨 위에서 움직이지 않게 되고, 눈이 푹 꺼진 것 같았습니다.

"흠, 흠, 그거 믿음직하군!"

라고, S는 몹시 기뻐하면 말했습니다.

"자네 친척이라는 학생도 그 여자와 뭔가 있었나?"

"아니, 그건 잘 모르겠지만, 친구 중에 두세 명은 있나 봐."

"그만해, 그만해, 가와이가 걱정하니까. 저 봐, 저 봐, 저런 얼굴을 하잖아."

T가 그렇지 말하자 모두 한 차례 저를 올려다보고 웃었습니다.

"뭐, 조금은 걱정시켜도 괜찮아. 우리 몰래 그런 미인을 독점하려 하다니 괘씸해."

"아하하하하, 어때 가와이 군. 군자도 **가끔**은 멋들어진 걱정을 하는 것도 좋지?"

"아하하하."

이제 저는 화낼 때가 아니었습니다. 누가 무슨 말을 했는지 들리지 않았습니다. 그저 **와**하는 웃음소리가 두 귀에 **시끄럽게** 울릴 뿐이었습니다. 순간적으로 제가 당혹한 것은 어떻게 이 자리를 헤쳐가면 좋을까, 울면 좋을까, 웃으면 좋을까. 하지만 무심코 무슨 말인가 했다가 더욱더 조롱당하지 않을까 하는 것이었습니다.

하여간 저는 뭐가 뭔지 건성으로 듣다가 흡연실을 뛰쳐나갔습니다. 그리고 **진창길**에 서서 차가운 비를 맞을 때까지는, 발이 대지에 닿지 않았습니다. 아직도 뒤에서 뭔가가 쫓아오는 기분이 들어, 저는 계속해서 긴자 쪽으로 도망쳤습니다.

오와리초尾張町의 한 블록 왼쪽 네거리로 나와, 신바시 쪽으로 걸어갔습니다. ……라고 하기보다는, 제 다리가 그저 무의식적으로, 제 머리와 관계없이, 그 방향으로 움직였습니다. 제 눈에는 비에 젖은 포도 위에 가로등이 반짝반짝 빛나는 것이 비쳤습니다. 이 날씨에도 불구하고 거리에는 꽤나 사람들이 나와 있는 것 같았습니다.

'아, 게이샤가 우산을 쓰고 지나간다, 젊은 여자가 플란넬을 입고 지나간다, 전차가 달린다, 자동차가 달린다…….

……나오미는 상당히 문란하다. 학생들을 집적거리고 다닌다? ……그런 일이 있을 수 있을까? 있을 수 있다, 분명 있을 수 있다. 최근 나오미의 모습을 보면 그렇게 생각하지 않는 것이 신기할 정도다. 실은 나도 속으로 걱정하고 있었지만, 그녀를 둘러싼 남자 친구들이 너무도 많아서 오히려 안심하고 있었다. 나오미는 어린아이다. 그리고 활발하다. "난 남자야"라고 그녀는, 자신이 말한 대로다. 그래서 남자들을 많이 모아서, 천진난만하게 왁자지껄 떠들어대는 걸 좋아할 뿐이다. 가령 그녀에게 딴마음이 있다 해도, 이만큼 보는 눈이 많으면 그것을 감출 수는 없을 테고 설마 그녀가, ……라고 그렇게 생각한 이 '설마'가 나빴던 것이다.

하지만 **설마**가, ……**설마** 사실이 아니지 않을까? 나오미가 건방지긴 했지만 품성은 고상한 여자다. 난 그것을 잘 알고 있다. 겉으로는 나를 경멸하지만 열다섯 살부터 길러준 내 은혜에는 감사하고 있다. 결코 그것을 배신하는 일은 하지 않겠다고, 베갯머리에서 그녀는 여러 차례 눈물을 흘리며 한 말을 나는 의심할 수 없다. 그 K의 말, 어쩌면 그것은 회사의 못된 녀석들이 나를 놀리는 거 아닐까? 정말로 그래 주었으면 좋겠는데. ……저, K의 친척이라는 학생은 누구일까? 그 학생이 아는 사람만으로도 두세 명은 관계가 있다? 두세 명? ……하마다? 구마가이? ……수상하다면 이 두 사람이 가장 수상하다. 그렇다면 왜 두 사람은 싸우지 않는 걸까. 따로따로 오지 않고 함께 와서 사이좋게 나오미와 노는 것은 무슨 까닭일까? 내 눈을 속일 수단일까? 나오미가 교묘하게 조정하고 있어서 두 사람은 모르는 것일까? 아니, 그것보다도 나오미가 그렇게 타락해버린 것일까? 두 사람과 관계가 있다면, 요전 밤의 혼숙처럼 그런 부끄럽고 **낯가죽 두꺼운** 행동을 할 수 있을까? 만약 그렇다면 그녀의 행동은 매춘부 이상이 아닌가…….

저는 어느새 신바시를 건너 시바구치 거리를 **철벅철벅** 진흙을 튀기며 가네스기金杉 다리* 쪽까지 곧장 걸었습니다. 비는 조금의 틈도 없이 천지를 가두고, 제 몸을 전후좌우에서 포위해 우산에서 떨어지는 빗방울이 레인코트의 어깨를 적십니다. 아, 그러고 보니 뒤섞여 자던 밤도 이렇게 비가 왔었다. 다이아몬드 카페의 테이블에서 나오미에게 처음으로 내 마음을 털어놓은 밤도 봄이었지만 역시 이렇게 비가 왔었다. 저는 그런 것을 생각했습니다. 오늘 밤도 제가 이렇게 **흠뻑** 젖어 여

* 신바시 역에서 남쪽으로 1,500미터 떨어진 곳에 있는 다리. 다마치역까지는 약 1킬로미터.

기를 걷고 있는 동안 오모리 집에는 누가 와 있지 않을까? 또 혼숙하고 있지는 않을까? 그런 의구심이 갑자기 들었습니다. 나오미를 가운데 두고 하마다와 구마가이가 버릇없는 자세로 앉아서, **재잘재잘** 서로 농담을 주고받는 음란한 아틀리에의 풍경이 생생히 보였습니다.

'그래. 난 우물쭈물할 때가 아니야.'

그렇게 생각한 저는 서둘러 다마치 정류장으로 달려갔습니다. 1분, 2분, 3분……, 간신히 3분 만에 전차가 왔는데, 저는 일찍이 이렇게 긴 3분간을 경험한 적이 없었습니다.

나오미, 나오미! 나는 왜 오늘 밤 그녀를 내버려두고 왔을까. 나오미가 옆에 없으니까 안 되는 거야, 그게 제일 나쁜 거야. 저는 나오미의 얼굴만 보면 이 초조한 마음이 어느 정도 구원받을 것 같은 마음이 들었습니다. 그녀의 활발한 말소리를 듣고, 순진한 눈동자를 보면 의심이 걷히기를 기도했습니다.

하지만 그렇다고 해도 만약 그녀가 다시 혼숙을 하겠다고 하면, 나는 뭐라고 해야 할까? 앞으로 나는 그녀에게 접근하는 하마다와 구마가이, 그 외의 어중이떠중이에게 어떤 태도를 취해야 할까? 나는 그녀의 화를 무릅쓰고라도 과감하게 감독을 엄중히 해야 할까? 그것으로 그녀가 얌전히 내게 승복하면 좋지만 반항하면 어떻게 될까? 아니, 그럴 리는 없어. '난 오늘 밤 회사 녀석들에게 심한 모욕을 당했으니 세상 사람들에게 오해받지 않도록, 행동을 좀 삼가해줘'라고 말하면, 다른 것과는 달리 그녀 자신의 명예를 위해서라도 아마도 하는 말을 듣겠지. 만약 그 명예도 오해도 신경 쓰지 않는다면 분명 그녀는 수상하다. K의 이야기는 사실인 것이다. 만약…… 아, 그런 일이 있다면…….

저는 힘써 냉정하게 가능한 마음을 가라앉히고, 이 마지막 경우를 상상했습니다. 그녀가 나를 속인 것이 분명해지면, 나는 그녀를 용서할 수 있을까? 솔직히, 이미 저는 그녀 없이는 하루도 살아갈 수 없습니다. 그녀가 타락한 죄의 절반은 나에게도 있으니 나오미가 순순히 죄를 뉘우치고 용서를 빈다면 저는 그 이상 그녀를 나무라고 싶지 않고, 나무랄 자격도 없습니다. 하지만 제가 걱정인 것은 그 고집 센, 특히 저에 대해서는 강경해지고 싶어 하는 그녀가, 가령 증거를 들이대도 그렇게 쉽게 제게 머리를 숙일까 하는 것이었습니다. 설령 일단은 머리를 숙인다 해도 실은 조금도 뉘우치지 않고 이쪽을 우습게 보고, 두 번이고 세 번이고 같은 잘못을 반복하게 되지 않을까? 그리고 결국 서로의 고집으로 인해 헤어지게 돼 버리면? 그것이 제게는 무엇보다 무서웠습니다. 노골적으로 말하면 그녀의 정조 그 자체보다도 계속 그것이 걱정거리였습니다. 그녀에게 따지고 혹은 감독한다 해도 그때 대처할 마음을 미리 정해두어야만 합니다. “그렇다면 나, 나갈게”라고 말했을 때, “마음대로 해”라고 말할 수 있을 정도의 각오가 되어 있다면 좋지만…….

하지만 저는 이 점에 있어서 나오미에게도 같은 약점이 있다는 것을 알고 있었습니다. 왜냐하면 그녀는 나와 같이 살기 때문에 실컷 사치를 부릴 수 있지만, 만약 여기서 내쫓기면 그 누추한 센조쿠초의 집 외에, 어디에 몸을 둘 곳이 있을까요. 이제 그렇게 되면 그야말로 정말 매춘부가 되지 않는 이상 누구도 그녀를 떠받들어줄 사람은 없어질 겁니다. 예전에는 어쨌거나 버릇없이 자라버린 현재 그녀의 허영심으로는 그것을 도저히 견딜 수 없을 게 분명합니다. 혹은 하마다나 구마가이 등이 돌보겠다고 할지도 모르지만, 학생의 신분으로 제가 시킨 것 같은 사치를 누리게 할 수 없다는 걸 그녀도 알고 있을 터입니다. 그렇게 생각하자 제가 그녀에게 사치의 맛을 들인 것은 좋은 일이었습니다.

그렇다. 그러고 보니 영어 시간에 나오미가 노트를 찢었을 때 내가 화를 내며 '나가'라고 말했더니 그녀는 항복하지 않았는가. 그때 그녀가 나갔다면 얼마나 곤란했을지 모르지만, 내가 곤란한 것보다 그녀가 더 곤란할 거다. 내가 있어서 그녀가 있는 거지, 일단 나를 떠나면 다시 사회의 맨 밑바닥으로 떨어져 이 사회의 하층이 되어버린다. 그것이 그녀에게는 어지간히 두려운 일이 분명하다. 그 두려움은 지금도 그때와 변함이 없을 거다. 이제 그녀도 올해 열아홉이다. 나이를 먹어 조금이라도 철이 든 만큼 그녀는 그것을 더욱 분명히 느낄 터이다. 그렇다면 만에 하나 위협하기 위해 '나갈래'라고 하는 일은 있어도, 설마 진짜로 실천할 수는 없을 거다. 그런 빤히 들여다보이는 위협으로 내가 놀랄지 놀라지 않을지, 그 정도는 알고 있겠지…….

저는 오모리역에 도착할 때까지는 어느 정도 용기를 되찾았습니다. 무슨 일이 있어도 나오미와 내가 헤어질 운명은 아니다, 정말 그것만은 확실하다고 느꼈습니다.

간신히 집 앞까지 오자 제 불길한 상상은 완전히 빗나갔습니다. 아틀리에 안은 캄캄하고 한 사람의 손님도 없는 듯 조용하며 단지 다다미 넉 장 반 크기의 다락방에 불이 켜져 있을 뿐이었습니다.

'아, 혼자 집을 보고 있구나.'

저는 **휴우** 하고 가슴을 쓸어내렸습니다. '이걸로 됐어, 정말 행복해'라는 그런 생각이 들지 않을 수 없었습니다.

문단속이 된 현관문을 열쇠로 열고, 안으로 들어가자 저는 즉시 아틀리에의 전기를 켰습니다. 보니, 방은 여전히 어질러져 있었지만, 역시 손님이 왔던 흔적은 없었습니다.

"나오미 짱, 다녀왔어……. 돌아왔어……."

그렇게 말해도 대답이 없기에, 사다리 모양의 계단을 올라가자 나오미는 홀로 다다미 넉 장 반 크기의 방에 이부자리를 펴고 편안하게 자고 있었습니다. 이것은 그녀에게 흔한 일로, 심심하면 낮이건 밤이건 시간에 상관없이 이불 속에 들어가 소설을 읽다가 그대로 **새근새근** 잠들어버리는 일이 흔했기 때문에, 그 죄 없는 잠든 얼굴을 대하고 저는 더욱 안심할 뿐이었습니다.

'이 여자가 나를 속이고 있다? 그런 일이 있을까? ……이, 현재 내 눈앞에서 평화롭게 호흡을 하고 있는 여자가……?'

저는 몰래 그녀가 잠에서 깨지 않도록 머리맡에 앉은 채, 한동안 가만히 숨을 죽이고 그 잠자는 모습을 지켜보았습니다. 옛날, 여우가 아름다운 공주로 둔갑하고 남자를 속였지만, 자고 있는 사이에 정체를 드러내고 말았다. 저는 왠지 어린 시절 들은 적이 있는 그런 이야기가 생각났습니다. 잠버릇이 나쁜 나오미는 잠옷 모양의 소매가 달린 이불을 몽땅 벗어 버리고 양 허벅다리 사이에 깃을 끼우고 유방까지 드러난 가슴 위에 한쪽 팔꿈치를 세운 손끝을 마치 휜 가지처럼 올리고 있습니다. 그리고 다른 손은, 딱 제가 앉아 있는 무릎 언저리까지 우아하게 뻗어 있습니다. 목은, 그 뻗은 손 방향으로 향해 있는데, 지금이라도 베개에서 **미끄러져** 떨어질 듯 기울어져 있습니다. 그 **바로** 코앞에 책 한 권이 페이지가 펼쳐진 채 떨어져 있었습니다. 그것은 그녀의 비평에 의하면 '지금 문단에서 가장 훌륭한 작가'라는 아리시마 다케오有島武郎*의 『카인의 후예』**라는 소설이었습니다. 가제본한 책의 순백색 서양 종이와 그녀의 하얀 가슴 위에 저는 번갈아가며 시선을 보냈습니다.

나오미는 원래 피부색이 날에 따라 노랗게 보이기도 하고 하얗게 보이기도 했는데, 깊이 잠들어 있을 때나 막 일어났을

* (1878~1923) 소설가. 도쿄 출생. 인도주의 경향이 강하고 사상적 고뇌의 결과 재산을 포기하며 글을 썼다. 대표작으로 『선언』 『어떤 여자』 『카인의 후예』 등이 있다.

** 아리시마 다케오의 1917년 작. 제목은 『구약성서』 「창세기」로 남동생을 죽인 인류 최초의 살인자 카인에서 유래했다. 무지하고 분방하며 거친 에너지로 가득한 야성적인 소작인이 농장에서 쫓겨나기까지를 그려낸 작품이다.

때 등은 언제나 몹시 산뜻했습니다. 자는 동안 완전히 몸속 기름이 빠져버리는 것처럼 깨끗해졌습니다. 보통의 경우 '밤'과 '암흑'은 같이 다니기 마련인데, 저는 항상 '밤'을 생각하면 나오미 피부의 '흰색'을 연상하지 않을 수 없었습니다. 그것은 한낮의 온통 밝은 '흰색'이 아니라 때 묻고 더러운 때투성이 이불 속의, 말하자면 누더기에 쌓인 '흰색'인 만큼 더욱 제 마음을 끌었습니다. 그래서 이렇게 찬찬히 바라보고 있으면 램프 갓의 그림자가 진 그녀의 가슴은 마치 새파란 물속에라도 있는 것처럼 선명하게 떠올랐습니다. 깨어 있을 때는 그렇게 밝고 종잡을 수 없이 빠르게 변하는 얼굴도 지금은 우울하게 미간을 찌푸리고 쓴 약을 먹은 것처럼, 목이 졸린 사람처럼 신비한 표정을 짓고 있는데, 저는 그녀의 이 잠든 얼굴을 아주 좋아했습니다. "너는 자면 딴사람 같은 표정이 돼. 무서운 꿈이라도 꾸는 것처럼"라고, 자주 그런 말을 했습니다. '이래서는 그녀의 죽은 얼굴도 아름다울 게 분명해'라고 생각한 적도 자주 있었습니다. 저는 설령 이 여자가 여우라도 그 정체가 이런 요염한 존재라면 오히려 기꺼이 매혹되기를 바랐겠지요.

저는 대략 30분 정도 그렇게 잠자코 앉아 있었습니다. 갓의 그림자에서 밝은 쪽으로 나와 있는 그녀의 손은 손등을 아래로 손바닥을 위로 향한 채 막 피기 시작한 꽃잎처럼 부드럽게 쥐고, 그 손목에는 조용히 맥이 뛰고 있는 것을 확실히 알 수 있었습니다.

"언제 돌아왔어……?"

색색 편안하게 거듭되면 숨소리가 조금 흐트러지나 싶더니, 이윽고 그녀가 눈을 떴습니다. 그 우울한 표정을 아직 어딘가에 남기면서…….

"지금, ……조금 전에."

"왜 날 안 깨웠어?"

"불렀지만 안 일어나서 **가만히** 뒀어."

"거기 앉아서 뭘 했어? 자는 얼굴을 봤어?"

"응."

"훗, 이상한 사람!"

그렇게 말하고 그녀는 아이처럼 천진난만하게 웃고, 뻗었던 손을 내 무릎에 올렸습니다.

"나 오늘 밤은 혼자여서 재미없었어. 누가 오나 싶었는데 아무도 놀러 오지 않는걸. ……저기, 파파, 이제 자지 않을래?"

"자도 좋지만……."

"제발, 자자! ……**아무렇게** 누워 잤더니 여기저기 모기에 물렸어. 이 봐, 이렇다니까! 여기를 좀 긁어줘!"

말하는 대로 저는 그녀의 팔과 등을 한동안 긁어주었습니다.

"아, 고마워. 너무 가려워서 견딜 수가 없었어. 미안하지만 거기에 있는 잠옷 좀 집어줄래? 그리고 내게 입혀줄래?"

저는 가운을 가지고 와서, 큰 대자로 누워 있는 그녀의 몸을 안아 일으켰습니다. 그리고 제가 띠를 풀고 옷을 갈아입히는 동안 나오미는 일부러 축 늘어져 시체처럼 손발을 흐느적거렸습니다.

"모기장 치고, 그런 다음 파파도 빨리 자."

14

그 밤 두 사람이 베갯머리에서 한 이야기는 특별히 장황하게 쓸 것도 없습니다. 나오미는 제게 세이요켄에서의 이야기를 듣더니 "어머, 무례해! 정말 뭘 모르는 녀석들이군!"이라고 입정 사납게 욕하고 일소에 부쳐버렸습니다. 요컨대 아직 세상 사람들은 사교 댄스라는 것의 의의를 이해하지 못하고 있다. 남자와 여자가 손을 맞잡고 춤추기만 하면, 뭔가 그 사이에 좋지 않은 관계가 있는 것처럼 지레짐작해서 즉시 그런 소문을 낸다, 새로운 시대의 유행에 반감을 품은 신문 등이 또 적당한 기사를 써서는 중상하기 때문에, 일반 사람들은 댄스라고 하면 불건전한 것이라고 정해버린다, 때문에 우리는 어차피 그 정도는 들을 각오를 해야만 한다는 것입니다.

"게다가 난 조지 씨 말고는 다른 남자와 둘만 있었던 적은 한 번도 없어. 응, 그렇지 않아?"

댄스에 갈 때도 나와 함께, 집에서 놀 때도 나와 함께, 만일 내가 집에 없을 때도 손님은 한 명이 아니다, 혼자서 와도 "오늘은 나도 혼자여서"라고 말하면 대부분 삼가며 돌아가버린

다. 그녀의 친구 중에는 그런 무례한 남자는 없다. -나오미는 그렇게 말하고,

"내가 아무리 제멋대로여도, 좋고 나쁜 것 정도는 알고 있어. 그야 조지 씨를 속이려 하면 속일 수 있지만, 난 결코 그런 짓은 하지 않아. 정말로 공명정대해. 뭐 하나 조지 씨에게 숨기는 게 없어"라고 말했습니다.

"그건 나도 알고 있어. 단지 그런 말을 들은 게 기분이 나빴다는 말이야."

"기분 나빠서 어쩌겠다는 거야? 이제 댄스를 그만두겠다는 거야?"

"그만두지 않아도 좋지만, 될 수 있으면 오해받지 않도록 조심하는 편이 좋다는 말이야."

"나, 지금도 말한 것처럼 조심해서 사귀고 있잖아."

"그러니까, 난 오해하지 않아."

"조지 씨만 오해하지 않으면 세상 사람들이 뭐라고 하든 무섭지 않아. 어차피 난, 난폭하고 입이 거칠어서 모두에게 미움받으니까."

그리고 그녀는 그저 제가 믿어주고 사랑해주면 충분하다느니, 자신은 여자 같지 않으니까 자연히 남자 친구들이 생기고, 남자가 시원시원해서 자신도 남자가 좋아서 남자들하고만 놀지만, 연애다 사랑이다, 같은 추잡한 기분은 조금도 없다느니, 센티멘털하고 달콤한 어조로 반복하며 마지막에는 예의 "열다섯 살부터 키워준 은혜를 잊은 적이 없다"라느니 "조

지 씨를 부모라고도 생각하고 남편이라고도 생각하고 있어요" 등, 판에 박힌 말을 하면서 주룩주룩 눈물을 흘리기도 하고, 또 그 눈물을 제게 닦게 하기도 하고 연달아 키스 세례를 퍼붓기도 했습니다.

하지만 그렇게 길게 이야기를 하면서 하마다와 구마가이의 이름만은 고의인지 우연인지 신기하게도 그녀는 말하지 않았습니다. 저도 실은 이 두 사람의 이름을 말하고, 그녀의 얼굴에 나타나는 반응을 보고 싶었는데, 결국 말할 기회를 놓쳐버렸습니다. 물론 저는 그녀의 말을 처음부터 끝까지 믿은 것은 아니었습니다. 하지만 의심하려면 어떤 일도 의심할 수 있고, 굳이 지나간 일까지 문제 삼을 필요는 없습니다. 앞으로 주의해서 감독하면 됩니다. ……아니, 처음에는 더욱 강경하게 나갈 생각이었는데, 서서히 그런 모호한 태도를 보일 수밖에 없게 되었습니다. 그리고 눈물과 키스 속에서, 흐느끼는 울음소리에 섞여 속삭이는 목소리를 듣고 있으면, 거짓말이 아닐까 주저하면서도 역시 그것이 사실처럼 여겨졌습니다.

이런 일이 있고 나서, 저는 넌지시 나오미의 모습에 주의를 기울였는데, 그녀는 조금씩, 너무 부자연스럽지 않을 정도로 기존의 태도를 고치고 있는 듯했습니다. 춤추러 가기는 가지만 지금까지처럼 빈번하게 가지 않고, 가더라도 그다지 많이 추지 않고 적당한 선에서 끝냅니다. 손님도 귀찮게는 오지 않습니다. 제가 회사에서 돌아오면 얌전히 집을 지키며, 소설을 읽거나 뜨개질을 하거나 조용히 축음기를 듣거나 화단에 꽃을 심고 있습니다.

"오늘도 혼자 집 보는 거야?"

"응, 혼자야. 아무도 안 놀러 왔어."

"그럼 외롭지 않았어?"

"처음부터 혼자 있을 거라고 정해져 있으면 전혀 외롭지 않아. 나 아무렇지 않아."

그렇게 말하고,

"난 시끌벅적한 것도 좋지만, 조용한 것도 싫지 않아. 어린 시절엔 친구가 전혀 없어서 늘 혼자 놀았어."

"아, 그러고 보니 그런 식이었어. 다이아몬드 카페에 있을 무렵엔 동료들과 별로 말도 하지 않고, 조금 음울할 정도였지."

"응, 그래. 난 말괄량이 같지만, 진짜 성질은 음울해. 음울하면 안 돼?"

"얌전한 건 좋지만 음울해지면 곤란해."

"하지만 얼마 전처럼 난폭하게 구는 것보다 좋지 않나?"

"그야 좋고말고."

"나, 착한 아이가 됐지?"

그리고 갑자기 제게 달려들어, 양손으로 제 목을 안으며 눈앞이 아찔해질 정도로 애달프고 격렬하게 키스를 했습니다.

"어때, 한동안 춤추러 가지 않았으니까 오늘 밤엔 가볼까?"

라고 제 쪽에서 권유해도,

"아무래도 좋아. 조지 씨가 가고 싶다면."

라고 시무룩한 표정으로 건성으로 대답하거나,

"그것보다 영화 보러 가자. 오늘 밤은 댄스가 내키지 않아."

라고 하는 경우도 자주 있었습니다.

다시 그 4~5년 전의 순수하고 즐거운 생활이 두 사람 사이에 되돌아왔습니다. 저와 나오미는 오붓하게 둘만 매일 밤 아사쿠사에 나가 영화를 보고 돌아오는 길에 어딘가 요릿집에서 저녁 식사를 하면서 "그때는 이랬다"라느니 "저랬다"라느니, 서로 그리운 옛이야기를 하며 추억에 잠깁니다. "넌 **몸집**이 작아서 데이코쿠칸帝国館*의 가로대 위에 앉아 내 어깨를 잡고 영화를 봤어"라고 내가 말하면 "조지 씨가 처음 카페에 왔을 무렵에는 괜히 무뚝뚝하게 입을 다물고, 멀리서 힐끔힐끔 내 얼굴만 봐서 기분 나빴어"라고 나오미가 말합니다.

"그러고 보니 파파는 요즘 나를 목욕시켜 주지 않네. 그 무렵에는 내 몸을 늘 씻어줬잖아."

"아, 그래. 맞아, 그런 일도 있었지."

"**있었지**라니, 이제 씻어주지 않을 거야? 이렇게 내가 커서 씻어주는 게 싫어?"

"싫기는. 지금도 씻어주고 싶지만, 실은 삼가고 있었어."

"그래? 그럼 씻어줘, 나 다시 베이비가 될 테니까."

이런 대화를 하고 나서 다행히 목욕의 계절이 되었기 때문에, 저는 다시 헛간 구석에 버려두었던 서양 목욕통을 아틀리

* 아사쿠사 공원에 있던 영화관. 원래 파노라마관이 있었던 장소에 1911년 5월 만들어졌다.

에로 옮겨와 그녀의 몸을 씻어주게 되었습니다. '커다란 베이비'라고 전에는 그렇게 불렀는데, 그 후 4년의 시간이 흐른 지금의 나오미는 그 커다란 몸을 목욕통 안에 눕혀보니 이제는 충분히 훌륭한 성인으로 완전한 '어른'이 되어 있었습니다. 풀어헤치면 소나기구름처럼 가득 퍼지는 풍만한 머리카락, 곳곳의 관절에 **보조개**가 생기는 둥그스름한 살집. 그리고 그 어깨는 한층 두툼함이 더해지고, 가슴과 엉덩이는 더욱더 탄력적으로 높이 파도치고 우아한 다리는 더욱 길어진 것처럼 느껴졌습니다.

"조지 씨, 나 어느 정도 **키**가 컸어?"

"응, 컸어. 요즘은 나와 그다지 차이가 없어 보여."

"이제 곧 나, 조지 씨보다 클 거야. 얼마 전에 체중을 재보니까 53킬로그램이었어."

"놀라워. 난 간신히 60킬로그램이 될까 말까야."

"조지 씨가 나보다 무거워? **땅꼬마** 주제에."

"그야 무겁지. 아무리 **땅꼬마**라도 남자는 골격이 튼튼하니까."

"그럼, 지금도 조지 씨는 말이 돼서, 날 태울 용기 있어? 막 왔을 무렵에는 자주 그런 걸 했잖아. 그러니까 내가 등에 올라타고 수건을 고삐 삼아 이랴 이랴 하면서 방 안을 돌아다니기도 하고."

"응, 그 무렵은 가벼웠어. 45킬로그램 정도였으니까."

"지금이라면 조지 씨는 찌부러졌을 거야."

"과연 찌부러질까? 의심스러우면 한번 타봐."

둘은 농담을 한 끝에 옛날처럼 다시 말**놀이**를 한 적도 있습니다.

"자, 말이 됐어."

그렇게 말하고 제가 네발로 기는 자세를 취하자, 나오미는 **털썩** 등 위에, 그 53킬로그램의 무게로 덮쳐 누르고 수건 고삐를 제 입에 물리더니,

"어머, 정말 작고 **비실비실**한 말이군! 더 **기운 내**! 이랴 이랴!"

라고 외치면서, 재미있다는 듯이 다리로 제 배를 단단히 쥐고, 고삐를 쭉쭉 세게 당깁니다. 저는 나오미에게 눌려 찌부러지지 않도록 단단히 힘을 주고 땀을 흘리며 방을 돌아다닙니다. 그리고 그녀는 제가 지쳐 떨어질 때까지 그 장난을 멈추지 않았습니다.

"조지 씨, 올여름은 오래간만에 가마쿠라에 가지 않을래?"

8월이 되자, 그녀가 말했습니다.

"나, 그 후로 가지 않아서 가보고 싶어."

"정말! 그러고 보니 그 후로 한 번도 안 갔나?"

"그래, 그러니까 올해는 가마쿠라로 하자. 우리들의 기념이 되는 곳이잖아."

나오미의 말에 저는 얼마나 기뻤는지요. 나오미가 말한 대로 우리의 신혼여행? 말하자면 신혼여행으로 간 곳은 가마쿠라였습니다. 가마쿠라만큼 우리에게 기념이 되는 곳은 없을

터였습니다. 그 후도 매년 어딘가로 피서를 가면서도 완전히 가마쿠라를 잊고 있었는데 나오미가 꺼낸 말은 정말 멋진 착상이었습니다.

"가자, 꼭 가자!"

저도 그렇게 말하고 두말없이 찬성했습니다.

의논이 끝나자 회사에 열흘간 휴가를 내고, 오모리의 집 문단속을 하고, 월초에 두 사람은 가마쿠라로 떠났습니다. 숙소는 하세 거리에서 황실 별장* 쪽으로 가는 길의 우에소植惣라는 정원수 파는 집의 별채를 빌렸습니다.

저는 처음, 이번에는 긴파로가 아니라 조금 멋진 여관에서 묵을 생각이었는데, 뜻밖에도 셋방을 빌리게 된 것은 '아주 좋은 정보를 스기사키 여사에게 들었다'며, 이 정원수 파는 집의 별채 이야기를 나오미가 꺼냈기 때문입니다. 나오미가 말하기를, 여관은 경제적이지도 않고, 근방 사람들에게 마음도 써야 하니, 셋방을 빌릴 수 있다면 가장 좋다, 그런데 운좋게 여사의 친척인 도요 석유 중역이 빌린 채 사용하지 않고 있는 셋방이 있는데, 그걸 이쪽에 양보한다니 차라리 그편이 좋지 않나, 그 중역은 6, 7, 8월 3개월 간 500엔에 빌려서, 7월까지는 있었지만 이제 가마쿠라도 싫증이 나서 누구든 빌리고 싶은 사람이 있다면 기꺼이 빌려주겠다, 스기사키 여사의 주선이라면 집세 같은 건 아무래도 좋다고 하니까, ……라는

* 1899년에 지어졌다가 1931년에 폐지되었다. 면적은 1만 8천 평 남짓.

것이었습니다.

"저기, 이런 좋은 이야기는 없으니 그렇게 하자. 그러면 돈도 들지 않으니까 이번 달 내내 있을 수 있어."

라고 나오미는 말했습니다.

"하지만 회사가 있어서 그렇게 길게 못 놀아."

"그렇지만 가마쿠라라면 매일 기차로 통근할 수 있잖아. 응? 그렇게 하지 않을래?"

"하지만 거기가 네 마음에 들지 어떨지 보고 오지 않으면……."

"응, 나, 내일이라도 가서 보고 올게. 그리고 내 마음에 들면 정해도 돼?"

"정해도 되지만, **공짜**라는 것도 꺼림칙하니까 그 부분을 어떻게 이야기를 매듭짓지 않으면……."

"그야 알고 있어. 조지 씨는 바쁠 테니까 괜찮으면 스기사키 선생님께 가서 돈을 받으시라고 부탁하고 올게. 아마도 100엔이나 150엔은 내야 하지 않을까……."

이런 식으로 나오미는 혼자서 척척 진행해 집세는 100엔으로 타협하고, 돈거래도 그녀가 모두 끝내고 왔습니다.

저는 어떨까 싶었는데, 가보니 생각보다 좋은 집이었습니다. 셋집이라고는 해도 안채와 독립된 단층 독채로, 다다미 여덟 장과 넉 장이 깔린 방 외에 현관, 욕실, 부엌이 있고, 출입구도 따로 있어 마당에서 바로 길로 나갈 수 있어서 정원수 파는 가게의 가족과도 얼굴을 맞댈 필요도 없고, 이렇다면 둘이 여기서 새살림을 차린 것과 같은 겁니다. 저는 오래간만에 순일본식 새 다다미 위의 화로 앞에 책상다리하고 느긋하게 앉아 있었습니다.

"야, 이거 좋네, 정말 기분이 느긋해져."

"좋은 집이지? 오모리랑 어디가 좋아?"

"여기가 훨씬 안정이 되네, 이렇다면 얼마든지 있을 수 있을 거 같아."

"그거 봐. 그래서 내가 여기로 하자고 한 거야."

그렇게 말하고 나오미는 득의양양했습니다.

어느 날, 여기에 와서 사흘 정도 지난 때였을까요, 낮부터 수영하러 가서 한 시간 정도 수영을 한 후 둘이서 모래사장에 드러누워 있는데,

"나오미 씨!"

하고 느닷없이 우리 머리 위에서 그렇게 부르는 사람이 있었습니다.

보니, 그 사람은 구마가이였습니다. 지금 막 바다에서 나온 모양인지 젖은 수영복이 착 가슴에 달라붙어 있고, 털 **복숭이** 정강이를 따라 뚝뚝 바닷물이 떨어지고 있었습니다.

"어머, **마 짱**, 언제 왔어?"

"오늘 왔어. 틀림없이 너일 거라고 생각했는데, 역시 그랬어."

그리고 구마가이는 바다를 향해 손을 들면서,

"어이."

하고 부르자, 앞바다 쪽에서도,

“어이.”

하고 누군가가 대답했습니다.

“누구? 저기서 수영하고 있는 사람은?”

“하마다야. 하마다랑 세키関랑 나카무라中村, 넷이서 오늘 왔어.”

“어머, 상당히 떠들썩하겠는데, 어느 여관에서 묵고 있어?”

“흥, 그렇게 경기가 좋지 않아. 너무 더워 견딜 수가 없어서 당일치기로 온 거야.”

나오미와 그가 말하고 있는데, 이윽고 하마다가 올라왔습니다.

“야, 오래간만! 상당히 오랜만인걸. 어떻습니까, 가와이 씨, 요즘 전혀 댄스장에 보이지 않으시던데.”

“그렇지도 않은데, 나오미가 싫증이 났다고 해서.”

“그렇습니까, 그거 괘씸하네요. 그런데 언제부터 여기에?”

“이삼일 전부터예요. 하세의 정원수 파는 집 별채를 빌렸어요.”

“정말 좋은 곳이야. 스기사키 선생님의 주선으로 이번 달 빌렸어.”

“정말 멋지군.”

이라고 구마가이가 말했습니다.

“그럼 당분간 여기에 있나요?”

라고 하마다는 말하고,

"하지만 가마쿠라에도 댄스장은 있어요. 오늘 밤도 실은 가이힌 호텔에서 있어서, 상대가 있으면 가고 싶은데."

"싫어, 난."

나오미는 **쌀쌀맞게** 말했습니다.

"이 더위에 댄스 같은 건 금물이야. 일간 시원해지면 갈 거야."

"그것도 그래. 댄스는 여름에 하는 게 아니지."

그렇게 말하고 하마다는 분명치 않은 태도로 머뭇머뭇하면서,

"이봐, 어떻게 할래 **마 짱** 한번 더 수영하고 올까?"

"**싫어** 난, 피곤하니까 이제 돌아가자. 지금부터 가서 잠깐 쉬고 도쿄로 돌아가면 날이 저물 거야."

"지금부터 가다니, 어디에 가는데?"

라고 나오미는 하마다에게 물었습니다.

"뭔가 재미있는 일이라도 있어?"

"뭐, 오기가야쓰扇ヶ谷*에 세키의 숙부님 별장이 있어. 오늘은 모두 거기로 끌려왔어. 식사를 대접하겠다고 했지만 거북해서 밥을 안 먹고 도망칠 생각이야."

"그래? 그렇게 거북해?"

"거북하기 짝이 없어. 하녀가 나와서 손가락 세 개를 짚으며 절을 하니 맥이 풀리지. 그래서는 대접을 받아도 밥이 목

* 가마쿠라 역에서 북쪽으로 수백 미터 떨어진 부근의 지명.

구멍에 넘어가질 않아. 그렇지, 하마다, 이제 돌아가자, 이제 돌아가서 도쿄에서 뭘 좀 먹자."

그렇게 말하면서 구마가이는 바로 일어서려고 하지 않고, 발을 뻗고 털썩 바닷가에 주저앉은 채 모래를 집어 무릎 위에 뿌리고 있었습니다.

"그럼, 어때요? 우리하고 같이 저녁 먹지 않을래요? 모처럼 왔으니까."

나오미도 하마다도 구마가이도 한동안 입을 다물어버렸기 때문에, 저는 아무래도 그렇게 말하지 않으면 안 될 것 같은 기분이 들었습니다.

15

그 밤에는 오래간만에 떠들썩한 저녁을 먹었습니다. 하마다와 구마가이, 나중에 세키와 나카무라도 합류해, 별채의 다다미 여덟 장이 깔린 방에 여섯 명의 주객이 밥상을 둘러싸고 10시 무렵까지 야야기를 했습니다. 저도 처음에는 이 패거리가 숙소를 어지럽히는 것이 싫었지만, 이렇게 가끔 만나보면 그들의 건강하고 산뜻하며 **구애됨** 없는 청년다운 기질이 유쾌하지 않은 것은 아니었습니다. 나오미의 태도도 남을 서먹하게 하지 않는 애교는 있고, 좌흥을 돋우거나 접대하는 태도는 매우 이상적이었습니다.

"오늘 밤은 정말 재미있었어. 그 녀석들과 가끔 만나는 것도 나쁘지 않아."

저와 나오미는 마지막 열차로 돌아가는 그들을 정류장까지 바래다주고 여름의 밤길을 손잡고 걸으면서 이야기했습니다. 별이 아름답고 바다에서 불어오는 바람이 시원한 밤이었습니다.

"그래, 그렇게 재미있었어?"

나오미도 제 기분이 좋은 것을 기뻐하는 듯한 어조였습니다. 그리고 잠시 생각하고 나서 말했습니다.

"저 녀석들도 잘 사귀면 그렇게 나쁜 사람들이 아니야."

"응, 정말 나쁜 사람들은 아니네."

"하지만 조만간 또 몰려오지 않을까? 세키 씨는 숙부님 별장이 있으니까 앞으로도 가끔 모두를 데리고 올 거라고 했잖아."

"하지만 우리 숙소에 그렇게 몰려오진 않겠지……."

"가끔은 괜찮지만 자주 오면 민폐야. 혹시 다음에 오면 잘 대접하지 않는 게 좋겠어. 밥 같은 거 대접하지 말고, 대강 해서 돌려보는 거야."

"하지만 그렇다고 쫓아낼 수는 없으니까……."

"없기는. 방해가 되니까 돌아가줘, 하면서 우르르 쫓아낼 거야. 나 그런 말 하면 안 돼?"

"흥, 또 구마가이에게 놀림당할걸."

"놀림당해도 좋잖아. 모처럼 가마쿠라에 왔는데, 방해하러 오는 게 나쁜 거야."

우리는 어두운 나무 그늘에 들어섰습니다. 그렇게 말하면서 나오미는 조용히 멈췄습니다.

"조지 씨."

달콤하고 희미하며 호소하는 듯한 그 목소리의 의미를 알고, 저는 말없이 그녀의 몸을 양팔로 끌어안았습니다. 꿀꺽 바닷물을 한 모금 마셨을 때처럼 강렬한 입술을 음미하면서 …….

그 후, 열흘의 휴가는 눈 깜짝할 사이에 지났지만 우리는 여전히 행복했습니다. 그리고 처음에 계획한 대로 저는 매일 가마쿠라에서 회사를 다녔습니다. '가끔 오겠다'라던 세키 패거리들도 겨우 한 번, 일주일 정도 지난 후 들렀을 뿐, 거의 모습을 보이지 않았습니다.

그런데 그달 말부터, 급하게 조사할 일이 생겨 제 귀가가 늦어지는 일이 있었습니다. 평상시에는 대개 7시까지는 돌아와서, 나오미와 함께 저녁을 먹었는데, 9시까지 회사에 남았다가 돌아가면 거의 11시가 넘었습니다. 그런 밤이 오륙일 계속될 예정이었는데, 딱 나흘째 되던 날의 일이었습니다.

그날 밤 저는 9시까지 걸릴 일이 빨리 끝나서 8시경에 회사를 나왔습니다. 언제나처럼 오이초에서 쇼센 전차로 요코하마에 가서, 기차를 갈아타고 가마쿠라에 내린 것은 10시가 되기 전이었을까요. 매일 밤이라고 해도 불과 사흘인가 나흘이었지만 요즘 계속해서 귀가가 늦는 날이 많았기 때문에, 저는 빨리 숙소로 돌아가 나오미의 얼굴을 보고, 느긋하게 저녁을 먹고 쉬고 싶어서 평소보다 마음이 급했기 때문에 정류장 앞에서 황실 별장 옆길을 인력거로 갔습니다.

한여름 더위 속에서 온종일 회사에서 일하고, 다시 기차에 흔들리면서 돌아오는 몸에는, 이 해안의 밤공기가 무어라 말할 수 없이 부드럽고 상쾌하게 느껴집니다. 그것은 그 밤에 한정된 것은 아니지만, 그 밤은 또 해 질 무렵 **쏴** 하고 한 번, 소나기가 내린 후였기 때문에 젖은 풀잎이나 이슬이 떨어지는 소나무 가지에서 조용히 오르는 수증기에서도 살며시 밀려오는 것 같은 차분한 향기가 느껴졌습니다. 곳곳에 밤눈에도 선명하게 물웅덩이가 빛나고 있었지만, 모랫길은 이미 먼지를 일으키지 않을 정도로 깨끗하게 말라서, 달리는 차부의 발소리가 벨벳 위를 밟는 듯 가볍게 **가만가만** 지면에 떨어져 갔습니다. 별장인 듯한 어느 집의 산울타리 안에서 축음기 소리가 들리거나, 가끔 한두 명씩 흰 바탕의 유카타를 입은 사람이 근처를 배회해 자못 피서지에 온 것 같은 기분이 들었습니다.

출입문에서 인력거를 돌려보내고, 저는 마당에서 별채의 툇마루 쪽으로 갔습니다. 제 구두 소리를 듣고 나오미가 재빨리 그 툇마루 장지문을 열고 나올 거라고 기대했는데, 장지 안은 불빛이 **환히** 켜져 있을 뿐, 그녀의 **기색**은 없었습니다.

"나오미 짱……."

제가 두세 번 불렀는데도 대답이 없어 툇마루에 올라 장지문을 열자, 방은 **텅** 비어 있었습니다. 수영복이니, 타월이니, 유카타 등이 벽과 맹장지, 도코노마* 여기저기에 걸려 있고, 찻잔, 재떨이, 방석 등이 널려 있는 방의 모습은 언제나처럼 난잡하고 어수선하게 어지럽혀 있었지만, 뭔가 조용하니 인기척 없음, 그것은 결코 **바로** 지금 집을 비운 것이 아닌 고요함이 거기에 있는 것을, 저는 연인 특유의 감각으로 느꼈습니다.

"어디에 간 거야? ……아마도 두세 시간 전부터……."

* 일본 건축에서, 객실인 다다미방의 정면에 바닥을 한 층 높여 만들어놓은 곳. 벽에는 족자를 걸고, 바닥에 도자기 꽃병 등을 장식해두는 곳.

그런데도 저는 변소를 들여다보기도 하고, 목욕탕을 살피기도 하고 또 확인을 위해 부엌에 내려가 개수대의 전등을 켜 보았습니다. 그때 제 눈에 뜨인 것은 누군가 열심히 먹고 마신 듯한 한 되들이 마사무네正宗*와 서양 요리의 잔해였습니다. 그렇다, 그러고 보니 재떨이에도 담배꽁초가 잔뜩 있었다. 여럿이 우르르 들이닥친 게 틀림없다…….

"아주머니, 나오미가 없는 것 같은데, 어디 나갔나요?"

저는 안채로 달려가서 우에소 주인아주머니에게 물었습니다.

"아, 아가씨 말인가요."

주인아주머니는 나오미를 '아가씨'라고 불렀습니다. 부부지만, 세상 사람들에게 단순한 동거자, 혹은 약혼자라는 식으로 보이고 싶어 했기 때문에, 그렇게 불리지 않으면 나오미는 기분 나빠했습니다.

"아가씨는 저, 저녁때 한 번 돌아와서 식사를 하시고 다시 여러 사람들과 외출하셨습니다."

"여러 사람이라 함은?"

"저……."

라고 말한 다음, 주인아주머니는 잠시 머뭇거리고 나서,

"그 구마가이 댁의 도련님과 여러 사람이 함께 있었는데……."

* 효고(兵庫)현 나다(灘)에서 생산되는 청주의 상품명. 우리나라에는 정종으로 알려짐.

저는 숙소의 주인아주머니가 구마가이의 이름을 알고 있을 뿐만 아니라 '구마가이 댁의 도련님' 따위로 그를 부르는 것도 이상했지만, 지금 그런 걸 물을 여유는 없었습니다.

"저녁때 한 번 돌아왔다면, 낮에도 모두와 함께였나요?"

"정오 지나 혼자 수영하러 가셨다가, 그다음에 구마가이 댁의 도련님과 함께 돌아오셨는데……."

"구마가이 군과 둘이서만?"

"네……."

저는 사실 아직 그때는 그렇게 당황하지 않았지만, 주인아주머니가 왠지 말하기 어려워하는 듯하고, 표정에 당혹해하는 빛이 더욱 역력히 나타나자 서서히 저는 불안해졌습니다. 저는 주인아주머니에게 속마음을 들키는 것이 싫다고 생각하면서도 제 어조는 성급해지지 않을 수 없었습니다.

"그럼 뭔가요, 여러 사람이 함께가 아니었나요!"

"네, 그때는 두 사람뿐이었고, 오늘은 호텔에 낮 댄스가 있다고 하시며 외출하셨는데요……."

"그리고?"

"그리고 저녁때, 여럿이서 돌아오셨어요."

"저녁밥은 모두 함께 집에서 먹었나요?"

"예, 그러니까 굉장히 떠들썩하게……."

그렇게 말하고 나서 주인아주머니는 제 눈빛을 알아차리고 쓴웃음을 지었습니다.

"저녁을 먹고 다시 나간 것은 몇 시쯤이었죠?"

"글쎄, 그게 여덟 시 경이었으니까……."

"그럼 벌써 두 시간이나 됐군."

저는 저도 모르게 소리 내어 말했습니다.

"그러면 호텔에 있나? 아주머니, 뭔가 들은 말 없나요?"

"잘은 모르겠지만, 별장에 있지 않을까요……."

과연, 그러고 보니 세키의 숙부님 별장이 오기가야쓰에 있다는 사실이 생각났습니다.

"아, 별장에 갔나요? 그럼 지금 제가 데리러 갈 건데 어디 부근에 있는지 아주머니는 알고 계시나요?"

"그러니까 바로 저기 하세 해안인데요……."

"허, 하세인가요? 저는 분명 오기가야쓰라고 들었는데요……. 그러니까 제 말은 오늘 밤에도 여기에 왔는지는 모르겠지만, 나오미 친구인 세키라는 남자의 숙부님 별장인데……."

제가 그렇게 말하자 주인아주머니의 얼굴에 **퍼뜩** 어렴풋이 놀라는 빛이 스치는 듯했습니다.

"그 별장과 다른가요……?"

"에, ……그러니까……."

"하세의 해안에 있는 것은 대체 누구의 별장인가요?"

"저기, 구마가이 씨 친척의……."

"구마가이 군의……?"

저는 갑자기 창백해졌습니다.

"정류장 쪽에서 하세 거리의 왼쪽으로 꺾어 가이힌 호텔 앞길을 똑바로 가보세요. 길은 자연스럽게 해안에 다다르지요.

그 변두리 모퉁이에 있는 오쿠보大久保 씨의 별장이, 구마가이 씨 친척 별장이에요."

주인아주머니는 그렇게 말했는데, 저는 완전히 처음 듣는 말이었습니다. 나오미도, 구마가이도, 지금까지 그런 말은 **내색**도 하지 않았습니다.

"그 별장에는 나오미가 가끔 가나요?"

"글쎄, 어떨까요……?"

그렇게는 말했지만 그 주인아주머니의 주뼛주뼛 침착하지 못한 거동을 저는 놓치지 않았습니다.

"물론 오늘 밤이 처음은 아니겠지요?"

저는 저절로 숨이 막히고 목소리가 떨리는 것을 어쩔 도리가 없었습니다. 제 서슬에 두려움을 느꼈는지, 주인아주머니의 얼굴도 창백해졌습니다.

"아니, 폐는 끼치지 않을 테니, 개의치 말고 말씀해주세요. 어젯밤은 어땠나요? 어젯밤에도 나갔나요?"

"예. ……어젯밤에도 외출하신 것 같은데……."

"그럼, 그젯밤은?"

"네."

"역시 나갔군요?"

"네."

"그 전날 밤은?"

"네, 그 전날 밤도……."

"제 귀가가 늦어지고 나서 매일 밤 계속 그렇군요?"

"네, ……확실히 기억나진 않지만……."

"그래서 늘 대체로 몇 시 경에 돌아오나요?"

"대체로 그러니까, ……열한 시 좀 전 쯤에는……."

그렇다면 처음부터 둘은 나를 속이고 있었던 거다! 그래서 나오미는 가마쿠라에 오고 싶었던 거다! ―제 머리는 폭풍처럼 회전하기 시작해, 제 기억은 대단한 속도로 요전의 나오미의 언동을 하나도 남김없이 마음 밑바닥에 비추었습니다. 일순간 저를 둘러싼 **계략**의 실이 놀랄 정도로 명료하게 나타났습니다. 거기에는 거의 저 같은 단순한 인간에게는 도저히 상상도 할 수 없었던 이중 삼중의 거짓말이 있고, 만일을 위한 계획이 있으며 게다가 얼마나 많은 녀석들이 그 음모에 가담하고 있는지 알 수 없을 정도로, 그것은 복잡하게 생각되었습니다. 저는 갑자기 평평하고 안전한 지면에서 **쿵** 깊은 함정에 떨어져, 구멍 바닥에서 높은 곳을 깔깔 웃으며 지나가고 있는 나오미와 구마가이, 하마다와 세키, 그 외의 무수한 그림자를 부러운 듯 바라보고 있었습니다.

"아주머니, 저는 지금 나갈 건데 혹시 길이 엇갈려 돌아와도 제가 돌아왔다는 사실은 부디 말하지 말아주세요, 제가 생각이 있으니까요."

그렇게 말을 내뱉고 저는 밖으로 뛰어나갔습니다.

가이힌 호텔 앞으로 나와 가르쳐준 길을 되도록 어두운 그늘을 골라가면서 따라갔습니다. 거기는 양쪽에 커다란 별장이 늘어서 있는 조용하고 밤에는 사람의 왕래가 적은 거리로,

다행히 그리 밝지는 않았습니다. 어느 집 문의 전등 빛 아래서 저는 시계를 꺼내보았습니다. 10시가 막 지난 참이었습니다. 그 오쿠보 별장이라는 곳에 구마가이와 둘이서 있는 걸까, 아니면 예의 패거리들과 떠들고 있는 걸까, 하여간 현장을 알아내고 싶다. 혹시 가능하다면 그들이 알아채지 못하게 몰래 증거를 손에 넣어 나중에 그들이 어떤 뻔한 거짓말을 하는지 시험해보고 싶다. 그리고 꼼짝 못 하게 해놓고 혼내주고 싶었기 때문에, 저는 발걸음을 서둘렀습니다.

목적한 집은 바로 알 수 있었습니다. 저는 잠시 그 앞길을 오가다가 집 안을 살폈지만 훌륭한 돌문 안에는 울창한 초목이 있고, 그 초목 사이를 뚫고 가면 더 깊숙이 들어간 현관 쪽에 자갈을 깐 길이 있고, '오쿠보 별저'라고 쓴 오래된 문패 글자도 그렇고, 넓은 정원을 둘러싼 이끼 낀 돌담도 그렇고, 별장이라고 하기보다는 오래된 저택의 느낌으로, 이런 곳에 이런 으리으리한 저택을 가진 구마가이의 친척이 있다는 건 생각하면 생각할수록 의외였습니다.

저는 가급적 자갈에 발소리가 나지 않도록, 문 안으로 숨어들어 갔습니다. 수목이 꽤 많이 우거져 있어 길에서는 별채의 상황은 잘 알 수 없었지만, 가까이 가보니 기묘하게도 현관도 뒷문도 2층도 아래층도 거기서 보이는 방이란 방은 모두 쥐죽은 듯 조용하고 문이 닫혀 있으며 어두웠습니다.

'그렇다면 뒤쪽에라도 구마가이의 방이 있지 않을까.'

저는 그렇게 생각하고 다시 발소리를 죽이면서 별채를 따라 뒤쪽으로 돌아갔습니다. 그러자 과연 2층의 방 하나와 그 아래 부엌문에 불이 켜져 있었습니다.

그 2층이 구마가이의 방이라는 걸 한눈에 알 수 있었습니다. 왜냐하면 툇마루를 보니 예의 플랫 만돌린이 난간에 기대어 있을 뿐만 아니라, 방 안에는 분명 전에 본 적 있는 밀짚모자가 기둥에 걸려 있었기 때문입니다. 하지만 장지문이 활짝 열려 있는데도 말소리 하나 흘러나오지 않으니, 지금 그 방에는 아무도 없는 것이 분명했습니다.

그러고 보니 부엌문도 지금 막 누가 거기서 나온 듯, 역시 활짝 열려 있었습니다. 제 주의는 부엌문에서 지면을 비치고 있는 희미한 불빛을 따라, 불과 3~4미터 앞에 뒷문이 있는 것을 발견했습니다. 문은 문짝이 달려 있지 않은 낡은 두 개의 나무 기둥으로 기둥과 기둥 사이로 유이가하마에 부서지는 파도가 어둠 속에서 선명한 하얀 선으로 보였고 강한 바다 냄새가 훅 끼쳐왔습니다.

'분명 여기서 나갔군.'

그리고 뒷문에서 해안으로 나가자마자 의심할 여지 없는 나오미의 목소리가 바로 근처에서 들렸습니다. 그 소리가 지금까지 들리지 않았던 것은 아마도 바람의 영향 등이었을 테지요.

"잠깐! 구두 안에 모래가 들어가서 못 걷겠어. 누가 이 모래를 빼주지 않을래? ……**마 짱**, 너, 구두 좀 벗겨!"

"싫어. 난 네 노예가 아니야."

"그런 말 하면 이제 귀여워해주지 않을 거야. ……어머? 하마 씨는 친절해, ……고마워, 고마워, 하마 씨가 최고야. 난 하마 씨가 제일 좋아."

"젠장! 사람 좋다고 바보 취급하지 마."

"아, 앗하하하하! 어머 싫어, 하마 씨. 그렇게 발바닥을 간질이면!"

"간지럽히는 거 아니야. 이렇게 모래가 붙어 있어서 털어주는 거 잖아."

"내친김에 그걸 핥으면 파파가 되는 거야."

그렇게 말한 것은 세키였습니다. 이어서 **와** 하고 네다섯 남자의 웃는 소리가 났습니다.

마침 제가 서 있는 곳에서 사구가 완만하게 내리막길을 이룬 근처에 갈대발로 둘러친 찻집이 있고, 목소리는 그 찻집에서 들려옵니다. 저와 찻집과의 간격은 9미터도 떨어져 있지 않았습니다. 아직 회사에서 돌아온 그대로의 갈색 알파카* 양복을 입고 있던 저는, 상의 깃을 세우고 앞 단추를 전부 채워서 깃과 와이셔츠가 눈에 띄이지 않도록 하고, 밀짚모자를 겨드랑이에 감췄습니다. 그리고 몸을 구부려 기듯이 하면서, 찻집 뒤 우물 그늘에 **재빨리** 달려갔는데, 순간 그들은,

"자, 이제 됐어, 이번엔 저쪽에 가보자."

라고 나오미가 앞장서서 주장하자, 줄줄이 나왔습니다.

* 낙타과에 속하는 포유류로 남아메리카에서 주로 모직물 원료를 목적으로 사육되는 가축.

그들은 나를 알아차리지 못하고, 찻집 앞에서 물가로 내려 갔습니다. 하마다와 구마가이, 세키와 나카무라, -네 남자는 유카타 차림이었고, 그 한 가운데 끼어 있는 나오미는 검은 망토를 걸치고 굽이 높은 구두를 신고 있는 것만을 알 수 있었습니다. 그녀는 가마쿠라 숙소에 망토와 구두를 가지고 오지 않았으니 그것은 누군가에게 빌린 물건이 분명합니다. 바람이 불자 망토 자락이 펄럭펄럭 젖혀질 것 같습니다. 그것을 안쪽에서 두 손으로 단단히 몸에 휘감고 있는 듯 걸을 때마다 망토 안에서 커다란 엉덩이가 둥글고 **볼록하게** 움직입니다. 그리고 그녀는 주정뱅이 같은 걸음으로, 양어깨를 좌우의 남자들에게 부딪히면서 일부러 비틀거리며 갔습니다.

그때까지 몸을 움츠리고 가만히 숨을 죽이고 있던 저는 그들과의 거리가 50미터 정도 떨어져, 하얀 유카타가 멀리서 겨우 언뜻언뜻 보일 무렵, 비로소 일어서서 살짝 그 뒤를 쫓아 갔습니다. 처음 그들은 해안을 똑바로 자이모쿠자材木座* 쪽으로 가나 싶었는데, 도중에 점점 왼쪽으로 돌아 거리 쪽으로 나가는 모래 언덕을 넘은 듯했습니다. 그들의 모습이 그 모래 언덕 너머로 완전히 사라져버리자, 저는 급히 전속력으로 모래 언덕을 뛰어오르기 시작했습니다. 왜냐하면 저는 그들이 나올 길이 솔밭이 많아 몸을 숨기기에 안성맞춤인 그늘이 있는 어두운 별장 거리인 것을 알고 있었기에, 거기라면 더 가

* 가마쿠라 해안의 서쪽 반을 유이가하마라고 부르는 것에 대해서, 동쪽 반을 말한다.

까이 가도 아마 그들에게 발각될 우려는 없다고 생각했기 때문입니다.

내려오자 즉시, 그들의 명랑한 노랫소리가 귓전을 때렸습니다. 그도 그럴 것이, 그들은 불과 대여섯 걸음도 떨어지지 않은 곳을 합창을 하면서 박자를 맞춰 나아가고 있습니다.

Just before the battle, mother,

I am thinking most of you,*

그것은 나오미가 입버릇처럼 부르는 노래였습니다. 구마가이는 앞에 서서 지휘를 하는 것 같은 손짓을 하고 있습니다. 나오미는 역시 이쪽으로 비틀비틀, 저쪽으로 비틀비틀 어깨를 부딪치며 걷고 있습니다. 그러자 부딪힌 남자도 보트라도 젓는 것처럼 함께 이쪽 끝에서 저쪽 끝으로 비틀거리며 갑니다.

"영차! 영차! ……영자! 영차!"

"어머, 뭐야! 그렇게 밀면 벽에 부딪히잖아."

딱딱딱, 하고 누군가 벽을 스틱으로 친 모양입니다. 나오미가 깔깔 웃었습니다.

"자, 이번엔 호니카 우와, 우이키, 우이키**야!"

"좋아! 이번엔 하와이 엉덩이 댄스다, 모두 노래하면서 궁둥이를 흔든다!"

* 조지 프레더릭 루트(1820~1895)가 지은 노래. 'Just before the battle, mother'의 모두 부분. 내용은 1차 대전 전장에서 적과 마주해 죽음을 각오하면서, 병사가 사랑하는 어머니를 생각하는 것으로 대전 중에 히트했다.

** 조니 노블이 지은 노래 〈Beach on Waikiki〉의 첫 부분. '호니카 우와'는 '호니, 카우와'가 맞음.

호니카, 우와, 우이키, 우이키! 스위트 브라운 메이든 세드 투 미*……그리고 그들은 동시에 엉덩이를 흔들기 시작했습니다.

"아하하하하, **궁둥이** 흔드는 건 세키 씨가 제일이야."

"그야, 그렇지. 난 이래 뵈도 엄청 연구했다고."

"어디서?"

"우에노 평화박람회**에서. 왜, 만국관에서 토인이 추고 있었잖아? 거길 열흘이나 다녔어."

"바보구나, 넌."

"너도 차라리 만국관에 나오지. 네 면상이라면 분명 토인에게 지지 않을 테니까."

"이봐, **마 짱** 지금 몇 시일까?"

그렇게 말한 것은 하마다였습니다. 하마다는 술을 마시지 않기 때문에 가장 제일 제정신인 것 같았습니다.

"글쎄, 몇 시일까? 누구 시계 가진 사람 없어?"

"응, 가지고 있어."

나카무라가 말하고 성냥을 그었습니다.

"벌써 열 시 이십 분이야."

"괜찮아. 열한 시가 되지 않으면 파파는 돌아오지 않아. 지

* 'Honi kaua wikiwiki sweet brown maiden said to me' 호니 카우와 우이키 우이키(하와이어로 '빨리 키스해'라는 뜻) 다갈색 피부의 귀여운 아가씨가 내게 말했다.

** 제1차 세계대전 종결을 축하해 1922년 3월 10일부터 7월 31일까지, 우에노에서 개최된 평화기념 도쿄 박람회. 입장 총수는 천백만 명에 이르렀다.

금부터 획 하세 거리를 한 바퀴 돌고 가자고. 나, 이 **차림**으로 번화한 곳을 걸어보고 싶어."

"찬성, 찬성!"

세키는 커다란 목소리로 외쳤습니다.

"근데 이런 차림으로 걸으면 대체 뭐로 보일까?"

"어떻게 봐도 여단장*이지."

"내가 여단장이면 모두 내 부하네."

"시라나미白波 4인조**잖아."

"그럼 난 벤텐 고조弁天小僧***야."

"그럼, 여단장 가와이 나오미는……."

라고, 구마가이가 영화 변사의 어조로 말했습니다.

"……야음을 틈타, 검은 망토에 몸을 감싸고……."

"우후후후, 그만해. 그런 야비한 목소리를 내는 건!"

"……네 명의 악한을 이끌고, 유이가하마의 해변에서……."

"그만해 **마 짱**! 그만두지 않으면!"

찰싹 나오미가 손바닥으로 구마가이의 뺨을 때렸습니다.

"아 아파. ……야비한 목소리는 원래 내 목소리야. 난 나니와부시浪花節****꾼이 되지 못한 게 천추의 한이야."

* 악인 집단의 여자 두목.

** 가부키 〈아오토조시 하나노 니시키에(砥稿花紅彩)〉의 통칭이 〈시라나미 5인조(白波伍人男)〉인데, 이를 네 명으로 바꾼 것. 시라나미는 도적이라는 뜻.

*** 〈시라나미 5인조〉중 한 명. 여장을 하고 공갈 협박, 사기 등 각종 악행을 한 끝에 할복자살함.

**** 에도 시대 후기에 거의 형성되어 메이지 시대(1868~1912)에 크게 발전한 대중 예능의 한 가지. 샤미센 반주로 주로 의리 인정을 주제로 하는 창.

"하지만 메리 픽퍼드는 여단장에 어울리지 않아."

"그럼 누구야? 프리실라 딘*?"

"응 그래, 프리실라 딘이야."

"라, 라, 라, 라"

하마다는 다시 댄스 뮤직을 노래하며 춤추기 시작한 때였습니다. 저는 그가 스텝을 밟으며 문득 뒤로 돌아설 것 같아서, 잽싸게 나무 그늘에 숨었지만, 동시에 하마다의 '앗' 하는 소리가 들렸습니다.

"누구? -가와이 씨가 아닙니까?"

모두 갑자기 조용히 잠자코 선 채 어둠 속에서 제 쪽을 돌아보았습니다. '아뿔싸'라고 생각했지만 이미 늦었습니다.

"파파? 파파 아니야? 뭐 하고 있어, 그런 곳에서? 이쪽으로 와."

나오미는 갑자기 성큼성큼 제 앞에 와서, 확 망토를 벌리자마자 팔을 뻗어 제 어깨에 올렸습니다. 보니 그녀는 망토 아래 실오라기 하나 걸치지 않았습니다.

"뭐야, 너! 내게 창피를 주다니! 창녀! 갈보! 매춘부!"

"오호호호호."

그 웃음소리에서는 술 냄새가 확 풍겼습니다. 저는 지금까지 그녀가 술을 마시는 걸 한 번도 본 적이 없었습니다.

* (1896~1987) 헐리우드 여배우. 눈이 치켜 올라간 특이한 용모로, 악녀역이나 액션 영화에서 활약했다.

16

나오미가 저를 속이던 **계략**의 일부분은 그 밤과 그다음 날 이틀에 걸쳐 고집 센 그녀의 입을 통해 겨우 들을 수 있었습니다.

제 짐작대로 그녀가 가마쿠라에 오고 싶어 한 건 역시 구마가이와 **놀고** 싶었기 때문이었다고 합니다. 오기가야쓰에 세키의 친척이 있다는 것은 새빨간 거짓말로, 하세의 오쿠보 별장이야말로, 구마가이의 숙부네 집이었습니다. 아니, 그뿐만이 아니라 제가 지금 빌린 별채도 실은 구마가이의 주선에 의해서였습니다. 이 정원수 파는 집은 오쿠보 저택에 단골로 출입하는 집이었기 때문에, 구마가이가 담판을 해 어떻게 이야기를 정리했는지, 전에 있던 사람을 내보내고 거기에 우리를 살도록 한 것이었습니다. 말할 것도 없이 그것은 나오미와 구마가이가 상의해 한 일로, 스기사키 여사의 알선이라든가 도요 석유 중역 운운은 완전히 나오미의 거짓말에 지나지 않았습니다. 그리하여 그녀는 혼자서 척척 일을 진행했던 것입니다. 우에소 주인아주머니의 이야기에 의하면 그녀가 처음

사전 조사를 하러 왔을 때는 구마가이 '도련님'과 함께 와 마치 '도련님'의 일가 사람인 양 굴었을 뿐만 아니라, 전부터 그렇게 말해놔서 어쩔 수 없이 전 손님을 내보내고 방을 비워주었다는 것이었습니다.

"아주머니, 정말 엉뚱한 일로 폐를 끼쳐 죄송합니다만, 부디 아주머니께서 알고 계시는 사실을 제게 말씀해주지 않으시겠어요? 무슨 일이 있어도 아주머니의 이름을 꺼내지 않을 테니까요. 저는 결코 이 일에 대해서, 구마가이와 담판 지을 생각이 아니에요. 사실을 알고 싶을 뿐이에요."

저는 다음 날, 지금까지 쉰 적 없는 회사를 쉬고 말았습니다. 그리고 엄중히 나오미를 감시하고 "방에서 한 발짝도 나가면 안 돼"라고 단단히 이른 뒤, 그녀의 의류, 신발, 지갑을 모두 정리해 안채로 옮기고, 안채의 한 방에서 주인아주머니를 심문했습니다.

"네, 늘 그랬어요. 도련님이 오시기도 하고, 아가씨가 나가시기도 하고……."

"오쿠보 씨의 별장에는 대체 누가 있나요?"

"올해는 모두가 본가로 가셨고, 가끔 오시기는 하지만, 항상 대부분은 구마가이 댁의 도련님이 혼자 계셨어요."

"그럼 저, 구마가이 군의 친구들은 어땠나요? 그 패거리도 이따금 왔나요?"

"네, **이따금** 오셨어요."

"그건, 구마가이 군이 데리고 왔나요. 각자 마음대로 왔나요?"

"글쎄요."

라고 말하고, 이것은 제가 나중에 알아차린 사실인데, 그때 주인아주머니는 몹시 곤란한 모습이었습니다.

"……각자 오시기도 하고, 도련님과 같이 오시기도 하고, 여러 가지였던 것 같은데요……."

"누군가, 구마가이 군 이외에도 혼자 온 사람이 있었나요?"

"하마다 씨라는 분이랑 그리고 다른 분들도 혼자 오신 적이 있다고 생각하는데요……."

"그럼 그럴 때는 어딘가 데리고 나가나요?"

"아니요. 대부분 집에서 이야기를 나누셨어요."

저는 가장 이해할 수 없는 것은 이 일이었습니다. 나오미와 구마가이가 수상한 관계라고 하면 왜 방해가 되는 패거리를 끌어들이는 걸까? 그들 중 한 명이 찾아오기도 하고, 나오미가 그 사람과 이야기를 나누는 건 왜일까? 그들이 모두 나오미를 노린다면 왜 싸움이 일어나지 않는 것일까? 어젯밤도 그렇게 네 남자가 사이좋게 장난치고 있지 않았나? 그렇게 생각하자 저는 다시 알 수 없게 되어, 과연 나오미와 구마가이가 수상한지 아닌지조차 의문이 생겼습니다.

하지만 나오미는 이 이야기만 나오면 쉽게 입을 열지 않았습니다. 나오미는 특별히 깊은 생각이 있었던 게 아니다, 그저 많은 친구들과 떠들고 싶었던 거다, 라고 어디까지나 그렇게 주장했습니다. 그럼 무엇 때문에 그렇게까지 음험하게 저를

속였냐고 하니,

"왜냐면 파파가 그 사람들을 의심해서 쓸데없는 걱정을 하니까."

라고 했습니다.

"그럼, 세키의 친척 별장이 있다고 한 건 왜 그런 거야? 세키와 구마가이는 어떻게 다른 거야?"

그렇게 묻자 나오미는 **갑자기** 대답에 궁한 듯했습니다. 그녀는 갑자기 고개를 숙이더니 말없이 입술을 깨물면서 눈을 치켜뜨고 구멍이 뚫릴 정도로 제 얼굴을 노려보았습니다.

"**마 짱**이 가장 의심받고 있잖아. 세키 씨로 해두는 편이 그나마 낫다고 생각했어."

"**마 짱**이라고 부르는 거 그만둬! 구마가이라는 이름이 있으니까!"

참고 참던 저는 마침내 폭발했습니다. 저는 그녀가 '마 짱'이라고 부르는 것을 들으면 **신물**이 날 정도로 싫었습니다.

"이봐! 넌 구마가이랑 관계가 있었지? 사실대로 말해!"

"관계 같은 거 없어. 그렇게 날 의심하다니 증거라도 있어?"

"증거가 없어도 난 다 알아."

"어떻게? 어떻게 알아?"

나오미의 태도는 무서울 정도로 침착했습니다. 그 입가에는 밉살스러운 엷은 웃음조차 띠고 있었습니다.

"어젯밤의 그 꼴은, 그건 뭐야? 넌 그런 꼴을 하고도 결백하다고 말할 생각이야?"

"그건 모두가 나를 억지로 취하게 해서, 그런 꼴로 만든 거야. 그냥 그렇게 하고 밖을 걸어 다녔을 뿐이잖아."

"좋아! 그럼 어디까지나 결백하다는 말이구나?"

"그래, 결백해."

"넌 그걸 맹세하고!"

"그래, 맹세해."

"좋아! 그 한마디를 잊지 말고 있어! 난 네가 하는 말 같은 거, 이제 한마디도 신용하지 않으니까."

그걸로 저는 그녀와 말을 하지 않았습니다.

저는 그녀가 구마가이에게 연락을 하는 것을 두려워해, 편지지, 봉투, 잉크, 연필, 만년필, 우표, 일체의 것을 압수하고 그것을 그녀의 짐과 함께 우에소의 주인아주머니에게 맡겼습니다. 그리고 제가 없는 동안에도 결코 외출하지 못하도록, 오글오글 잔주름이 있는 빨간 가운 한 장을 입혔습니다. 그리고 저는 사흘 째 아침, 회사에 가는 차림으로 가마쿠라를 나왔지만, 어떻게 하면 증거를 잡을 수 있을지, 기차 안에서 생각하고 생각한 끝에, 일단은 이미 한 달째 비워둔 오모리의 집에 가보기로 결심했습니다. 만약 구마가이와 관계가 있다면 물론 여름부터 시작된 일은 아닐 겁니다. 오모리에 가서 나오미의 소지품을 검사해보면, 편지 같은 게 나오지 않을까 싶었기 때문입니다.

그날은 평소보다 기차가 늦어 모리 집 앞에 도착했을 시간은 대충 10시 무렵이었습니다. 저는 정면의 포치에 올라가 열쇠로 문을 열고 아틀리에를 지나 그녀의 방을 살피기 위해 다락방으로 올라갔습니다. 그리고 다락방문 열고 한 발을 안으로 내디딘 순간, 저는 저도 모르게 '앗' 하고는, 말문이 막힌 채 멈춰 서고 말았습니다. 거기에는 하마다가 홀로 **쓸쓸이** 누워 있는 것이 아닙니까!

하마다는 제가 들어가자 갑자기 얼굴을 붉히며,

"아."

하고 말하며 일어났습니다.

"아."

그렇게 말한 채 두 사람은 잠시 상대의 속마음을 읽으려는 눈빛으로 눈싸움을 했습니다.

"하마다 군, ……자네는 어째서 이런 곳에……?"

하마다는 입을 우물거리며 뭔가 말할 듯했지만, 역시 잠자코 제 앞에 동정을 구걸하는 것처럼 고개를 떨구었습니다.

"저기, 하마다 군, ……당신은 언제부터 여기에 있었나요?"

"저는 지금 막, ……지금 막 왔습니다."

이제 아무리 해도 도망갈 수 없다고 각오를 정한 듯, 이번에는 분명히 그렇게 말했습니다.

"하지만 이 집은, 문단속이 되어 있잖아요, 어디로 들어왔나요?"

"뒷문으로."

"뒷문도 자물쇠가 채워져 있었을 텐데……."

"네, 저는 열쇠를 가지고 있어요."

그렇게 말한 하마다의 목소리는 들리지 않을 정도로 작았습니다.

"열쇠를? 어째서 당신이?"

"나오미 씨에게 받았어요. 그렇게 말하면 제가 왜 여기에 왔는지 대강 당신은 짐작하셨을 텐데요……."

하마다는 조용히 얼굴을 들고, 기가 막혀 멍하게 있는 제 얼굴을 정면으로, 그리고 눈부신 듯이 물그러미 바라보았습니다. 그 표정에는 **막상** 일이 일어나자 정직한 신사다운 기품이 있었고, 평소의 불량소년 같은 그가 아니었습니다.

"가와이 씨, 저는 당신이 오늘 갑자기 여기에 오신 이유도 상상이 가지 않는 것은 아니에요. 저는 당신을 속이고 있었어요. 거기에 대해서는 비록 어떤 제재라도 달게 받을 생각이에요. 지금에 와서 이런 말을 하는 건 이상하지만, 저는 진작부터…… 당신에게 이런 모습을 들키지 않더라도, 한 번 제 죄를 털어놓을 생각이었어요……."

그렇게 말하는 하마다의 눈에서 눈물이 가득 고이고 그것이 뚝뚝 뺨을 타고 흘렀습니다. 모든 것이 완전히 제 예상과 달랐습니다. 저는 잠자코 눈을 깜박거리면서 그 광경을 바라보았습니다. 그의 고백을 일단 신용한다고 해도 아직 제겐 납득이 가지 않는 일투성이였습니다.

"가와이 씨, 부디 저를 용서한다고 말해주시지 않겠어요……?"

"하지만, 하마다 군, 난 아직 잘 모르겠어요. 당신은 나오미에게 열쇠를 받아, 여기에 뭘 하러 왔나요?"

"여기서, ……여기서 오늘 ……나오미 씨와 만날 약속이었어요."

"뭐? 나오미랑 여기서 만날 약속?"

"네, 그래요. ……그것도 오늘만이 아니에요. 지금까지 몇 번이나 그렇게 했어요……."

계속 들어보니, 저희가 가마쿠라로 옮기고 나서, 그와 나오미는 여기서 세 번이나 밀회를 했다는 겁니다. 즉 나오미는 제가 회사에 간 뒤에, 기차 한 대나 두 대 늦게, 오모리에 왔다는 겁니다. 언제나 대개 10시 전후에 와서 11시 반에는 돌아갔습니다. 그래서 가마쿠라에 도착하면 늦어도 오후 1시 무렵이었기 때문에, 그녀가 설마 그동안 오모리까지 다녀왔다고는, 숙소 사람들도 눈치채지 못했습니다. 그리고 하마다는, 오늘 아침도 10시에 만날 계획이었기 때문에, 아까 올라온 저를, 분명 나오미가 온 거라고만 생각했다고, 그렇게 그는 말했습니다.

이 놀랄 만한 고백에 대해서, 처음에 제 가슴을 가득 채운 것은 그저 망연한 느낌 외에는 없었습니다. 벌려진 입이 닫히지 않는다, -이렇게도 저렇게도 말이 되지 않는다, -사실 그런 기분이었습니다. 미리 말해두지만 저는 그때 서른두 살이고, 나오미의 나이는 열아홉이었습니다. 열아홉 아가씨가 이처럼 대담하게, 이처럼 교활하게, 나를 속이고 있었다니! 나오미가 그런 무서운 소녀라고는 지금까지 아니, 지금에 와서도 아직 생각할 수 없을 정도입니다.

"당신과 나오미는 대체 언제부터 그런 관계가 되었나요?"

하마다를 용서하고 말고는 그다음 문제이고, 저는 하나에서 열까지 사실의 진상을 알고 싶다는 욕구에 불탔습니다.

"그건 꽤 오래전부터예요. 아마도 당신이 저를 알지 못하던 무렵……."

"그럼, 언젠가 당신과 처음 만난 적이 있었지요. -그게 작년 가을이었죠. 내가 회사에서 돌아왔을 때 화단 근처에서 당신이 서서 나오미와 이야기를 하고 있던 게?"

"네, 그래요. 그럭저럭 딱 1년이 됐네요."

"그럼, 이미 그 무렵부터?"

"아니, 그보다 훨씬 전부터예요. 저는 작년 3월부터 피아노를 배우러 스기사키 여사 댁에 다니기 시작했는데, 거기서 처음 나오미 씨를 알았어요. 그리고 얼마 지나지 않아, 아마 석 달 정도 지나고 나서."

"그 무렵에는 어디서 만났나요?"

"역시 여기, 오모리 집이었어요. 오전 중에는 나오미 씨가 아무 데도 배우러 가지 않고 혼자 심심해서 죽겠으니까 놀러 오라고 해서 처음에는 그럴 생각으로 찾아왔어요."

"흠, 그럼, 나오미가 놀러 오라고 한 거군요?"

"네, 그랬어요. 게다가 저는 당신이라는 존재가 있는 것을 전혀 몰랐어요. 자신의 고향은 시골이어서, 오모리 친척 집에 와 있는 거고, 당신과는 사촌 간이라고 나오미 씨가 말했어요. 그게 그렇지 않다고 안 것은 당신이 처음 엘도라도 댄스에 오셨을 때였어요. 하지만 전, ……이미 그때는 어찌할 도리가 없게 되어 있었어요."

"나오미가 올여름, 가마쿠라에 가고 싶어 한 것은 당신과 의논한 결과가 아닌가요?"

"아니요, 그건 제가 아니에요, 나오미 씨에게 가마쿠라에 갈 것을 권한 것은 구마가이예요."

하마다는 그렇게 말하고, 갑자기 한층 어조를 세게 하여,

"가와이 씨, 속은 것은 당신만이 아니에요! 저도 역시 속고 있었어요!"

"……그럼 나오미는 구마가이 군과도……?"

"그래요, 지금 나오미 씨를 가장 마음대로 주무르고 있는 남자는 구마가이에요. 저는 나오미 씨가 구마가이를 좋아한다는 것을 벌써부터 어렴풋이 눈치채고 있었어요. 하지만 한편으로 저와 관계하면서 설마 구마가이와 그렇게 되어 있으리라고는 꿈에도 생각하지 않았어요. 게다가 나오미 씨는 자신은 단지 남자친구와 천진난만하게 떠드는 게 좋다, 그 이상은 아무것도 아니다 라고 하기에, 그런가 싶어……."

"아아."

라고 저는 한숨을 쉬면서 말했습니다.

"그게 나오미의 수법이에요. 저도 그런 말을 들어서, 그걸 믿고 있었어요. ……그래서 당신은 구마가이와 그렇게 된 것을 언제 알았나요?"

"그건 저, 비가 오던 밤에 여기서 뒤엉켜 잔 일이 있었잖아요. 그 밤 저는 알아챘어요. ……그 밤, 저는 당신을 진심으로 동정했어요. 그때 두 사람의 뻔뻔스러운 태도는 아무리 봐도 **단순한** 관계는 아니라고 생각했으니까요. 저는 제가 질투하면 질투할수록 당신의 기분을 헤아릴 수 있었어요."

"그럼, 그 밤 당신이 알아챘다고 하는 건, 둘의 태도로 미루어 짐작해 상상했을 뿐이라는……."

"아니요, 그렇지 않아요. 그 추측을 확인한 일이 있었어요. 새벽녘, 당신은 주무시고 계셔서 몰랐겠지만, 저는 잠들지 않았기 때문에, 두 사람이 키스하는 장면을 꾸벅꾸벅 졸면서 봤어요."

"나오미는 당신에게 들킨 것을 알고 있을까요?"

"네, 알고 있어요. 저는 그 후 나오미 씨에게 말했어요. 그리고 부디 구마가이와 손을 끊어달라고 했어요. 저는 **장난감** 취급받는 건 싫다, 이렇게 된 이상 나오미 씨와 결혼해야만……"

"결혼해야만……?"

"네, 그랬어요. 저는 당신에게 둘의 사랑을 털어놓고, 나오미 씨를 제 아내로 삼을 생각이었어요. 당신은 사리를 분별할 줄 아는 분이니까. 제 괴로운 심정을 이야기하면 분명히 들어줄 거라고 나오미 씨가 말했어요. 사실은 어떤지 모르겠지만, 나오미 씨의 말에 의하면, 당신은 나오미 씨에게 학문을 가르치려고 양육한 것뿐으로, 동거는 하고 있지만, 부부가 되어야만 한다는 약속을 한 것도 아니고 게다가 당신과 나오미 씨와는 나이 차이도 크게 나서, 결혼해도 행복하게 살 수 있을지 어떨지 모른다고……."

"그런 말을, ……그런 말을 나오미가 했군요?"

"네, 했어요. 조만간 당신에게 말해서, 저와 부부가 되도록 할 테니까 조금 더 기다려 달라고, 몇 번이고 몇 번이고 제게 굳은 약속을 했어요. 그리고 구마가이와는 손을 끊겠다고 했어요. 하지만 모두 거짓말이었어요. 나오미 씨는 처음부터 저와 부부가 될 생각 따위는 전혀 없었어요."

"나오미는 그럼, 구마가이 군과도 그런 약속을 했을까요?"

"글쎄, 그건 잘 모르겠지만, 아마도 그렇지 않을까 싶어요. 나오미 씨는 쉽게 싫증을 내는 **성격**이고, 구마가이도 어차피 진심이 아니에요. 그 남자는 저보다도 훨씬 교활하니까요……."

신기하게도, 저는 처음부터 하마다를 미워하는 마음은 없었는데, 이런 이야기를 들으니 오히려 동병상련이라는 마음이 들었습니다. 그리고 그만큼 더 구마가이가 미워졌습니다. 구마가이야말로 두 사람의 공동의 적이라는 생각을 강하게 품었습니다.

"하마다 군, 뭐 하여간 이런 곳에서 얘기하고 있을 수도 없으니까 어디에서 밥이라도 먹으면서 천천히 이야기하지 않겠어요? 아직 듣고 싶은 것이 많이 있으니까."

그래서 저는 그를 데리고 양식집은 듣는 귀가 많아 형편이 좋지 않으므로, 오모리 해안의 고급 일본 요리점 '마쓰아사松淺*'에 갔습니다.

"그럼 가와이 씨도 오늘은 회사를 쉬나요?"

라고, 하마다도 전의 흥분된 어조가 아니라, 어느 정도 무거운 짐을 내려놓은 듯한 허물없는 어조로 가는 도중 그런 식으로 말을 걸었습니다.

"네, 어제도 쉬었어요. 회사도 요즘은 또 몹시 바빠서, 나가지 않으면 안 되는데, 그제부터 머리가 **뒤죽박죽**이어서, 도저히 그럴 기분이 나지 않아서……."

"나오미 씨는 당신이 오늘 오모리에 오신다는 사실을 알고 있을까요?"

"난 어제는 온종일 집에 있었지만, 오늘은 회사에 간다고 말하고 왔어요. 그런 여자이니, 어쩌면 눈치챘을지도 모르지만, 설마 오모리에 올 거라고는 생각하지 않겠지요. 저는 녀석의 방을 뒤지면 러브레터라도 있지 않을까 싶어서, 그래서 갑자기 들른 거예요."

"아, 그래요. 저는 그게 아니라 저를 잡으러 온 거라고 생각했어요. 그렇다면 나중에 나오미 씨가 오지 않을까요?"

"아니, 괜찮아요. 저는 집을 나오면서, 옷도 지갑도 압수해 버려 한 발짝도 밖으로 나오지 못하게 하고 왔어요. 그 **차림**이라면 문간조차도 나올 수 없을 겁니다."

* 오모리 해안에 지금도 있는 마쓰아사 여관.

"허, 어떤 **차림**을 하고 있나요?"

"왜, 당신도 아는 그 오글오글 잔주름이 있는 복숭아색 가운 있죠?"

"아, 그것 말인가요?"

"그거 한 장 입고 얇은 띠 하나 매지 않았으니까 괜찮아요. 이를테면 맹수가 우리에 갇힌 거나 다름없죠."

"하지만 조금 전 거기에 나오미 씨가 들어왔다면 어땠을까요? 그야말로 정말 어떤 소동이 일어났을지 모르겠네요."

"그런데 대체 나오미가 당신과 오늘 만날 약속을 한 것은 언제인가요?"

"그건 그제 밤, -당신에게 들킨 그 밤이었어요. 나오미 씨는 제가 그 밤 **토라져** 있었기 때문에, 기분을 풀어주기 위해 선지 모레 오모리에 와달라고 했는데, 물론 저도 나빠요. 저는 나오미 씨와 절교를 하거나 아니면 구마가이와 싸우는 것이 당연한데, 저는 그게 안 돼요. 저도 비굴하다고 생각하면서, 소심해서 그만 **우물쭈물** 녀석들과 어울렸어요. 그 때문에 나오미 씨에게 속았다고는 하지만, 결국 제가 바보였던 거예요."

저는 왠지 저에 대해 말하고 있는 듯한 기분이 들었습니다. 그리고 '마쓰아사'의 객실에 들어가, 마주 앉고 보니, 왠지 이 남자가 귀엽기조차 했습니다.

17

"자, 하마다 군, 당신이 정직하게 말해주어서 난 몹시 기분이 좋아요. 하여간 한잔하지 않겠어요?"

그렇게 말하고 저는 잔을 내밀었습니다.

"그럼 가와이 씨는 저를 용서해주시는 건가요?"

"용서하고 말고도 없어요. 당신은 나오미에게 속고 있어서 나와 나오미와의 사이를 몰랐다고 하니 전혀 죄가 없어요. 이제 아무렇지도 않아요."

"아, 감사합니다. 그렇게 말씀해주시면 저도 안심이에요."

하지만 하마다는 쑥스러운지 술을 권해도 마시려고 하지 않고, 눈을 내리깔고 삼가면서 띄엄띄엄 말했습니다.

"그럼 뭔가요, 실례지만 가와이 씨와 나오미 씨는 친척이 아닌가요?"

한참 뒤에, 하마다는 뭔가 골똘히 생각한 듯 그렇게 말하고 가느다란 한숨을 쉬었습니다.

"네, 친척도 뭐도 아니에요. 난 우쓰노미야 태생이지만 그녀는 순수한 도쿄 토박이로 친정은 지금도 도쿄에 있어요. 본인은 학교에 가고 싶었는데 가정 형편으로 가지 못해서, 그걸 가엾게 여겨 열다섯 살부터 제가 맡아서 돌봤어요."

"그리고 지금은 결혼하셨고요?"

"네, 그래요. 양가 부모의 허락을 얻어 마땅한 절차를 밟았어요. 하긴 그게 그녀가 열여섯 살 때였기 때문에 너무 나이가 어려서 '아내' 취급을 하는 것도 이상하고 본인도 싫었을 테니까 한동안은 친구처럼 지내자는 그런 약속은 있었지만요."

"아, 그런가요, 그게 오해의 근원이었군요. 나오미 씨의 모습을 보면 유부녀처럼 보이지 않았고 자신도 그렇게 말하지 않아서 그래서 우리도 그만 속았어요."

"나오미도 나쁘지만 내게도 책임이 있어요. 난 세상의, 말하자면 '부부'라는 게 좋아 보이지 않아서, 가급적 부부답지 않게 살고자 하는 주의였어요. 그게 대단히 엉뚱한 말썽을 일으켰어요. 앞으로는 개선하지요. 아니, 정말 지긋지긋해요."

"그렇게 하시는 편이 좋겠어요. 그리고 가와이 씨, 제 일은 문제 삼지 않고 이런 말을 하는 것도 우습지만, 구마가이는 나쁜 녀석이니까 주의하세요. 결코 원한이 있어서 하는 말이 아니에요. 구마가이도 세키도 나카무라도, 그 패거리는 모두 좋지 않은 녀석들이에요. 나오미 씨는 그런 나쁜 사람이 아니에요. 모두 녀석들이 나쁘게 만든 거예요……."

하마다는 감동에 찬 목소리로 말하는 동시에 그 두 눈에는 다시 눈물이 번쩍였습니다. 그렇다면 이 청년은 이렇게 진지하게 나오미를 사랑하고 있었던 것일까, 그렇게 생각하자 저는 감사하고 싶은 듯한, 미안한 듯한 마음이 들었습니다. 만약 하마다는, 저와 그녀가 이미 완전한 부부라는 말을 하지 않았다면 적극적으로 그녀를 양보해달라고 말을 꺼낼 생각이었겠지요. 아니, 지금이라도 제가 그녀를 포기만 한다면, 그는 그 자리에서 그녀를 데려가겠다고 하겠지요. 이 청년의 눈썹 사이에 넘치고 있는 애처로울 정도의 정열에서, 그런 결심이 있다는 것을 의심할 여지도 없었습니다.

"하마다 군, 나는 충고를 따라 어떻게든 이삼일 안에 조치를 취하겠어요. 그리고 나오미가 구마가이와 정말로 관계를 끊으면 좋고, 그렇지 않으면 하루도 같이 있는 건 불쾌하니까……."

"하지만, 하지만 당신은 부디 나오미 씨를 버리지 말아주세요."

라고 하마다는 서둘러 내 말을 가로막으며 말했습니다.

"만약 당신에게 버림을 당하면, 분명 나오미 씨는 타락할 겁니다. 나오미 씨에게는 죄가 없으니까……."

"고마워요, 정말 고마워요! 난 당신의 호의가 얼마나 기쁜지 몰라요. 그야 나도 열다섯 살부터 돌봐주고 있으니 비록 세상 사람들이 비웃어도 결코 그녀를 버릴 생각은 없어요. 단 그 여자는 고집이 세서, 어떻게든 나쁜 친구를 잘 끊을 수 있도록, 그걸 고민할 뿐이에요."

"나오미 씨는 상당히 고집이 세니까요. 시시한 일로 **갑자기**

싸움이 나면 더는 돌이킬 수가 없으니 그 점을 잘 처리해주세요. 건방진 말을 하는 것 같지만요……."

저는 하마다에게 몇 번이고, "고마워요, 고마워요"를 되풀이했습니다. 두 사람 사이에 연령의 차이, 지위의 차이 같은 것이 없었다면, 그리고 우리를 전부터 더 친밀한 사이였다면 저는 아마도 그의 손을 잡고 서로 부둥켜안고 울었을지도 모릅니다. 제 기분은 적어도 그 정도까지 가 있었습니다.

"부디 하마다 군, 앞으로 계속 당신만은 놀러 와주세요. 사양할 필요 없으니까."

라고, 저는 헤어질 때 그렇게 말했습니다.

"네, 하지만 당분간은 방문하지 않을지도 몰라요"

라고 하마다는 조금 머뭇머뭇하며 얼굴을 보이는 것을 싫어하는 것처럼 고개를 숙이고 말했습니다.

"어째서인가요?"

"당분간…… 나오미 씨를 잊을 수 있을 때까지는……."

그렇게 말하고 그는 눈물을 감추면서 모자를 쓰고, "안녕히 계세요" 한 다음, '마쓰아사' 앞에서 시나가와 쪽으로 전차도 타지 않고 터벅터벅 걸어갔습니다.

저는 그러고 나서 어쨌거나 회사에 갔습니다만, 일이 손에 잡힐 리가 없었습니다. 나오미 녀석, 지금쯤 뭘 하고 있을까. 잠옷 한 장으로 내버려두고 왔으니, 설마 어디에 나갈 수 있을 리가 없어. 그렇게 생각하는 한편 역시 그게 신경 쓰였습니다. 왜냐하면 참으로 의외의 일이 연달아 일어나고, 속고 속은 사실을 알게 됨에 따라, 제 신경은 이상하게 날카롭고 병적으로 되어, 여러 경우를 상상하거나 억측하기 시작했기 때문입니다. 그렇게 되자 나오미라는 존재가 도저히 제 지혜로는 헤아릴 수 없는 불가사의한 신통력이 있어서, 또 어느 틈에 무슨 짓을 저지를지 전혀 안심할 수 없을 것처럼 여겨졌습니다. 난 이렇게 있을 수 없어, 어떤 사건이 내가 없는 사이에 일어나고 있을지도 몰라, 저는 회사일도 하는 둥 마는 둥 급히 서둘러 가마쿠라로 돌아왔습니다.

"아, 다녀왔습니다."

라고 저는 문간에 서 있는 주인아주머니를 보자마자 인사했습니다.

"있나요, 안에?"

"네, 계신 것 같아요."

그런 까닭으로 저는 휴우 안심하면서,

"누군가 방문한 사람은 없나요?"

"없어요, 아무도."

"어떤가요? 어떤 상태인가요?"

저는 턱으로 별채를 가리키면서 주인아주머니에게 눈짓했습니다. 그리고 그때 알아차렸는데, 나오미가 있어야 할 방은, 미닫이문이 닫혀 있고 유리창 안은 어둑하고 조용하며 인기척이 없는 것처럼 보였습니다.

"글쎄, 어떤 상태인지, 오늘은 종일 계속 저기에 계시는데……."

흥, 결국 종일 들어앉아 있었나. 하지만 그렇다 치더라도 이상하게 조용한데 무슨 일일까. 어떤 표정을 짓고 있을까. 아직 다소 걱정으로 두근거리는 가슴으로 저는 살짝 툇마루에 올라 별채의 미닫이문을 열었습니다. 이미 저녁 6시가 조금 넘은 시간으로, 햇빛이 비치지 않는 방 안쪽에서 나오미는 **단정치** 못한 모습으로 **몸을 뒤로 젖히고 쿨쿨** 자고 있었습니다. 모기에 물려서, 저쪽으로 구르고 이쪽으로 굴렀겠지요. 제 크래버넷*을 꺼내 허리둘레를 감싸고는 있었는데, 그것으로 솜씨 좋게 가린 부분은 겨우 아랫배 부분만으로, 오글오글 잔주름이 있는 빨간 가운에서 새하얀 손발이 김이 나는 양배추 줄기처럼 도드라져 보였고, 그럴 때 또 재수 없이 묘하게 고혹적으로 제 마음을 긁어댔습니다. 저는 잠자코 전등을 켜고, 혼자 후다닥 일본 옷으로 갈아입고, 벽장문을 일부러 삐걱 소리를 냈지만, 그걸 아는지 모르는지 나오미의 숨소리는 여전히 새근새근 들렸습니다.

"이봐, 안 일어나? 밤이잖아……."

30분 정도 일도 없는데 책상에 기대 편지를 쓰는 척하던 저는, 결국 끈기에 져서 말을 걸었습니다.

"음……."

하며, 마지못해 졸린 듯한 대답을 한 것은 제가 두세 번 소리친 뒤였습니다.

* 레인코트 상표명.

"이봐! 안 일어나냐고!"

"음……."

그렇게 말한 후에도 또 한동안은 일어날 것 같지 않았습니다.

"이봐! 뭐 하는 거야! 이보라니까!"

저는 벌떡 일어나, 발로 그녀의 허리 부근을 거칠게 세게 흔들었습니다.

"아아."

하며, 우선 **불쑥** 그 나긋나긋한 두 팔을 쭉 뻗고, 작고 붉은 주먹을 **꽉** 쥐어 앞으로 내밀고, 선하품을 억지로 참으면서 무턱대고 몸을 일으킨 나오미는 제 얼굴을 슬쩍 훔쳐본 다음 즉시 고개를 돌리고 발등이니 정강이니, 등이니, 모기에 물린 곳을 계속해서 북북 긁기 시작했습니다. 지나치게 잔 탓인지, 아니면 몰래 울었던 것인지, 눈은 충혈되고 머리는 귀신처럼 흐트러져서 양어깨에 늘어져 있었습니다.

"자, 옷 갈아입어, 그렇게 있지 말고."

안채에 가서 옷 보따리를 가져와서 그녀 앞에 내던지자, 그녀는 한마디도 하지 않고 **새침하게** 옷을 갈아입었습니다. 그 다음에 저녁 밥상이 들어오고, 식사를 마치는 동안 두 사람은 어느 쪽도 말을 걸지 않았습니다.

이 길고 답답한 대립이 이어지는 동안 저는 어떻게 그녀를 실토하게 하면 좋을까, 이 고집 센 여자를 순순히 실토하게 만드는 길은 없을까, 오직 그것만을 생각했습니다. 하마다가 한 충고의 말, 나오미는 고집이 세니까 **우연**한 일로 싸움을 하면, 더는 돌이킬 수가 없게 된다고 한 것도 물론 제 머리에 있었습니다. 하마다가 그런 충고를 한 것은 아마도 그의 체험에서 온 것이겠지만, 제게도 그런 기억은 몇 번 있습니다. 무엇보다 그녀를 화나게 하는 게 제일 나쁘다. 그녀가 **심술**부리지 않도록, 결코 싸움이 되지 않도록, 그렇다고 해서 이쪽이 만만해 보이지 않도록, 능숙하게 말을 꺼내야만 한다. 그걸 위해서는 이쪽이 재판관 같은 태도로 추궁하는 것은 가장 위험하다. "넌 구마가이와 이렇고 이렇지?" "그리고 하마도와도 이렇고 이렇지?"라고, 이렇게 정면으로 육박하면 "네, 그래요"라고 죄송해할 여자는 아니다. 분명 그녀는 반항한다. 끝까지 모른다, 알지 못한다고 잡아뗀다. 그러면 이쪽도 초조하여 짜증을 낸다. 만약 그렇게 된다면 끝이니까, 입씨름을 하는 것은 좋지 않다. 그녀를 실토하게 하려는 생각은 그만두고, 차라리 이쪽에서 오늘의 일을 말해버리는 편이 좋다. 그렇게 하면 아무리 고집이 세도 그걸 모른다고는 하지 않겠지. 좋아, 그렇게 하자고 생각했기 때문에,

"나 오늘, 아침 열 시 무렵 오모리에 들렀다가 하마다와 만났어"

라고, 우선 그런 식으로 말해보았습니다.

"흐응."

이라고 나오미는 역시 **흠짓** 놀란 듯 제 시선을 피하는 것처럼, 코끝으로 그렇게 말했습니다.

"그리고 이럭저럭 하는 사이에 밥 먹을 시간이 돼서, 하마다를 데리고 '마쓰아사'에 가서 같이 밥을 먹었지."

그다음부터 나오미는 대답하지 않았습니다. 저는 그녀의 안색에 끊임없이 주의를 기울이면서 너무 비아냥거리지 않도록 찬찬히 말했는데, 말을 마칠 때까지 나오미는 가만히 고개를 숙인 채 듣고 있었습니다. 그리고 기가 죽은 기색도 없이 그저 볼이 약간 창백해졌을 뿐입니다.

"하마다가 그렇게 말해주었기 때문에 난 네게 물을 것도 없이 다 알아버렸어. 그러니까 넌 아무것도 고집부릴 거 없어. 잘못했으면 잘못했다고, 그렇게 말해주기만 하면 돼……. 어때, 너, 잘못했지? 잘못했다는 걸 인정해?"

나오미가 좀처럼 대답하지 않았기 때문에 여기서 저는 걱정하던 입씨름이 벌어질 것 같았지만, "어때? 나오미 짱"이라고, 저는 가능한 한 상냥한 어조로,

"잘못했다는 것만 인정하면 나는 무엇 하나 지난 일을 책망하지 않아. 네게 두 손을 짚고 용서를 빌라는 말이 아니야. 앞으로 이런 잘못이 없도록, 그걸 맹세하면 돼. 응? 알겠지? 잘못했다고 말할 거지?"

그러자 나오미는 타이밍 좋게 턱으로 "응"이라고 수긍했습니다.

"알았지? 앞으로 다시는 구마가이 같은 녀석이랑 놀지 않을 거지?"

"응."

“분명 그럴 거지? 약속하지?”

“응.”

이 ‘응’으로 서로의 체면이 서도록 그럭저럭 타협이 되었습니다.

18

그날 밤, 저와 나오미는 이미 아무 일도 없었다는 듯이 베개를 나란히 하고 이야기를 나누었지만, 솔직한 기분을 말하면 저는 결코 개운하지는 않았습니다. 이 여자는 이미 순결하지 않다. -이 생각은 제 가슴을 어둡게 가두었을 뿐만 아니라 제 보물이었던 나오미의 가치를 반 이하로 떨어뜨려버렸습니다. 왜냐하면 그녀의 가치라는 것은 제가 제힘으로 기르고 제힘으로 이 정도의 여자로 만들고, 그리고 오직 저만이 이 육체의 온갖 부분을 안다는 사실이 그 대부분이었기 때문에, 나오미라는 존재는 제게 있어서 제가 재배한 하나의 과실과 마찬가지입니다. 저는 그 열매가 오늘처럼 훌륭하게 성숙할 때까지 온갖 정성을 들이고 노력을 했습니다. 그러니 그것을 맛보는 것은 재배자인 나의 당연한 보수이고, 다른 어떤 사람도 그럴 권리가 없는 게 마땅한데, 그것이 어느 틈에 **생판** 남이 껍질을 벗기고 물어뜯고 있었습니다. 그리고 그것이 일단 더러워져버린 이상, 아무리 그녀가 죄를 사죄해도 이제는 돌이킬 수 없는 일입니다. '그녀의 살결'이라고 하는 귀중한 성지에는 두 도적의 진흙투성이 발자국이 영구히 남은 것입니다. 이것을 생각하면 생각할수록 분할 뿐입니다. 나오미가 미운 것이 아니라 그 사건이 미워서 견딜 수가 없었습니다.

"조지 씨, 용서해줘……."

나오미는 제가 말없이 울고 있는 것을 보고, 낮의 태도와는 싹 바뀌어 그렇게 말해주었지만 저는 역시 울며 고개를 끄덕일 뿐이었습니다. "응, 용서할게"라고 입으로는 말했지만 되돌릴 수 없다는 분함은 지울 수가 없었습니다.

가마쿠라의 여름은 이런 식으로 엉망으로 끝을 맺고, 얼마 후 저희는 오모리 집으로 돌아왔지만 이미 제 가슴에 응어리가 생겼기 때문에, 그것이 어떤 경우에 저절로 나타나는 듯, 그 후 둘 사이는 아무리 해도 **원만**하지 못했습니다. 겉으로는 화해한 것 같아도 나는 진심으로 나오미를 용서한 것이 아니다, 회사에 가도 여전히 구마가이가 걱정된다, 이런 심정이었습니다. 집을 비운 사이 그녀의 행동이 신경 쓰여 매일 아침 집을 나서는 것처럼 꾸미고 몰래 뒷문으로 되돌아와 그녀가 영어나 음악을 배우러 가는 날은 살짝 그 뒤를 밟기도 하고, 때때로 그녀 몰래 그녀에게 온 편지 내용을 살펴보기도 하며, 그런 식으로까지 제가 비밀탐정 같은 기분이 됨에 따라, 나오미는 나오미대로 마음속으로는 이 집요한 제 방식을 코웃음 치듯 말로 싸우지는 않더라도 묘하게 심술궂은 기색을 보이게 되었습니다.

"이봐, 나오미!"

저는 어느 날 밤, 이상하게 차가운 표정으로 자는 척하고 있는 그녀의 몸을 흔들면서 그렇게 말했습니다. (미리 말해두겠습니다만, 그 당시 저는 그녀를 '나오미'라고 부르고 있었습니다.)

"왜 그렇게…… 자는 **척**하고 있는 거야? 그렇게 내가 싫은 거야?"

"자는 **척**하는 거 아니야. 자려고 눈을 감고 있을 뿐이야."

"그럼 눈을 떠, 사람이 말을 하려는데 눈을 감고 있는 법은 없어."

그렇게 말하자 나오미는 할 수 없이 **가늘게** 눈을 떴는데, 속눈썹 안쪽에서 살짝 이쪽을 보고 있는 가느다란 눈은 그 표정을 한층 냉혹하게 만들었습니다.

"응? 넌 내가 싫은 거야? 그렇다면 그렇다고 말해줘……."

"왜 그런 걸 물어?"

"나는 대충 네 태도로 알아. 요즘 우리는 싸움은 안 하지만 마음속으로는 격전을 벌이고 있어. 이런데도 우리가 부부일까?"

"난 격전을 벌이고 있지 않아. 당신 혼자 격전을 벌이고 있는 거잖아."

"그건 서로 마찬가지라고 생각해. 당신의 태도가 내게 안심을 주지 않으니까 나도 그만 의심의 눈으로……."

"흥."

나오미는 그 코끝의 비웃음으로 내 말을 끊고,

"그럼 묻겠는데, 내 태도에 뭔가 수상한 점이 있어? 있다면 증거를 보여줘."

"그야 증거는 없지만……."

"증거가 없는데 의심하다니, 그건 당신이 너무하는 거 아니야. 당신이 나를 믿지 않고, 아내로서 자유도 권리도 주지 않으면서, 부부답게 굴자고 해도 그건 안 돼. 저기, 조지 씨, 당신은 내가 아무것도 모른다고 생각해? 남의 편지를 몰래 읽고 탐정처럼 뒤를 밟고…… 나는 다 알고 있어."

"그건 나도 미안해, 하지만 나도 이전 일이 있어서 신경이 과민해져 있어. 그걸 알아주지 않으면 곤란해."

"그럼, 대체 어떻게 하면 좋아? 이전 일은 이제 말하지 않기로 약속했잖아."

"내 신경이 정말로 편안해지도록 네가 진심으로 마음을 열어주고 나를 사랑해주면 돼."

"하지만 그러기 위해서는 당신이 믿어줘야만……."

"아, 믿을게. 이제부터는 반드시 믿을게."

저는 여기서 남자라는 존재의 한심스러움을 자백해야만 하는데, 낮은 어쨌거나 밤이 되면 저는 언제나 그녀에게 졌습니다. 제가 졌다고 하기보다는 제 안에 있는 동물적 성질이 그녀에게 정복당했습니다. 사실 저는 그녀를 아직 믿을 마음이 들지 않았습니다. 그럼에도 제 동물의 성질은 맹목적으로 그녀에게 항복할 것을 강요하고, 모든 것을 버리고 타협하도록 만들어버립니다. 즉 나오미는 제게 있어서 이미 귀중한 보물도 아니고 고마운 우상도 아니게 된 대신, 일개 창부가 된 것입니다. 거기에는 연인으로서의 깨끗함도, 부부로서의 애정도 없었습니다. 그렇습니다, 그런 건 옛 꿈으로 사라졌습니다! 그런데 어째서 이런 부정하고 더러운 여자에게 미련을 남겨두는가 하면 전적으로 그녀의 육체적 매력, 단지 그것에만 질질 끌려다니고 있었던 것입니다. 이것은 나오미의 타락이자 동시에 제 타락이기도 했습니다. 왜냐하면 저는 남자로서의 지조, 순정을 버리고 과거의 자존심을 내팽개쳐버리고 창부 앞에 몸을 굽히면서, 그것을 수치라고도 생각하지 않게 되었으니까요. 아니, 때로는 그 경멸해야 마땅할 창부의 모습을 마치 여신을 우러러보는 것처럼 숭배까지 했으니까요.

나오미는 이 같은 제 약점을 얄밉도록 잘 알고 있었습니다. 자신의 육체가 남자에게 있어서는 저항하기 어려울 정도로 고혹적이라는 것, 밤만 되면 남자를 이겨버릴 수 있다는 것, —이런 의식을 가지기 시작한 그녀는 낮에는 이상할 정도로 퉁명스러운 태도를 보였습니다. 자신은 여기에 있는 한 남자에게 자신의 '여자'를 팔고 있는 것이다, 그 이외에는 이 남자에게 아무 흥미도 없을뿐더러 인연도 없다, 하는 그런 모습을 역력히 보이며, 마치 자기와는 관계없는 사람처럼 **몹시** 쌀쌀맞게 굴며, 가끔 제가 말을 걸어도 **제대로** 대답도 하지 않습니다. 꼭 필요한 경우에만 "네"나 "아니오"라고 대답할 뿐입니다. 이런 그녀의 태도는 제게 대해서 소극적으로 반항하고 있는 마음을 나타내고, 저를 극도로 경멸하는 뜻을 나타내려고 하는 것으로 밖에는 여겨지지 않았습니다. '조지 씨, 내가 아무리 냉담해도 당신은 화낼 권리 없어. 당신은 내게 얻을 수 있는 건 얻고 있잖아. 그래서 당신은 만족하고 있잖아.' 제가 그녀 앞에 나서면 그런 눈초리로 쏘아보는 것 같았습니다. 그리고 그 눈은 곧잘,

'흥, 정말 싫은 녀석이야. 마치 녀석은 개처럼 비열한 남자야. 할 수 없으니까 참아주고 있지만.'

그런 표정을 노골적으로 드러내 보였습니다.

하지만 그런 상태가 오래갈 리가 없습니다. 둘은 서로 상대의 마음 슬쩍 떠보고, 음험한 암투를 계속하면서 언젠가 한 번은 그것이 폭발할 것을 내심 각오하고 있었는데, 어느 날 밤 저는,

"저기, 나오미."

라고, 평소보다 특히 상냥한 어조로 불렀습니다.

"저기, 나오미, 이제 서로 쓸데없는 고집 피우는 건 그만하자고. 넌 어떤지 모르겠지만, 난 도저히 견딜 수가 없어, 요즘 같은 이런 차가운 생활에는……."

"그럼 어쩔 생각인데?"

"다시 한번 어떻게든 해서 진정한 부부가 되자고. 너도 나도 반자포자기가 되어 있어서 안 되는 거야. 진지하게 옛날의 행복을 되찾으려고 노력하지 않는 게 잘못이야."

"노력해도 기분이라는 건 좀처럼 나아지지 않아."

"그야 그럴지도 모르지만, 난 두 사람이 행복해지는 방법이 있다고 생각해. 네가 알아주기만 하면 좋겠지만……."

"어떤 방법?"

"너, 아이를 낳아주지 않겠어? 엄마가 되어주지 않겠어? 한 명이라도 좋으니까 아이가 생기면, 분명 우리는 진정한 의미로 부부가 될 수 있어, 행복해질 수 있어. 부탁이니까 내 부탁을 들어주지 않을래?

"싫어, 나."

라고 나오미는 그 자리에서 딱 잘라 말했습니다.

"당신은 내게, 아이는 낳지 말아줘. 언제까지나 젊고 아가씨처럼 있어줘. 부부 사이에 아이가 생기는 것이 무엇보다도 두려워, 하고 했잖아?"

"그야 그런 식으로 생각한 시기도 있었지만……."

"그럼 당신은 예전같이 나를 사랑하려는 게 아니잖아? 내가 아무리 나이를 먹고 추해져도 상관없다고 말하려는 거 아니야? 아니, 당신이야말로 나를 사랑하지 않아."

"넌 오해하고 있어. 나는 너를 친구처럼 사랑하고 있었어. 하지만 앞으로는 진실한 아내로서 사랑할게……."

"그래서 당신은 **예전 같은** 행복이 돌아올 거라고 생각하는 거야?"

"옛날 같지 않을지도 몰라. 하지만 진정한 행복이……."

"아니, 아니야. 나는 그거라면 지긋지긋해."

그렇게 말하고 그녀는 내 말이 끝나지도 않았는데 세차게 고개를 가로저었습니다.

"나, 예전 같은 행복을 원해. 그렇지 않으면 아무것도 원치 않아. 나 그런 약속으로 당신에게 왔으니까."

19

나오미가 무슨 일이 있어도 아이 낳는 것이 싫다면 내게 또 하나의 수단이 있습니다. 그것은 오모리의 '동화의 집'을 접고, 더 진지하고 상식적인 가정을 갖는 것입니다. 대체 저는 심플라이프라는 미명을 동경해, 이런 기묘하고 심히 실용적이지 않은 화가의 아틀리에에 살았지만, 우리들의 생활을 무절제하게 만든 것은 이 집 탓도 분명 있습니다. 이런 집에 젊은 부부가 하녀도 두지 않고 살면 오히려 서로 제멋대로 살게 되어, 심플라이프가 심플하지 않게 되고, **절제 없게** 되는 것은 어쩔 수 없습니다. 그래서 저는, 제가 집을 비운 사이 나오미를 감시하기 위해서 잔심부름을 하는 계집아이 한 명과 식모 한 명을 둡니다. 그러기 위해 주인 부부와 하녀 둘, 이 정도가 살 수 있을 만한 소위 '문화주택'이 아닌 순일본식의 중류 신사에게 알맞은 집으로 이사를 합니다. 지금까지 쓰던 서양 가구를 팔고, 모든 것을 일본풍 가구로 바꾸고 나오미를 위해 특별히 피아노 한 대를 사줍니다. 이렇게 하면 그녀의 음악 교습도 스기사키 여사에게 출장 수업을 부탁하면 되고, 영어도 해리슨 양에게 와달라고 하면, 자연스럽게 그녀가 외출할 기회가 없어지겠죠. 이 계획을 실행하기 위해서는 목돈이 필요했는데, 그것은 고향에 부탁하기로 하고, 완전히 준비될 때까지는 나오미에게 알리지 않을 결심으로 저는 혼자 집을 구하기와 가재도구 견적 등에 고심하고 있었습니다.

고향에서는 우선 이 정도 보낸다며 1,500엔이 왔습니다. 그리고 저는 하녀를 부탁했는데, '잔심부름꾼으로 딱 좋은 아이가 있다. 집에서 일하던 센타로仙太郎의 딸 오하나花라고 하는데, 올해 열다섯 살이 되니까, 그 아이라면 너도 잘 아니까 안심하고 둘 수 있을 거다. 식모도 갈 곳을 찾고 있으니, 이사 갈 곳이 정해질 때까지는 올려보내마'라고, 돈과 함께 동봉된 어머니의 편지에 그렇게 쓰여 있었습니다.

나오미는 제가 은밀히 뭔가 꾸미고 있는 것을 어렴풋이 눈치채고 있는 듯한데, '음 뭘 하는지 보자'라는 식으로, 처음에는 엄청날 정도로 침착했습니다. 하지만 마침 어머니께 편지가 도착한 후 이삼일이 지난 어느 밤의 일입니다.

"저기, 조지 씨. 나, 서양 옷을 갖고 싶은데 맞춰주지 않을래?"

라고 그녀는 갑자기 응석 부리는 듯한, 그러면서 이상하게 놀리는 듯한 간살맞은 목소리로 그렇게 말했습니다.

"서양 옷?"

저는 잠시 **어안이 벙벙**하여, 그녀의 얼굴을 구멍이 뚫릴 정도로 응시하면서 '아하, 녀석, 돈이 온 걸 알았구나. 그래서 슬쩍 속을 떠보는구나' 하고 알아차렸습니다.

"저기, 괜찮잖아. 서양 옷이 안 되면 일본 옷이라도 좋아. 겨울 외출복을 맞춰줘."

"난 당분간 그런 거 안 사줄 거야."

"어째서?"

"옷은 썩을 정도로 있잖아?"

"썩을 정도로 있어도 또 갖고 싶어."

"그런 사치는 이제 절대 허락 못 해."

"헤, 그럼, 그 돈은 어디에 쓸 거야?"

드디어 왔다! 저는 그렇게 생각하고 시치미를 떼면서,

"돈? 어디에 그런 게 있어?"

"조지 씨, 나, 저 책 상자 아래에 있던 등기우편을 봤어. 조지 씨도 남의 편지를 마음대로 보니까 그 정도는 내가 해도 괜찮다고 생각해서."

이 말은 제게는 의외였습니다. 나오미가 돈에 대해 말하는 것은 등기가 왔기 때문이라고 짐작한 것뿐이지, 설마 제가 그 책 상자 아래 숨겨둔 편지의 알맹이를 봤으리라고는 전혀 생각하지 못했습니다. 하지만 나오미는 어떻게든 제 비밀을 알아내려고 편지의 소재를 찾아 돌아다닌 게 분명합니다. 그걸 읽었다면 환의 금액은 물론, 이사 일도 하녀 일도 모든 것을 알아버린 것입니다.

"그렇게 돈이 많이 있는데, 내게 옷 한 벌 정도 맞춰줘도 좋잖아. 저기, 당신은 언젠가 뭐라고 했지? 너를 위해서라면 어떤 좁은 집에 살아도 어떤 불편함도 참겠다, 그리고 그 돈으로 네게 할 수 있는 만큼 사치를 누리게 해주겠다, 그렇게 말한 거 잊었어? 당신은 그때와는 전연 달라."

"내가 너를 사랑하는 마음은 변함이 없어. 다만 사랑하는 방법이 변했을 뿐이야."

"그럼, 이사 일은 왜 내게 숨겼어? 내겐 아무 상의도 하지 않고 그냥 명령처럼 할 생각이야?"

"그야 적당한 집이 구해지면 물론 네게 상의할 생각이었어. ……."

그렇게 말하고, 저는 어조를 누그러뜨리고 달래듯이 설명해주었습니다.

"저기, 나오미, 내 진짜 기분을 말하면 지금도 역시 네게 사치를 누리게 해주고 싶어. 옷뿐만 아니라 집도 멋진 집에서 살고 네 생활 전체를 더 훌륭한 아내답게 향상시켜주고 싶어. 그러니까 전혀 불평할 거 없잖아."

"그래, 그건 정말 고마워……."

"그럼 내일 나랑 같이 셋집을 찾아보는 건 어때. 여기보다 더 방이 많고 네 마음에 드는 집만 있으면 어디든 좋아."

"그렇다면 난 서양관으로 해줘. 일본 집은 딱 질색이야."

제가 대답에 곤란해하는 동안 '그것 봐'라는 표정으로 나오미는 씹어 뱉듯이 말했습니다.

"하녀도 나, 아사쿠사 친정에 부탁할 테니까, 그런 시골 출신 따위 거절해줘, 내가 쓸 하녀니까."

이런 **언쟁**이 거듭됨에 따라 두 사람 사이의 저기압은 점점 짙어져 갔습니다. 그리고 온종일 말을 하지 않는 일도 자주 있었지만, 그것이 마지막으로 폭발한 것은 가마쿠라에서 돌아오고 나서 2개월 후인 11월 초순의 일로, 나오미가 여전히 구마가이와 관계를 끊지 않았다는 확실한 증거를 제가 발견했을 때였습니다.

이것을 발견한 **경위**에 대해서는 여기에 그렇게 자세히 적을 필요가 없을 듯합니다. 저는 진작부터 이사 준비에 골몰하는 한편, 직감적으로 나오미가 수상하다고 주시하고 있었기 때문에 예의 탐정적 행동을 조금도 늦추지 않았던 결과, 어느 날 그녀와 구마가이가 대담하게도 결국 오모리 집 근처 아케보노로曙楼*에서 밀회하고 돌아가는 것을 마침내 잡는 것입니다.

그날 아침, 저는 나오미의 화장이 평소보다 화려한 것에 의심을 품고 집을 나서자마자 즉시 되돌아와 뒷문에 있는 헛간의 숯가마니 뒤에 숨어 있었습니다. (그런 이유로 그 무렵 저는 회사를 자주 쉬었습니다.) 9시 무렵이 되자 오늘은 교습을 받으러 가는 날이 아닌데도 그녀는 한껏 모양을 내고 나왔는데, 정류장 쪽으로 가지 않고 반대쪽으로 발걸음을 서두르며 재빨리 걸어갔습니다. 저는 그녀를 10여 미터 앞서가게 한 뒤 서둘러 집에 들어가 학생 시절 쓰던 망토와 모자를 꺼내 양복

* 이케가미(池上) 혼몬지(本門寺) 근처에 세워진 요정. 경승지에 있어서 많은 유명인이 방문했다.

위에 걸치고, 맨발에 게다를 신은 채 밖으로 달려나가 나오미의 뒤를 쫓아갔습니다. 그리고 그녀가 아케보노로에 들어가고, 10분 정도 늦게 구마가이가 거기에 들어가는 것을 분명히 지켜본 다음, 이윽고 그들이 나오기를 기다리고 있었습니다.

돌아가는 것도 따로따로로, 이번에는 구마가이가 뒤에 남은 모양입니다. 한발 앞서 나오미의 모습이 거리에 나타난 것은 거의 11시 무렵이었습니다. 저는 거의 1시간 반이나 아케보노로의 근처를 어슬렁거린 것입니다. 그녀는 왔을 때와 마찬가지로 거기에서 1킬로미터 남짓 떨어져 있는 집까지 곁눈질도 하지 않고 걸어갔습니다. 그리고 저도 서서히 발걸음을 빨리해서 갔기 때문에 그녀가 뒷문을 열고 안으로 들어가고 나서 5분도 되지 않아 제가 들어간 것입니다.

들어선 찰라, 제가 본 것은 움직이지 않는 일종의 처참한 느낌이 드는 나오미의 눈이었습니다. 그녀는 거기에 막대기처럼 우뚝 선 채 내 쪽을 날카롭게 노려보고 있었는데, 그 발밑에는 제가 아까 바꿔 쓴 모자와 외투, 신발과 양말이 그때 그대로 어질러져 있었습니다. 그녀는 그것으로 모든 것을 깨달았겠지요. 화창하게 갠 가을 아침, 아틀리에의 빛을 반사하고 있는 그녀의 얼굴은 차분하고 창백하며 모든 것을 포기한 듯한 깊은 고요함이 거기에 있었습니다.

"나가!"

단지 한 마디, 제 귀가 **쾅** 하고 울릴 정도로 소리치고는 저도 다음 말이 안 나왔고 나오미도 아무런 대답을 하지 않았습니다. 두 사람은 마치 시퍼런 칼을 뽑아 들고 마주 서 있는 자가 칼끝으로 상대의 눈을 바짝 노리는 것처럼, 상대의 틈을 노리고 있었습니다. 그 순간, 저는 실로 나오미의 얼굴이 아름답다고 느꼈습니다. 여자의 얼굴은 남자의 증오가 서리면 서릴수록 아름다워지는 것을 알았습니다. 카르멘을 죽인 돈 호세*는 미워하면 미워할수록 한층 그녀가 아름다워져서 죽였다고 했는데, 그 심정을 저는 분명히 알았습니다. 나오미가 가만히 시선을 고정시키고, 안면의 근육은 미동도 하지 않고, 핏기가 가신 입술을 앙 다물고 서 있는 사악의 화신 같은 모습. –아, 그것이야말로 말로 음부의 다부진 얼굴을 유감없이 드러낸 형상이었습니다.

"나가!"

라고 저는 다시 한번 소리치자마자 알 수 없는 미움과 두려움과 아름다움에 사로잡혀, 정신없이 그녀의 어깨를 잡고 입구 쪽으로 냅다 밀쳤습니다.

"나가! 자! 나가라고!"

"용서해줘. ……조지 씨! 이제 앞으로는……."

나오미의 표정은 갑자기 변하고 그 목소리의 어조는 애원으로 떨리고, 그 눈가에는 하염없이 눈물을 글썽이며 털썩 그

* 메리메(1803~1870)의 중편소설 『카르멘』에 나오는 등장인물. 스페인의 기병대 하사관 돈 호세는 자유분방한 집시 카르멘에게 매혹되어, 밀수업자로 타락하고 카르멘의 정부를 죽이면서까지 그녀를 자신의 것으로 만들려 한다. 하지만 속박을 싫어하는 카르멘이 이윽고 투우사 루카스를 사랑하게 된 탓에, 질투한 나머지 카르멘을 죽인다.

곳에 무릎 꿇고 탄원하듯이 제 얼굴을 올려다보았습니다.

"조지 씨, 잘못했으니 용서해줘!……용서해, 용서해,……"

이렇게 쉽게 그녀가 용서를 빌 거라고는 예상하지 않았기 때문에 **갑자기** 허를 찔린 저는 그 때문에 더욱 격분했습니다. 저는 양손의 주먹을 쥐고 연달아 그녀를 때렸습니다.

"짐승 같은 년! 개년! 인간도 아닌 년! 이제 네년에겐 일 없어! 나가라면 나가!"

그러자 나오미는 즉시 '이거 실수했군'이라고 깨달은 듯 즉시 태도를 바꿔 **쓱** 일어나는가 싶더니,

"그럼 나갈게."

라고 그야말로 평소의 어조로 그렇게 말했습니다.

"좋아! 당장 나가!"

"응, 당장 갈 거야. 2층에 가서 갈아입을 옷을 가져오면 안 돼?"

"넌 지금 바로 돌아가서, 심부름꾼을 보내! 짐은 모두 건네줄 테니까!"

"하지만 나, 그러면 곤란해. 지금 당장 여러 가지 필요한 게 있으니까."

"그럼 마음대로 해, 빨리하지 않으면 용서하지 않을 거야."

저는 나오미가 **지금 당장** 짐을 가져가겠다는 것을 일종의 위협으로 받아들였기 때문에 지지 않을 생각으로 그렇게 말하자, 그녀는 2층으로 올라가 근처를 덜컹덜컹 마구 뒤적거려 바구니니 보자기니 짊어질 수 없을 정도로 짐을 꾸려서, 스스

로 **냉큼** 인력거를 부르더니 짐을 실었습니다.

"그럼 안녕. 오랫동안 신세 많이 졌습니다."

나갈 때 그렇게 말한 그녀의 인사는 지극히 담백했습니다.

20

그녀가 탄 인력거가 가버리자, 저는 무슨 생각이었는지 즉시 회중시계를 꺼내 시간을 보았습니다. 딱 오후 0시 36분……. 아 그렇구나. 조금 전에 그녀가 아케보노로를 나온 것이 11시, 그리고 그렇게 크게 싸우고 **눈 깜짝할 사이**에 형세가 바뀌어, 지금까지 여기 서 있던 그녀가 이제 사라져버렸다. 그 사이가 불과 1시간 36분. ……사람들은 자주 간호하던 환자가 마지막 숨을 거둘 때 또는 대지진을 만났을 때 자신도 모르게 시계를 보는 버릇이 있는데, 제가 그때 문득 시계를 꺼내 본 것도 아마 그와 비슷한 기분이었을 겁니다. 다이쇼 모년 11월 모일 오후 0시 36분, 저는 그날 그 시각에, 마침내 나오미와 헤어졌다. 저와 그녀와의 관계는 그때 어쩌면 종언을 고했는지도 모른다…….

'우선 **한숨** 놨다! 무거운 짐을 벗었다!'

어쨌거나 그동안의 암투에 완전히 지쳐 있었기 때문에, 그렇게 생각함과 동시에 녹초가 되어 멍하니 의자에 앉아 있었습니다. 순간의 느낌은 '아, 감사하다. 겨우 해방됐다'라는 개운한 기분이었습니다. 그것은 제가 단순히 정신적으로 지쳤을 뿐만 아니라, 생리적으로도 지쳐 있었기 때문에, 한번 푹 쉬고 싶다고 오히려 제 육체가 절실히 요구하고 있었습니다. 예를 들어 나오미라는 존재는 몹시 강한 술로, 과하게 그 술을 마시면 몸에 나쁘다는 걸 알면서도 매일 그 향긋한 향기를 맡고 가득 채워진 술잔을 보면 마시지 않고는 못 배깁니다. 마시면 서서히 주독酒毒이 몸의 마디마디에 퍼져, 노곤하고 나른하며 후두부가 납처럼 몹시 무겁고 갑자기 일어나면 현기증이 날 것만 같고 뒤로 벌렁 자빠질 것 같습니다. 그리고 늘 숙취로 속이 울렁거리고 기억력이 쇠퇴하며 모든 일에 흥미가 사라져 환자처럼 기운이 없습니다. 머릿속에는 기묘한 나오미의 환상이 떠올라 그것이 가끔 **트림**처럼 속을 메스껍게 하고, 그녀의 향기와 냄새와 기름이 언제나 **훅** 코를 찌릅니다. 그래서 '보면 눈의 독'인 나오미가 사라진 것은 장마철 하늘이 단번에 **활짝** 갠 것 같은 상태였습니다.

하지만 지금도 말했듯이 그것은 전적으로 한순간의 느낌으로, 솔직히 그 개운한 기분이 이어진 것은 1시간 정도였을 겁니다. 설마 제 육체가 아무리 튼튼하다고 해도 불과 1시간 정도 만에 피로가 완전히 회복될 리는 없지만, 의자에 앉아 **휴**하고 한숨 돌렸나 싶었는데, 즉시 가슴에 떠오르는 것은 조금 전 싸웠을 때 나오미의 비정상적일 정도로 무시무시한 용모였습니다. '남자의 증오가 서리면 서릴수록 여자는 아름다워진다'라고 한, 그 한순간의 그녀의 얼굴이었습니다. 그 얼굴은 제가 찔러 죽여도 시원치 않을 정도로 밉고 미운 음부의 상으로, 뇌리에 영원히 새겨진 채 지우려 해도 전연 지워지지 않고 있었는데, 무슨 이유에서인지 시간이 지나면 지날수록 점점 분명히 눈앞에 나타나, 지금껏 가만히 눈을 고정시키고 나를 노려보는 것처럼 느껴지고, 게다가 점점 그 미움이 끝 모를 아름다움으로 변해 갔습니다. 생각해보면 그녀의 얼굴에 그런 요염한 표정이 흘러넘친 것을 저는 지금까지 한 번도 본 적이 없습니다. 의심할 것도 없이 '사악의 화신'인 동시에 그녀의 몸과 영혼이 가진 모든 아름다움이 최고조의 형태로 나타난 모습입니다. 저는 아까도 싸움이 한창일 때 저도 모르게 그 아름다움에 매료되었을 뿐만 아니라, '아, 아름답다'라고 마음 속으로 외치면서도, 어째서 그때 그녀의 발아래 무릎 꿇지 않았던가. 언제나 우유부단하고 패기 없는 제가, 아무리 격분해 있었다고는 하지만 저 무시무시한 여신을 향해 어째서 마구 욕을 퍼붓고 손을 올릴 수 있었을까. 제 어디에서 그런 무모한 용기가 나왔을까. 그것이 제겐 이제 새삼 신기하게 여겨져, 그 무모함과 용기를 원망하는 마음조차 서서히 솟아났습니다.

'넌 바보야. 큰일을 저질렀어. 약간의 무례함이 있어도 그것과 「그 얼굴」을 바꿀 수 있다고 생각해. 그 정도의 아름다움은 결코, 두 번 다시 세상에 없을 거야.'

저는 누군가에게 그런 말을 듣는 기분이 들기 시작해, 아, 그랬지, 난 정말 쓸데없는 짓을 하고 말았구나, 평소 그녀를 화나지 않게 하려 조심했으면서 이런 결과가 된 건 마가 낀 게 분명해, 그런 생각이 어디선가 고개를 들었습니다.

겨우 1시간 전까지는 그렇게 그녀를 부담스럽게 여기고 그 존재를 저주하던 제가 이번에는 반대로 자신을 저주하고 그 경솔함을 뉘우치게 된 것은? 그렇게 미웠던 여자가 이렇게도 그리워지는 것은? 이 급격한 마음의 변화는 저 자신에게도 설명할 수 없는 것으로, 아마도 사랑의 신만이 알고 있는 수수께끼겠지요. 저는 어느 틈에 일어나 방 안을 왔다 갔다 하면서 어떻게 하면 이 연모의 정을 치료할 수 있을까 하고 오랫동안 생각했습니다. 아무리 생각해도 치료할 방법은 찾지 못하고 그저 그녀가 아름다웠던 것만 생각납니다. 과거 5년간의 공동생활의 장면 장면이, 아, 그때는 이렇게 말했지, 그런 표정이었지, 그런 눈을 했지, 하는 식으로 계속해서 떠올라, 그것이 하나하나 미련의 씨앗이 아닌 것이 없습니다. 특히 제가 잊을 수 없는 것은, 그녀가 열대여섯의 소녀였을 때 매일 밤 제가 서양 목욕통에 넣고 몸을 씻어준 것. 그리고 제가 말이 되어 그녀를 등에 태우고 '이랴 이랴' 하며 온 방 안을 기어 다니며 놀던 것, 어째서 그런 시시한 일이 그렇게까지도 그리운 것인지, 참으로 시시하지만 만약 그녀가 앞으로 다시 한번 제게 돌아온다면 저는 무엇보다 먼저 그때의 놀이를 해봐야지, 다시 한번 그녀를 등에 태우고 이 온 방을 기어다녀 보자, 그럴 수 있다면 난 얼마나 기쁠지 몰라 라고, 하면서 마치 그 일을 더할 나위 없는 행복처럼 공상하는 것이었습니다. 아니,

단순히 공상했을 뿐만 아니라 저는 그녀가 너무도 그리워 저도 모르게 마루를 네발로, 지금도 그녀가 제 등에 털썩 **올라타기**라도 한 것처럼, 방 안을 빙글빙글 돌아다녀 보았습니다. 그리고 저는, -여기에 쓰기도 부끄러운 일이지만, -2층에 올라가 그녀의 헌 옷을 꺼내 그것을 몇 장이고 등에 올리고 그녀의 다비를 양손에 끼고, 또 그 방 안을 네발로 기어 다녔습니다.

이 이야기를 처음부터 읽고 계시는 독자들은 아마도 기억하고 있겠지만, 저는 '나오미의 성장'이라는 제목을 붙인 기념 공책을 가지고 있었습니다. 그것은 제가 그녀를 목욕통에 넣고 몸을 씻어주었을 무렵 그녀의 사지가 날이 갈수록 성장하는 모습을 자세히 기록해둔 것으로, 즉 소녀로서의 나오미가 점점 어른이 되는 모습을, -단지 그것만을 전문으로 적어둔 일종의 일기장이었습니다. 저는 그 일기의 곳곳에, 당시의 나오미의 여러 가지 표정, 온갖 자태의 변화를 사진으로 찍어 붙어둔 것을 생각해내고, 하다못해 그녀를 회상할 최소한의 수단으로 오랫동안 먼지를 뒤집어쓰고 박혀 있는 일기장을 책 상자 밑에서 꺼내 순서대로 페이지를 넘겨보았습니다. 그 사진은 저 이외의 사람에게는 절대로 보여줄 수 없어서 직접 현상과 인화 등을 했는데, 아마도 물로 씻는 게 완전하지 않은 모양입니다. 지금은 점점이 **주근깨** 같은 반점이 생겨서, 사진에 따라서는 완전히 낡아버려 마치 오래된 영상처럼 몽롱한 것도 있었지만, 그 때문에 오히려 그리움이 더할 뿐으로,

이미 10년, 20년이나 옛날 일, ……어린 시절 오랜 꿈을 더듬는 듯한 기분이었습니다. 그리고 거기에는 그녀가 어느 시기 좋아해서 차려입었던 각종 의상과 **차림새**가, 기발한 것도, 경쾌한 것도, 사치스러운 것도, 우스운 것도, 거의 남김없이 찍혀 있었습니다. 어떤 페이지에는 벨벳 신사복을 입고 남장한 사진이 있습니다. 다음 장을 넘기면 얇은 코튼 보일 천을 몸에 두르고, 조각처럼 서 있는 모습이 있습니다. 또 다음 장에는 반짝반짝 빛나는 새틴 하오리에 새틴 기모노, 폭이 좁은 오비를 가슴께로 높이 치켜 매고, 리본 장식이 있는 깃을 단 모습이 나타납니다. 그리고 각종 잡다한 표정과 동작, 여배우를 흉내낸 이런저런 사진, -메리 픽퍼드의 웃는 얼굴이니, 글로리아 스완슨*의 눈동자니, 폴라 네그리**의 흥분한 모습, 베브 다니엘스의 별스럽게 거드름피우는 모습이니, 불끈 화를 내는 모습, 생긋 웃는 모습, 두려워하는 모습, 황홀해하는 모습, 보기에 따라서 그녀의 표정과 태도는 하나하나 변화하여, 얼마나 그녀가 그런 것에 민감하고, 재주 있으며, 영리했는가를 말하지 않는 것은 없었습니다.

'아, 있을 수 없어! 난 정말로 대단한 여자를 놓쳐버렸어.'

저는 미칠 것 같아 분한 나머지 발을 동동 구르고, 계속해

* (1899~1983) 미국의 배우. 1924년 『벌새』에서 파리 암흑가의 여자 소매치기 두목을 남장으로 연기했다.

** (1894~1987) 폴란드 출신의 여배우. 처음 독일에서 활약하고 나중에 할리우드 스타가 되었다. 윤락녀, 술집의 댄서, 여 도둑 등의 역할이 많았다. 루비치 감독의 『카르멘』(1918년)에서도 주연을 했다.

서 일기를 넘겨 가니, 여전히 사진이 몇 장이고 나왔습니다. 제 촬영 방법은 점점 아주 미세한 점까지 공을 들이고 부분 부분을 클로즈업하여, 코 모양, 눈 모양, 입술 모양, 손가락 모양, 팔의 곡선, 어깨의 곡선, 등의 곡선, 다리의 곡선, 손목, 발목, 팔꿈치, 무릎, 발바닥까지도 찍어서, 마치 그리스의 조각이나 나라의 불상 다루듯이 한 것입니다. 여기에 이르러 나오미의 몸은 전적으로 예술품이 되어, 제 눈에는 실제로 나라의 불상 이상으로 완벽한 것으로 여겨져, 그것을 찬찬히 바라보니 종교적인 감격조차 솟아났습니다. 아, 저는 대체 무슨 생각으로 이런 정밀한 사진을 찍은 것일까요? 이것이 언젠가는 슬픈 기념이 될 거라는 사실을 예감이라도 하고 있던 것일까요?

제가 나오미를 사랑하는 마음은 가속도를 더해갔습니다. 이미 날이 저물어 창밖에는 저녁별이 깜박이기 시작하고 으스스 추워지기조차 했지만, 저는 아침 11시부터 밥도 먹지 않고 불도 피우지 않고 전깃불을 켤 기력도 없이, 어두워진 집 안의 2층에 올라가기도 하고, 계단 아래로 내려오기도 하고, "바보!"라고 하면서 자신의 머리를 쥐어박기도 하고, 빈집처럼 고요한 아틀리에의 벽을 향하여 "나오미, 나오미"라고 외쳐 보기도 하고, 결국에는 그녀의 이름을 계속 부르며 바닥에 이마를 문질렀습니다. 이제 어떻게 해서든 무슨 수를 써서든 그녀를 데리고 와야만 한다, 나는 절대적·무조건적으로 그녀 앞에 항복한다, 그녀가 말하는 것, 원하는 것, 모든 것에 나는 복종한다. ……그런데, 지금쯤 그녀는 뭘 하고 있을까? 그렇게 물건을 가지고 갔으니까 도쿄역에서 분명 자동차로 갔겠지. 그렇다고 하면 아사쿠사 친정집에 도착하고 대여섯 시간은 지났을 거다. 그녀는 친정 사람들에게 쫓겨 온 이유를 정직하게 말했을까? 아니면 예의 지기 싫어하는 성미로, 임시 방책으로 아무렇게나 되는 대로 말해서 언니와 오빠를 현혹하고 있을까? 센조쿠초에서 저속한 일을 하고 있는 집, 그곳의 딸이라는 말을 듣는 걸 몹시 싫어하여 부모 형제를 무지한 인종처럼 취급하고, 좀처럼 친정에 간 적 없는 그녀. —이 부조화한 일족 사이에서 지금쯤 어떤 선후책이 논의되고 있을까? 언니와 오빠는 물론 사과하러 가라고 하고, "나는 절대 사과하러 가지 않을 거야. 누가 내 짐을 가져다줘"라고, 나오미는 어디까지나 강하게 나온다. 그리고 거의 걱정 같은 건 하지 않는 듯, 태연한 얼굴로 농담을 하거나 기염을 토하거나 영어를 써가며 지껄여대거나 하이칼라한 옷과 소지품 등을 과시하거나 하면서, 마치 귀족의 딸이 빈민굴을 찾은 것처럼 으스대고 있지 않을까…….

하지만 나오미가 뭐라고 해도, 하여간 사건이 사건이니만큼 즉시 누군가가 달려올 텐데……. 만일 본인이 "사과 같은 거 하러 안 가"라고 하면 언니나 오빠가 대신 올 참이지만……아니면 나오미의 부모 형제는 아무도 나오미 걱정 같은 건 하지 않는 걸까? 마치 나오미가 그들에 대해서 냉담한 것처럼 그들도 예전부터 나오미에 대해서 아무 책임도 지지 않았다. "그 아이에 대해서는 전부 맡깁니다"라고, 열다섯 소녀를 여기에 맡긴 채 어떻게든 마음대로 하라는 태도였다. 그래서 이번에도 나오미가 하고 싶은 대로 하게 하고 방치해둘까? 그렇다면 짐만이라도 가지러 올 법하지 않은가. "돌아가면 즉시 심부름꾼을 보내, 짐은 모두 건네줄 테니까!"라고 말했는데, 아직까지 아무도 오지 않는다는 것은 어찌된 일일까? 갈아입을 옷과 소지품은 대강 가지고 갔지만, 그녀의 '목숨 다음으로 중요한' 외출복은 아직 몇 벌이나 남아 있다. 어차피 그녀는 그 누추한 센조쿠초에 온종일 틀어박혀 있을 리가 없으니까 날마다 근처를 놀라게 할 화려한 차림으로 나돌아다니겠지. 그렇다면 더욱더 의복이 필요할 테고, 그것이 없으면 도저히 견디지 못할 텐데…….

하지만 그날 밤, 아무리 기다려도 나오미의 심부름꾼은 오지 않았습니다. 저는 주위가 캄캄해질 때까지 전등도 켜지 않았기 때문에 어쩌면 빈집이라고 오해를 하면 큰일이라고 생각하여 서둘러 방이란 방에 불을 켜고 문패가 떨어져 있지 않나 다시 보고, 입구 쪽에 의자를 가지고 와서 몇 시간이고 문 밖의 발소리를 들었지만, 8시가 9시가 되고, 10시가 되고, 11시가 되도……. 결국 아침부터 꼬박 하루가 지나도 아무런 소식도 없었습니다. 그리고 비관의 **밑**바닥에 떨어진 제 가슴에는 다시 여러 가지 멈출 수 없는 억측이 생겨났습니다. 나오미가 심부름꾼을 보내지 않은 것은 어쩌면 사건을 가볍게 보고 있는 증거로, 이삼일 지나면 해결될 거라고 **대수롭지** 않게 여기고 있는 게 아닐까. '뭐 괜찮아, 상대는 내게 홀딱 반했어. 나 없이는 하루도 못 견딜 테니 데리러 올 게 분명해'라고 밀당을 하는 게 아닐까. 그녀는 지금까지 사치하는 데 익숙해 있어서, 그런 사회의 인간들 속에서 살 수 없는 걸 알아. 그렇다고 해서 다른 남자에게 갔어도 나만큼 그녀를 소중히 여겨주고, 제멋대로 하게 두는 사람이 있을 리가 없다. 나오미 녀석은 그런 걸 충분히 알지만 입으로는 큰소리를 치면서 데리러 오기를 은근히 기다리고 있는 게 아닐까. 아니면 내일 아침 무렵쯤 언니나 오빠가 결국 중재하러 오지 않을까. 밤에 바쁜 장사여서, 아침이 아니면 올 수 없는 사정이 있을지도 모른다. 여하튼 심부름꾼이 오지 않는다는 것은 도리어 한 줄기 희망이 있다. 내일이 돼도 소식이 없으면 내가 데리러 가야지. 이제 이렇게 되면 고집도 체면도 없다. 애초에 난 그 고집 때문에 일을 그르친 것이다. 그녀의 친정 식구들이 비웃든 그녀에게 약점을 잡히든 가서 싹싹 빌고 언니나 오빠에게도 거들어달라고 부탁하여, "제발 돌아와 줘"라고, 백만 번이고 거듭 말한다. 그렇게 하면 그녀도 체면이 서서, 의기양양하게 돌아올 수 있으리라.

저는 거의 뜬 눈으로 하룻밤을 새우고, 다음 날 오후 6시 무렵까지 기다렸습니다. 그런데도 아무런 소식이 없기에, 더는 견디지 못하고 집을 뛰쳐나가 서둘러 아사쿠사로 달려갔습니다. 한시라도 빨리 그녀와 만나고 싶다, 얼굴만 보면 안심이다! 사랑에 애태운다는 말은 그때의 저를 두고 하는 말일 겁니다. 제 마음에는 '만나고 싶다 보고 싶다'라는 바람 외에 다른 어떤 것도 없었습니다.

화원 뒤쪽의 복잡한 골목에 있는 센조쿠초의 집에 도착한 것은 대략 7시 무렵이었을 겁니다. 역시 쑥스러워서 저는 살짝 격자문을 열고,

"저기, 오모리에서 왔습니다만, 나오미 있나요?"

라고 봉당에 선 채 작은 목소리로 물었습니다.

"어머, 가와이 씨."

언니는 제 목소리를 듣고 옆방에서 머리를 내밀고 의아스러운 표정으로 말했습니다.

"어머, 나오미 짱이? 아니요, 안 왔는데요."

"그거 이상하네, 오지 않았을 리가 없는데, 어제 이쪽으로 간다고 하고 나갔으니까요……."

21

처음에 저는 언니가 그녀의 부탁으로 숨기는 거라고 그릇된 의심을 했기 때문에 여러 가지로 부탁했습니다. 하지만 계속 들어보니 실제로 나오미는 여기에 오지 않은 모양이었습니다.

"이상하네, 정말. ……짐도 잔뜩 가지고 갔고, 그 상태로는 어디에도 갈 수 없을 텐데……."

"어머, 짐을 가지고?"

"바구니니, 가방이니, 보자기니, 많이 가지고 갔어요. 실은 어제 별거 아닌 일로 좀 싸워서……."

"그래서 본인은 여기로 온다고 하고 나갔나요?"

"본인이 아니라 제가 그렇게 말해주었어요. 지금 바로 아사쿠사로 돌아가서 사람을 보내라고. 댁들 중 누군가 와주시면 말이 통할 거라고 생각해서."

"어머, 그렇군요. ……하지만 어쨌거나 이쪽에는 오지 않았어요. 그렇다면 머지않아 올지도 모르겠지만."

"하지만 어젯밤부터라면 알 수 없어."

그러는 사이에 오빠도 나와서 말했습니다.

"어딘가, 짐작 가는 데가 있으면 다른 곳을 찾아보세요. 지금까지 오지 않았으니 여기에는 오지 않을 겁니다."

"게다가 나오미 짱은 그동안 전혀 집에 오지 않았어요. 그게 그러니까 언제였더라? 벌써 두 달이나 얼굴을 보인 적이 없어요."

"그럼 죄송하지만 혹시 이쪽에 오면 설령 본인이 뭐라고 하더라도 즉시 제게 알려주셨으면 합니다만."

"네, 그야 물론이지요. 저로서는 이제 와서 그 아이를 어쩌겠다는 생각은 없으니까, 오면 당장에라도 알려드리지요."

마루 끝에 걸터앉아, 접대차 내온 싸구려 차를 홀짝홀짝 마시면서 저는 잠시 어찌할 바를 모르고 있었습니다. 하지만 여동생이 가출했다는 말에도 특별히 걱정하지 않는 언니와 오빠를 상대로 진심을 호소해봤자 소용없습니다. 그래서 저는 거듭 만일 그녀가 들르면 즉시, 낮이라면 회사에 전화해줄 것, 특히 요즘은 가끔 회사를 쉬고 있으니 혹시 회사에 없는 경우는 즉시 오모리로 전보를 쳐줄 것. 그러면 내가 데리러 올 테니 그때까지 절대 어디에도 가지 못하게 할 것 등을 **지겹도록** 부탁하고, 그런데도 왠지 이 패거리의 **흐리멍텅함**이 미덥지 못한 생각이 들어, 만약을 위해 다시 회사의 전화번호를 가르쳐주기도 하고, 이런 상태라면 오모리의 번지도 모르는 거 아닌가 싶어 그것을 자세히 적어주고 나왔습니다.

'그건 그렇고 어떻게 하면 좋을까? 어디로 가버린 것일까?'

저는 당장이라도 울음을 터뜨릴 것 같은 기분으로 -아니, 실제로 울음을 터뜨렸을지도 모르지만, -센조쿠초의 골목을 나와 특별한 목적도 없이 공원을 어슬렁어슬렁 거닐면서 생각했습니다. 친정에 돌아가지 않는 걸 보니 사태는 명백히 예상한 것보다도 중대합니다.

'이건 분명 구마가이가 있는 곳이야. 녀석에게로 달아난 거야.' 그런 생각이 들자, 나오미가 어제 나갈 때 "하지만 나, 그러면 곤란해. 지금 당장 여러 가지 필요한 게 있으니까"라고 그렇게 말한 것도 짚이는 데가 있었습니다. 그래, 역시 그랬어. 구마가이한테 갈 생각이어서, 그렇게 짐을 가지고 간 거야. 혹은 전부터 이렇게 말할 때는 이렇게 하자고 둘 사이에 협의가 있었을지도 몰라. 그렇다면 이건 상당히 어려울지도 몰라. 무엇보다 난 구마가이의 집이 어디에 있는지도 모르잖아. 그건 조사하면 알 수 있지만 설마 녀석이 부모님 집에 그녀를 숨겨 둘 수는 없을 거야. 녀석은 불량소년이지만 부모는 상당한 사람들 같으니까 제 아들에게 그런 고약한 짓을 하게 놔두지 않을 거야. 녀석도 집을 나와 둘이서 어딘가에 숨어 있지는 않을까? 부모의 돈이라도 가져다가 놀러 다니고 있지 않을까? 그렇다면 그렇다고 확실히 알아주면 돼. 그러면 난 구마가이의 부모와 담판을 해서 엄격하게 간섭하라고 해야지. 설령 그들이 부모의 말을 듣지 않을지라도, 돈이 떨어지면 둘이 살 수 있을 리가 없으니까 결국 녀석은 자신의 집으로 돌아갈 거고, 나오미는 이쪽으로 돌아올 거다. 결국 그럴 거지만 그러는 동안 내 고생은? –그것이 한 달로 끝날지, 두 달, 석 달, 혹은 반년이나 걸릴지? –아니, 그렇게 되면 큰일이다. 그러는 사이에 점점 돌아올 **기회**를 놓쳐버리고, **어쩌면** 제이 제삼의 남자가 생기지 말란 법도 없어. 그럼 이건 **우물쭈물**하고 있을 상황이 아니야. 이렇게 떨어져 있으면 있을수록 그녀와의 인연이 희박해져. 점점 그녀는 멀리 떠나고 있어. 두고 봐! 달아나려고 해도 놓칠까 보냐! 난 무슨 일이 있어도 데리고 올 테니까! 괴로울 때 하느님 찾기, –저는 지금까지 신앙심을 가진 적은 없었지만, 그때 문득 생각나서 관세음보살께 참배했습니다. 그리고 '나오미가 있는 곳을 한시라도 빨리 알 수 있도록, 내일이라도 빨리 돌아오도록'이라고 진심을 담아 기도했습니다. 그리고 어디를 어떻게 걸었는지, 두세 곳의 바에 들러, **곤드레만드레** 취해서, 오모리 집에 돌아온 것은 자정이 지난 시각이었습니다. 하지만 취하기는 했어도 나오미가 시종 머릿속에 있어서 자려고 해도 쉽게 잠들지 못하고, 그러는 사이에 술이 깨어버리자 다시 하나의 일을 **끙끙** 생각합니다. 어떻게 하면 있는 곳을 알아낼 수 있는지, 실제로 구마가이와 달아났는지, 녀석의 집에 담판하러 가려고 해도 그걸 확인한 후가 아니면 너무 경솔하고, 비밀탐정이라도 고용하지 않으면 알아낼 방법이 없고, 하여 여러모로 생각한 끝에 **문득** 생각난 사람은 하마다였습니다. 그래, 하마다라는 녀석이 있었지. 난 깜박 잊고 있었지만 그 남자라면 내 편이 돼줄 거야. '마쓰아사'에서 헤어질 때 그 남자의 주소를 적어놓았으니까 내일이라도 당장 편지를 보낼까. 편지는 답답하니까 전보를 칠까? 그것도 좀 요란스러운 거 같군. 아마도 전화가 있을 테니까 전화를 걸어 와달라고 할까? 아니, 아니야, 와달라고 할 것까지도 없어. 그럴 시간이 있으면 구마가이를 찾아달라고 하는 게 나아. 무엇보다 중요한 건 구마가이의 동정을 아는 거야. 하마다라면 연줄이 있으니까 즉시 알려줄 거야. 지금의 내 괴로움을 헤아려주고, 나를 구해줄 사람은 그 남자밖에 없어. 이것도 역시 '괴로울 때 하느님 찾기'일지도 모르지만…….

다음 날 아침, 저는 아침 7시에 황급히 일어나 근처 공중전화로 달려가 전화번호부를 뒤져 하마다의 집을 찾았습니다.

"아, 도련님 말씀인가요, 아직 주무시고 계시는데요……."

하녀가 받아서 그렇게 말하는걸,

"정말 죄송한데, 급한 용무이니 부디 바꿔주시기를……."

라고 반복해서 부탁하자, 잠시 후 전화를 받은 하마다는,

"가와이 씨인가요, 저 오모리의?"

라고 잠이 덜 깬 졸린 목소리로 말했습니다.

"네, 그래요. 오모리의 가와이입니다. 저번에 폐가 많았습니다. 게다가 갑자기 이런 시각에 전화를 걸어 실례가 많습니다만, 실은 저, 나오미가 도망가버려서 말이죠."

이 '도망가버려서 말이죠'라고 말할 때 저는 저도 모르게 울먹이는 소리가 되었습니다. 몹시 추운, 겨울 같은 아침, 잠옷 위에 **솜옷** 한 장을 걸친 채 서둘러 나왔기 때문에 저는 수화기를 잡은 채 계속 떨고 있었습니다.

"아, 나오미 씨가 역시 그랬군요."

그러자 하마다는 의외로 몹시 침착하게 말했습니다.

"그럼 당신은 이미 알고 있나요?"

"어제 만났어요."

"예예? 나오미와? ……나오미와 어제 만났단 말인가요?"

이번에는 조금 전과는 다른 떨림으로 온몸이 부들부들 떨렸습니다. 너무 심하게 떨었기 때문에 앞니가 딱하고 수화기에 부딪혔습니다.

"어젯밤 제가 엘도라도에 댄스를 하러 갔는데 나오미 씨가 와 있었어요. 특별히 사정을 들은 건 아니지만, 아무래도 모습이 이상해서 아마도 그럴 거라고 생각했어요."

"누구와 함께 와 있었나요? 구마가이와 함께 아니었나요?"

"구마가이뿐만이 아닙니다. 남자 대여섯 명과 함께였는데, 그중에는 서양인도 있었어요."

"서양인이……?"

"네, 그래요, 그리고 대단히 멋진 서양 옷을 입고 있었어요."

"집을 나갈 때 서양 옷 같은 건 가지고 가지 않았는데……."

"어쨌거나 서양 옷이었어요. 게다가 몹시 품위 있는 야회복을 입고 있었어요."

저는 여우에게 홀린 듯 멍한 채 뭘 물으면 좋을지 **도무지** 짐작이 가지 않았습니다.

22

"아, 여보세요, 여보세요, 무슨 일이에요, 가와이 씨…… 여보……."

제가 너무도 말이 없었기 때문에 하마다는 그렇게 말하며 재촉했습니다.

"아, 여보세요, 여보세요……."

"아……."

"가와이 씨인가요……."

"아……."

"무슨 일인가요……."

"아…… 어떻게 하면 좋을지 모르겠어요……."

"하지만 전화기 앞에서 생각해도 어쩔 수 없잖아요."

"어쩔 수 없다는 건 알지만, ……하지만 하마다 군, 저는 정말 난처해요. 어찌 된 일인지 갈피를 잡을 수가 없어요. 녀석이 사라지고 나서 밤에도 제대로 잘 수 없을 정도로 괴로워하고 있어요……."

여기서 저는 하마다의 동정을 구하기 위해 한껏 연민을 담아 말을 이어갔습니다.

"……하마다 군, 난 이럴 때 당신 외에 달리 의지할 사람이 없어요. 얼토당토않은 폐를 끼치지만, 나는, 나는…… 어떻게든 나오미가 있는 곳을 알고 싶어요. 구마가이와 있는지, 아니면 누군가 다른 남자와 있는지, 그걸 분명히 알고 싶어요. 그래서 말인데요, 염치없는 부탁이지만 당신이 그걸 알아봐줄 수는 없을까요? 내가 알아보는 것보다도 당신이 알아봐주는 편이 여러 연줄이 있지 않을까, 그렇게 생각하니까요……."

"네, 그야, 제가 알아보면 즉시 알 수 있을지도 모르죠."

라고 하마다는 어렵지 않다는 듯이 그렇게 말하고,

"하지만 가와이 씨, 당신에게도 대강 어디라고 짐작 가는 데는 없나요?"

"저는 틀림없이 구마가이한테 갔을 거라고 생각했어요. 실은 당신이니까 하는 말인데, 나오미는 지금껏 나 몰래 구마가이와 관계를 하고 있었어요. 그걸 얼마 전에 들켜서 결국 나와 싸우고 집을 뛰쳐나가 버린 겁니다……."

"흠……."

"그런데 당신의 말에 의하면, 서양인이니 여러 남자가 함께였고 서양 옷을 입고 있었다고 하니 나로서는 전혀 짐작이 가지 않게 되었어요. 하지만 구마가이와 만나면 대강의 상황은 알 수 있을 거 같은데……."

"아, 좋습니다, 좋아요."

라고 하마다는 푸념 섞인 말을 자르듯이 말했습니다.

"그럼 하여간 알아보죠."

"부디 되도록 빨리 부탁하고 싶은데……. 혹은 할 수 있다면 오늘 중이라도 결과를 알려주면 큰 도움이 되겠는데……."

"아, 그런가요? 아마도 오늘 중으로 알 수 있을 것 같은데, 알게 되면 어디로 연락할까요? 요즘도 오이초 회사에 다니나요?"

"아니, 이 일이 일어나고 나서 회사는 계속 쉬고 있어요. 혹시 나오미가 돌아오지는 않을까, 그런 생각이 들어서 가급적 집을 비우지 않으려고 해요. 그래서 정말 뻔뻔스러운 이야기지만 전화는 형편이 좋지 못하니 직접 만나면 좋을 것 같은데…… 어떤가요? 상황을 알게 되면 오모리에 와줄 수 없을까요?"

"네, 상관없어요. 어차피 놀고 있으니까요."

"아, 고마워요. 그렇게 해주면 난 정말 고맙지요!"

그렇게 되니 하마다가 오는 것이 일각이 천추일 듯하여 저는 더욱 조급해하면서,

"그럼 대강 몇 시쯤에 오게 될까요? 늦어도 두세 시에는 알 수 있을까요?"

"글쎄요, 알 수 있을 거라고는 생각해요. 하지만 이건 확실하게는 말할 수 없어요. 최선의 방법을 취해 보겠지만 때에 따라서는 이삼일이 걸릴지도 모르니까요……."

"그, 그건 어쩔 수 없죠. 내일이든 모레든 난 당신이 올 때까지 가만히 집에서 기다리고 있을게요."

"알겠습니다. 자세한 것은 조만간 만나서 이야기 하지요. 그럼 안녕히."

"아, 여보세요, 여보세요."

전화를 끊으려 할 때, 저는 황급히 다시 한번 하마다를 불렀습니다.

"여보세요, 여보세요. ……저기, 그리고…… 이건 그때의 사정에 따라 달라질 수 있겠지만, 당신이 직접 나오미와 만나게 되거든 그리고 이야기를 할 기회가 있으면 이렇게 말해줬으면 해요. 나는 결코 그녀의 잘못을 탓하려고 하지 않는다고, 그녀가 타락한 것에 대해서는 내 쪽에도 잘못이 있다는 걸 잘 안다고. 그리고 내가 잘못한 일은 몇 번이고 용서를 빌고 어떤 조건이라도 들어줄 테니, 모든 과거는 없었던 것으로 하고, 부디 다시 한번 돌아오라고. 그것도 싫다면 하다못해 한 번만 나와 만나주라고요."

어떤 조건이라도 들어주겠다는 말 다음에 더 정직하게 말한다면, '그녀가 무릎을 꿇으라면 나는 기꺼이 무릎을 꿇겠습니다. 땅에 이마를 대라고 하면 땅에 이마를 대겠습니다. 어떻게든 해서 용서를 빕니다'라고, 오히려 그 말을 하고 싶었지만 그 말까지는 하지 못했습니다.

"내가 그렇게까지 그녀를 생각하고 있다는 걸, 혹시 가능하다면 전해주었으면 좋겠어요."

"아, 그런가요, 기회가 있으면 그것도 충분히, 그렇게 말해보겠습니다."

"그리고, 저, ……어쩌면 그런 기질이어서 돌아오고 싶어도 고집을 부리고 있는 게 아닌가 해요. 그런 식이라면 제가 몹시 풀이 죽어 있다고 말하고, 억지로라도 본인을 데리고 와 주면 더 좋겠습니다만……."

"알았습니다, 알았어요. 거기까지는 약속하기 어렵지만 할 수 있는 데까지 해보겠습니다."

너무 제가 집요해서 하마다도 다소 지겨운 듯한 어조였지만 저는 그곳 공중전화에서 지갑 속의 5전 동화가 없어질 때까지, 연거푸 3통*이나 하며 떠들어댔습니다. 아마도 제가 우는 소리를 내거나 떨리는 목소리를 내거나 하여, 이렇게 분명히, 이렇게 **뻔뻔스럽게** 말한 적은 태어나서 처음이었을 겁니다. 하지만 통화가 끝나자 저는 **한숨** 놓기는커녕 이번에는 하마다가 오는 것이 몹시 기다려졌습니다. 오늘 중이라고는 했지만 만약 오늘 오지 못한다면 어떻게 하면 좋을까요? 아니, **어떻게 하면**이라기보다도, 난 **어떻게 돼**버릴까요? 난 지금 애타게 나오미를 그리워하는 것 외에 아무 할 일이 없습니다. 아무 일도 못 하고 있습니다. 자는 것도, 먹는 것도, 외출도 할 수 없고, 집 안에 가만히 틀어박혀, **생판** 남이 나를 위해 동분서주하면서 어떤 정보를 가져다주기를 수수방관한 채 기다려야만 한다. 실제로 사람은 아무것도 안 하는 것만큼 고통스러운 일은 없는데, 저는 그에 더해 죽을 만큼 나오미가 그립

* 1924년 3월까지 공중전화는 1통화 5분 이내로 5전이었다.

습니다. 이 그리움에 애를 태우며 자신의 운명을 타인에게 맡기고 시곗바늘을 응시한다는 것은 생각만 해도 견딜 수 없는 일입니다. 불과 1분 동안이라고 해도 '시간'의 흐름이라는 것이 놀랄 정도로 느리게, 무한히 길게 느껴집니다. 그 1분이 60번이 겨우 1시간, 120번이 겨우 2시간, 가령 3시간 기다린다 해도 이 **무료**하고 도무지 어찌할 수 없는 '1분'을, 초침이 째깍째깍 원을 한 바퀴 도는 동안을, 180번을 견뎌야만 한다! 그것이 3시간은 고사하고, 4시간이 되고 5시간이 되고 혹은 반나절, 온종일이 되고, 이틀, 사흘이 되면 몹시 기다려지고 너무도 그리워 저는 미쳐버릴 게 분명하다는 생각이 들었습니다.

하지만 아무리 빨라도 하마다가 오는 건 저녁 무렵일 거라고, 나름대로 각오하고 있었는데, 전화를 걸고 나서 4시간 후인 12시 무렵이 되어 요란하게 초인종이 울리고, 이어서 하마다의,

"안녕하세요."

라는 의외의 목소리가 들렸을 때는 저도 모르게 기쁜 나머지 펄쩍 뛰어올라 서둘러 문을 열어주었습니다. 그리고 침착하지 못한 어조로,

"아, 안녕하세요. 지금 즉시 문을 열게요. 자물쇠가 걸려 있으니까요."

라고, 그렇게 말하면서도, '이렇게 빨리 와주리라고는 생각하지 못했는데, 어쩌면 문제없이 나오미를 만난 거 아닐까. 만나자마자 말이 통해서 그녀를 함께 데리고 와준 거 아닐까'라

고 생각하자 더욱 기쁨이 치밀어올라 가슴이 두근두근했습니다.

문을 열고 저는 하마다 뒤에 그녀가 바싹 달라붙어 있는 거 아닐까, 주위를 두리번두리번 둘러보았지만 아무도 없습니다. 하다마가 혼자 서 있을 뿐입니다.

"아, 아까는 실례했어요. 어떻게 됐어요? 알아냈나요?"

제가 느닷없이 물고 늘어지는 듯한 어조로 묻자 하마다는 대단히 침착하게, 제 얼굴을 가엾다는 듯이 응시하면서,

"네, 알기는 알았습니다만, ……하지만 가와이 씨, 이제 그 사람은 도저히 안 돼요. 포기하는 편이 좋을 겁니다"

라고 단호하게 잘라 말하고, 머리를 흔들었습니다.

"그, 그, 그게 무슨 말인가요?"

"무슨 말이냐고요? 전혀 말이 안 되는 일이니까요. 당신을 위해 하는 말인데 이제 나오미 따위는 잊어버리는 게 어때요?"

"그럼 당신은 나오미를 만났나요? 만나서 얘기해봤지만 몹시 절망적이라는 말인가요?"

"아니, 나오미 씨와는 만나지 않았어요. 저는 구마가이에게 가서 상황을 전부 듣고 왔어요. 그리고 너무 심해서, 정말 놀랐어요."

"하지만 하마다 군, 나오미는 어디에 있나요? 나는 무엇보다 그걸 듣고 싶어요."

"그게 정해진 곳이 있는 게 아니라, 여기저기 돌아다니며

묵고 있어요."

"그렇게 여기저기 묵을 집은 없을 텐데요."

"나오미 씨에게는 당신이 알지 못하는 남자친구가 몇 명이나 있는지 몰라요. 하긴 처음 당신과 싸운 날에는 맨 처음 구마가이 집에 왔다고 해요. 그것도 미리 전화해서 왔으면 좋았을 텐데, 갑자기 짐을 실은 자동차를 현관에 갖다댔으니, 집안사람들이 대체 저건 누구냐고 소동이 벌어져서, '자, 들어와'라고 할 수도 없고, 그토록 대단한 구마가이도 난처했다고 말했어요."

"응, 그리고?"

"그래서 할 수 없이 짐만을 구마가이의 방에 숨기고, 둘이 하여간 집 밖으로 나가 확실히는 모르지만 수상한 여관에 갔다고 하는데, 게다가 그 여관이 이 오모리 집 근처의 무슨 로라는 가게로, 그날 아침에도 거기서 만나다가 당신에게 들킨 장소라고 하니 정말 대담하지 않나요?"

"그럼 그 날 또 거기에 갔다는 건가요?"

"네, 그렇다고 했어요. 그걸 구마가이가 득의양양하게 **자랑** 섞어 지껄이는 통에 저는 들으면서 불쾌했어요."

"그럼 그날 밤은 둘이 거기에 묵은 건가요?"

"그런데 그게 그렇지 않아요. 저녁까지는 거기에 있다가, 같이 긴자를 산책하고 오와리초 네거리에서 헤어졌다고 해요."

"하지만 그거 이상한데. 구마가이 녀석, 거짓말하는 거 아니야."

"아니, 뭐, 들어주세요. 헤어질 때 구마가이가 조금 딱한 마음이 들어서, '오늘 밤은 어디서 묵을 거야?'라고 묻자, '묵을 곳은 얼마든지 있어. 나 지금부터 요코하마에 갈 거야' 하고, 조금도 기죽은 기색 없이 그대로 총총히 신바시 쪽으로 갔다고 해요."

"요코하마라는 곳은 누가 사는 곳인가요?"

"그게 이상해요, 아무리 나오미 씨가 얼굴이 넓다 한들, 요코하마 같은데 묵을 곳은 없을 테니까. 저렇게 말하면서 오모리에 돌아갔을 테지, 하고 구마가이가 그렇게 생각하고 있는데, 다음 날 저녁 전화가 와서 '엘도라도에서 기다리고 있는데 바로 안 올래?'라고 했다는 겁니다. 그래서 가보니 나오미 씨가 눈이 번쩍 뜨일 만한 야회복을 입고, 공작 깃털 부채를 들고, 목걸이와 팔찌 등을 번쩍이며, 서양인이니 여러 남자에게 둘러싸여 신나게 **떠들고** 있었다고 해요."

하마다의 이야기를 듣고 있으면 마치 깜짝 상자 같아서 '저런'이라고 생각할 만한 사실이 계속해서 튀어나오는 겁니다. 즉 나오미는, (집을 나간 후) 첫날밤은 서양인 집에서 묵은 모양인데, 그 서양인은 윌리엄 맥캐넬인가 하는 이름으로, 언젠가 제가 처음 나오미와 엘도라도에 춤추러 갔을 때 소개도 없이 곁에 와서 억지로 그녀와 함께 춤췄던 그 뻔뻔스러운, 분을 발랐던, **기생오라비** 같은 남자였습니다. 그런데 더욱 놀라운 사실은, 이것은 구마가이의 관찰이지만, 나오미는 그날 밤 묵으러 갈 때까지 그 맥캐넬이라는 남자와는 뭐 그다지 친한 사이가 아니었고 합니다. 하긴 나오미도 전부터 내심 그 남자에게 관심이 있었던 것 같다. 어쨌든 여자들이 좋아하는 용모로 깔끔하며 배우 같은 구석이 있고, 댄스 하는 사람들 사이에서는 '색마 서양인'이라는 소문이 있을 뿐만 아니라, 나오미 자신도, '저 서양인은 옆얼굴이 멋져, 어딘가 존 배리 닮지 않았어?' 존 배리는 미국 배우로, 영화에서 친숙한 존 배리모어* 를 말합니다, 라고 그렇게 말했을 정도이니 분명 그자에게 눈독을 들이고 있었다. 아니면 이따금 주파 정도는 던지고 있었을지도 모른다. 그래서 맥캐넬 쪽에서도 '이 녀석은 내게 관심이 있군' 하며, 놀린 적이 있을 것이다. 그래서 친구도 아니고, 그저 그 정도의 연고로 찾아간 게 분명하다. 그리고 찾아가보니, 맥캐넬 입장에서는 재미있는 새가 날아왔다 싶어 "당신, 오늘 밤 내 집에 묵지 않겠어요?" "네, 좋아요"라는 식으로 되었을 테지.

"아무리 그래도 그건 좀 믿기 어렵군. 낯선 남자한테 가서 그날 밤 바로 묵다니."

"하지만 가와이 씨, 나오미 씨는 그런 일은 아무렇지 않게 할 거라고 생각해요. 맥캐넬도 어느 정도 이상하다고 느낀 모양인지 '이 아가씨는 대체 누구인가요?'라고 구마가이에게 물었다고 해요."

* (1882~1942) 미남에 연기력 있는 성격 배우로, 허리우드 인기 스타로 활약했다. '완벽한 옆얼굴'이라는 애칭이 있음. 그의 손녀가 영화 『이티 E.T.』에 아역으로 출연했던 드루 배리모어.

"누구인지 모를 여자를 재워준 쪽도 그 나물에 그 밥이네요."

"재워줬을 뿐만 아니라 서양 옷을 입혀주기도 하고, 팔찌며 목걸이를 채워주기도 하니까 더 엉뚱하지 않나요? 단 하룻밤에 아주 친해져서 나오미 씨는 그녀를 '윌리, 윌리'라고 부른다고 해요."

"그럼 야회복이나 목걸이도 그 남자가 사준 건가요?"

"사준 것도 있는 듯하고 서양인이어서, 여자 친구의 옷인지 뭔지를 빌려 와서 그걸 잠시 쓰는 경우도 있는 모양이에요. 나오미 씨가 '나 말이지, 서양 옷을 입어보고 싶어'라고, 어리광을 부린 것을 시작으로 결국 남자가 비위를 맞춰주게 된 게 아닐까요? 그 서양 옷도 기성복이 아니라 몸에 꼭 맞고, 구두도 굽 높은 프렌치 힐*인데, 전체가 에나멜로 발끝에 아마도 인조 다이아인지 뭔지, 작은 보석이 빛나고 있었어요. 어젯밤의 나오미 씨는 마치 동화에 나오는 신데렐라 같았어요."

저는 하마다에게 그 이야기를 듣고 그 신데렐라 나오미의 모습이 얼마나 아름다웠을까 생각하자, **퍼뜩** 저도 모르게 가슴이 뛰었지만, 또 그다음 순간에는 너무도 나쁜 행실에 질려 비참하기도 하고, 한심스럽기도 하고, 분하기도 한, 뭐라 표현할 수 없는 불쾌한 기분이 되었습니다. 구마가이라면 또 몰라도, 어디서 굴러먹던 개뼈다귀인지 알 수 없는 서양인에게 가

* 위는 넓고 아래는 좁은 형태의 뒷굽이 달린 힐.

서, **어물어물** 묵고, 옷을 얻어 입다니, 그게 어제까지 적어도 남편이 있던 여자가 할 짓인가? 그러니까, 내가 오랫동안 동거하던 나오미라는 인간은, 그렇게 때 묻은 매춘부 같은 여자였나? 난 그녀의 정체를 지금까지 알지 못하고 어리석은 꿈을 꾸고 있었던가? 아, 과연 하마다가 말한 대로 나는 아무리 그리워도 이제 그 여자를 단념해야만 한다. 나는 보기 좋게 수치를 당했다. 남자 체면에 먹칠을 했다…….

"하마다 군, 끈질긴 것 같지만 다시 한번 확인하겠는데, 지금 이야기는 모두 사실이지요? 구마가이가 증명할 뿐 아니라 당신도 증명하지요?"

하마다는 제 눈에 눈물이 글썽이는 것을 보고, 딱하다는 듯 고개를 끄덕이면서,

"그렇게 말씀하시면 저는 당신의 심정을 짐작하고도 남음이 있어서 말하기 괴롭지만, 실제로 어젯밤은 저도 그 자리에 있었고, 대체로 구마가이가 하는 말은 사실이라고 생각됩니다. 이 외에도 얘기하면 여러 가지가 나오기 때문에 수긍이 가겠지만, 부디 거기까지 듣지 마시고 저를 믿어주지 않겠어요. 저는 결코 재미 삼아 사실을 과장하는 게 아니라는 사실을요."

"아, 고마워요. 거기까지 들었으니까 이제 됐어요. 그 이상 들을 필요는……."

무슨 이유인지 이렇게 말한 순간에 제 말은 목에 걸리고, 갑자기 뚝뚝 닭똥 같은 눈물이 떨어졌기 때문에 '이거 안 되겠어'라고 생각한 저는 갑자기 하마다를 **꽉** 끌어안고, 그 어

깨 위에 엎드리고 말았습니다. 그리고 **엉엉** 울면서 굉장한 목소리로 외쳤습니다.

"하마다 군! 난, 난…… 이제 그 여자를 깨끗이 포기했어요!"

"당연해요. 그렇게 말씀하시는 게 당연해요!"

라고 하마다도 내 영향을 받았는지 역시 탁한 목소리로 그렇게 말했습니다.

"사실을 말하면, 나오미 씨에게는 이제 희망이 없다는 사실을 오늘 당신에게 선고할 생각으로 왔어요. 그야 그런 사람이니까 또 언제 어느 때 당신 앞에 아무렇지 않은 얼굴로 나타날지 모르겠지만, 지금은 사실 누구도 진지하게 나오미 씨를 상대하는 사람은 없어요. 구마가이 말에 의하면, 마치 모두가 노리개로 삼고 있어서, 도저히 입에 담을 수 없는 심한 별명조차 붙어 있다고 해요. 당신은 지금까지 모르는 사이에 얼마나 치욕을 당했는지 몰라요……."

전에는 나와 마찬가지로 열렬히 나오미를 사랑하던 하마다, 그리고 나와 마찬가지로 그녀에게 배신당한 하마다, 이 소년의 비분에 찬, 진심으로 나를 생각해주는 말 한마디 한마디는, 날카로운 메스로 썩은 살을 파내는 것 같은 효과가 있었습니다. 모두가 노리개로 삼고 있다, 입에 담을 수 없는 심한 별명이 붙어 있다, 이 무시무시한 폭로는 오히려 기분을 후련하게 하여, 저는 학질이 떨어져 나간 것처럼 어깨가 가벼워져서 눈물조차 멈춰버렸습니다.

23

“어때요, 가와이 씨, 그렇게 집 안에만 틀어박혀 있지 말고, 기분전환 겸 산책하지 않겠어요?”라고 하마다가 기운을 북돋아주기에, “그럼 잠깐 기다려주세요”라고 하고는, 이 이틀간 양치도 하지 않고, 수염도 깎지 않고 있던 저는, 면도칼을 대고 세수를 했습니다. 개운한 마음으로 하마다와 함께 밖으로 나간 것은 대충 2시 반 무렵이었습니다.

“이럴 때는 오히려 교외를 산책하는 게 좋아요”라고 하마다가 말하기에, 저도 거기에 찬성했는데,

“그럼, 이쪽으로 갈까요?”

라며 이케가미 쪽으로 걷기 시작하자 저는 문득 불쾌한 기분이 들어 멈춰 섰습니다.

“아, 그쪽은 안 돼요, 그 방향은 피해야 해요.”

“허참, 무슨 이유로?”

“아까 얘기한 아케보노로라는 가게가 그 방향에 있어요.”

“아, 그건 안 되죠! 그럼 어떻게 할까요? 지금부터 해안으로 나가, 가와사키 쪽으로 가볼까요?”

"네, 좋아요. 그게 가장 안전해요."

그러자 하마다는 이번에는 반대 방향으로 몸을 휙 돌려 정류장 쪽으로 걷기 시작했는데, 생각해보면 그 방향도 전혀 위험하지 않는 것은 아니었습니다. 나오미가 여전히 아케보노로에 간다면, 딱 지금쯤 구마가이를 데리고 나오지 말란 법도 없고, 예의 코쟁이와 도쿄 요코하마 간을 왕복하지 말란 법도 없고, 어느 쪽이든 쇼센 전차의 정류장은 금물이라고 생각했기 때문에,

"오늘 당신에게 괜한 수고를 끼쳤어요"

라고 넌지시 말하면서 앞장서서 골목을 돌아, 논길에 있는 건널목을 건너도록 했습니다.

"뭐, 그런 건 상관없어요, 어차피 한 번은 이런 일이 있지 않을까 싶었어요."

"흠, 당신이 볼 때 나란 인간은 상당히 우습게 보였겠어요."

"하지만 저도 한때는 우스웠기 때문에 당신을 비웃을 자격은 없어요. 저는 그저 열이 식고 보니 당신이 몹시 딱하다는 생각이 들었어요."

"하지만 당신은 젊으니 아직 괜찮아요. 나처럼 서른 몇 살이나 돼서 이런 바보 같은 꼴을 당하면 말이 안 돼요. 게다가 당신 말을 듣지 않았다면 언제까지 바보 같은 짓을 계속했을지도 모르니까……."

논을 나오자 늦가을의 하늘이 마치 저를 위로하듯이 높고 상쾌하게 개어 있었는데, 바람이 **휙휙** 강하게 불었기 때문에

울고 난 뒤 부은 눈가장자리가 따끔따끔했습니다. 그리고 멀리 선로 쪽에서는 그 탐탁지 않은 쇼센 전차가 밭 가운데를 **요란한 소리를 내며** 달려갔습니다.

"하마다 군, 점심은 먹었나요?"

한동안 말없이 걸은 다음 제가 말했습니다.

"아니, 실은 아직이에요. 당신은?"

"나는 그제부터 술은 마셨지만 밥은 거의 먹지 않아서, 지금에야 몹시 배가 고프네요."

"그야 그렇죠. 그렇게 무리를 하지 않는 편이 좋아요. 몸이 상하니까요."

"아니, 괜찮아요, 당신 덕분에 깨달음을 얻었으니, 이제 무리는 하지 않아요. 저는 내일부터 새사람이 되겠어요. 그리고 회사도 나갈 생각이에요."

"아, 그편이 금방 잊어버릴 수 있어요. 저도 실연했을 때 어떻게든 잊기 위해 열심히 음악을 했었죠."

"음악을 할 수 있으면 그럴 때 좋겠지만, 제겐 그런 재능이 없으니 회사 일을 열심히 하는 수밖에요. 어쨌거나 배가 고프지 않나요? 어디 가서 식사라도 해요."

두 사람은 이런 식으로 말하면서 로쿠고六鄕까지 어슬렁어슬렁 걸어갔는데, 거기서 얼마 지나지 않아 가와사키 시내의 고깃집에 들어가 부글부글 끓는 냄비를 사이에 두고 '마쓰아사' 때처럼 술잔을 주고받기 시작했습니다.

"저기, 한잔 어때요?"

"아, 그렇게 마시면 빈속이라 **쉽게 취하**겠는데요."

"뭐, 괜찮잖아요. 오늘 밤은 내가 액땜을 했으니까. 한잔 축배를 들어주세요. 나도 내일부터 술을 끊겠어요. 그 대신 오늘 밤은 실컷 취해 이야기합시다."

하마다의 얼굴이 새빨갛게 달아올라 얼굴 전체에 난 여드름이 마치 소고기가 끓는 것처럼 **부글부글** 빛날 때쯤 저도 상당히 취해 슬픈 건지 기쁜 건지 아무것도 알 수 없게 되었습니다.

"그런데 하마다 군, 묻고 싶은 게 있어요."

라고 제가 적당한 시기를 가름하여 바짝 다가서면서

"심한 별명이 나오미에게 붙었다고 하는데, 대체 어떤 별명인가요?"

라고 물었습니다.

"아니, 그건 말할 수 없어요. 너무 심하니까요."

"심해도 상관없잖아요. 이제 그 여자는 나와는 **생판** 남이니까. 조심할 것 없잖아요. 네? 뭐라고 하는지 가르쳐줘요. 도리어 그걸 듣는 편이 기분이 개운할 거예요."

"당신은 그럴지 모르지만 저는 도저히 말할 수 없어요. 죄송해요. 하여간 심한 별명이라 여기고 상상하면 알 거예요. 그런 별명이 붙은 유래라면 말씀해드릴 수 있어요."

"그럼 그 유래를 들려주세요."

"하지만 가와이 씨, ……곤란하네요."

라고 말하고, 하마다는 머리를 긁적이면서,

"그것도 정말 심해요. 들으시면 아무리 그렇더라도 분명 기분이 상할 거예요."

"괜찮아요, 괜찮아. 상관없으니까 말하세요! 나는 지금 순수한 호기심에서 그 여자의 비밀을 알고 싶은 거예요."

"그럼 그 비밀을 조금만 말할까요? 이 여름, 가마쿠라에 계실 때, 나오미 씨에게 대체 몇 명이나 남자가 있었다고 생각하세요?"

"글쎄요, 내가 알기로는 당신과 구마가이뿐인데, 그 외에도 있었나요?"

"가와이 씨, 놀라면 안 돼요, 세키도 나카무라도 그랬어요."

저는 취하기는 했어도 찌릿, 하고 몸에 전기가 오는 것 같았습니다. 그리고 저도 모르게 눈앞에 있는 술잔을 벌컥벌컥 대여섯 잔 마시고는 비로소 입을 열었습니다.

"그러면 그때의 패거리는 한 명도 남김없이?"

"네, 그래요. 그리고 어디서 만났다고 생각해요?"

"그 오쿠보의 별장인가요?"

"당신이 빌리신 정원수 파는 집의 별채예요."

"흠……."

하고 말한 채, 마치 숨이라도 막힌 것처럼 축 처져버린 저는,

"흠, 그런가요? 정말 놀랍군요."

라고 겨우 신음하는 듯한 소리를 냈습니다.

"그러니까 그 당시 가장 곤란했던 것은 정원수 파는 집의

주인아주머니였을 거예요. 구마가이와 관계가 있어서 나가라고도 못 하고, 그렇다고 자신의 집이 일종의 매춘 소굴이 되어 다양한 남자들이 끊임없이 드나드는 건, 이웃 사람들에게는 창피하고 한편으로는 당신에게 알려지면 큰일이라고 여겨 조마조마했던 것 같아요."

"아하, 그렇군요. 그 말을 듣고 보니 언젠가 내가 나오미에 관해 묻자, 주인아주머니가 몹시 당황하여 주뼛거렸는데 그런 이유가 있었군요. 오모리의 집은 당신의 밀회 장소가 되고, 정원수 파는 집의 별채는 매춘의 소굴이 되었는데, 그걸 모르고 있었다니, 허, 정말이지, 심한 꼴을 당했네요."

"아, 가와이 씨, 오모리의 일은 말하지 말아주세요! 그 말을 하면 용서를 빌겠습니다."

"아하하하하, 뭐 괜찮아요. 이제 이것도 저것도 모두 과거의 일이니 상관없잖아요. 하지만 그렇게 나오미에게 감쪽같이 속고 있었다고 생각하니 오히려 속아도 통쾌하네요. 너무도 솜씨가 좋아서, 그저 앗 하며 감탄할 뿐이에요."

"마치 스모 기술처럼 제대로 엎어치기를 당한 것 같으니까요."

"동감이에요. 전적으로 말씀하신 대로예요. 그래서 말인데요, 그 패거리는 모두 나오미에게 농락당하면서 서로 모르고 있었나요?"

"아니요, 알고 있었어요, 때에 따라서는 한 번에 두 사람이 만나는 일이 있었을 정도예요."

"그런데 싸우지도 않았나요?"

"그들은 서로 암묵적인 동맹을 만들어 나오미 씨를 공유물로 삼고 있었어요. 즉 그다음에 심한 별명이 붙여졌고, 뒤에서는 모두 별명으로만 불렀어요. 당신은 그걸 모르니까 오히려 행복했지만, 저는 정말이지 비참한 기분이 들어 어떻게 해서라도 나오미 씨를 구출할 생각이었는데, 제 의견을 말하면 **뾰로통**해져서는 거꾸로 저를 바보 취급하기에 손을 쓸 수가 없었어요."

하마다도 역시 그때의 일이 생각났는지 감상적인 어조가 되어,

"저기 가와이 씨, 제가 언젠가 '마쓰아사'에서 만났을 때, 이런 말까지는 당신에게 하지 않았죠."

"그때 당신 말로는 나오미를 마음대로 주무르고 있는 사람은 구마가이라고."

"네, 그랬어요, 저는 그때 그렇게 말했어요. 무엇보다 그건 거짓말이 아니었어요. 나오미 씨와 구마가이는 거친 면이 잘 맞았는지, 가장 사이가 좋았어요. 그러니까 누구보다도 구마가이가 괴수다. 나쁜 짓은 모두 녀석이 가르친다고 생각했기 때문에 그런 식으로 말했지만, 설마 그 이상은 당신에게 말할 수 없었어요. 아직 그때는 당신이 나오미 씨를 버리지 않도록, 그리고 선량한 방향으로 인도하도록 기도하고 있었으니까요."

"그게 인도하기는커녕 오히려 이쪽이 끌려 들어가버렸으니."

"나오미 씨에게 걸리면 어떤 남자라도 그렇게 돼요."

"그 여자에게는 이상한 마력이 있어요."

"분명 그건 마력이에요! 저도 그걸 느껴서 이제 그 사람에게는 다가가지 말자, 다가가면 이쪽이 위험하다는 걸 깨달았어요."

나오미, 나오미, 둘 사이에 그 이름이 몇 번이나 되풀이됐는지 모릅니다. 둘은 그 이름을 술안주 삼아 마셨습니다. 그 매끄러운 발음을 소고기보다도 한층 맛있는 음식처럼, 혀로 맛보고, 침으로 핥고, 그리고 입술에 올렸습니다.

"하지만 괜찮아요. 뭐 한 번쯤 그런 여자에게 속아보는 것도."

라고 저는 감개무량하게 그렇게 말했습니다.

"그건 그래요! 저는 하여간 그 사람 덕분에 첫사랑의 맛을 알았어요. 비록 짧은 기간이었지만 아름다운 꿈을 꾸었어요. 그걸 생각하면 감사해야만 해요."

"하지만 앞으로 어떻게 될까요, 그 여자의 장래는?"

"글쎄요, 앞으로 계속 타락해갈 뿐이겠지요. 구마가이의 말에 의하면 맥캐넬 집에서도 오래 있을 리가 없으니까, 이삼일 지나면 또 어딘가로 갈 거다, 본인 집에도 짐이 있으니 올지도 모른다고 했는데, 대체 나오미 씨는 자신의 집이 없나요?"

"집은 아사쿠사의 메슈야銘酒屋*예요, 녀석이 가엾어서 지금

* 음식점이나 술집으로 위장하고서 창녀를 두고 매춘을 시키던 집.

까지 아무에게도 말한 적은 없지만 말이죠."

"아, 그런가요? 역시 가정환경이라는 건 무시할 수가 없네요."

"나오미에 의하면, 원래는 하타모토旗本*인 사무라이로, 자신이 태어났을 때는 시모니반초下二番町의 훌륭한 저택에서 살았다. '나오미'라는 이름은 할머니가 붙여준 거다. 그 할머니는 로쿠메이칸鹿鳴舘** 시대에 댄스를 하던 하이칼라한 사람이었다고 하는데, 어디까지가 사실인지 몰라요. 어쨌거나 가정환경이 나빴어요. 나도 지금에야 절실히 그걸 느껴요."

"듣고 보니 더 무서워지네요. 나오미 씨는 태어날 때부터 음탕한 피가 흐르고 있어서 그렇게 될 운명이었군요. 모처럼 당신이 맡아 길러줬는데."

두 사람은 거기서 3시간 정도 이야기를 계속하다가, 밖으로 나왔습니다. 나온 것은 이미 밤 7시가 지난 시각이었지만 언제까지고 이야기는 끝나지 않았습니다.

"하마다 군, 당신은 쇼센 전차로 돌아가나요?"

가와사키 거리를 걸으며, 제가 말했습니다.

* 에도 시대에 쇼군(將軍) 가문 직속인 가신단 중에서 만 석 이하의 녹봉을 받으면서, 의식 등에서 쇼군이 참석했을 때 알현이 가능한 가신.

** 외빈이나 외교관을 접대하고 숙박하게 하고자 일본 제국 메이지 행정부가 1883년 도쿄에 2층 규모로 세운 사교장. 당시 궁극의 목표인 유럽화 정책을 상징하는 존재. 로쿠메이칸을 중심으로 한 외교정책을 로쿠메이칸 외료라고도 부른다. 외무대신 이노우에 가오루(井上馨)가 영국인 건축가 조지아 콘도르(Josiah Conder)에게 의뢰해 설계했다. 로쿠메이칸이 존속된 시기는 짧았지만 당시 일본의 많은 상류층은 연회와 무도회 등 서양 문화를 처음 접하는 계기가 되었다. 로쿠메이칸이 지어진 1883년에서 1890년까지 7년 남짓이 소위 로쿠메이칸 시대이다.

"글쎄요, 여기서부터 걷는 건 힘드니까요."

"그야 그렇지만, 난 게이힌 전차*로 갈게요. 녀석들이 요코하마에 있다고 하면 쇼센은 위험할 것 같으니까."

"그럼 저도 게이힌으로 할게요. 하지만 나오미 씨가 저런 식으로 사방팔방으로 돌아다니니까 분명 언젠가 어딘가에서 만날 거예요."

"그렇게 되면 마음 놓고 돌아다니지도 못하겠어요."

"뻔질나게 댄스장을 들락거리고 있을 게 분명하니까 긴자 근처는 가장 위험한 구역이군요."

"오모리도 위험구역이 아닌 것도 아니지요. 게이힌 전차가 있고, 가게쓰엔이 있고, 예의 아케보노로가 있고. ……경우에 따라서 저는 그 집을 접고 하숙 생활을 할지도 몰라요. 당분간 이 열기가 가라앉을 때까지는 녀석들의 얼굴을 보고 싶지 않으니까."

저는 하마다와 게이힌 전차를 같이 타고, 오모리에서 그와 헤어졌습니다.

* 이 무렵에는 아직 시나가와에서 가나가와 사이만을 운행했고, 요코하마까지 노선이 생기는 것은 1930년이다.

24

제가 이런 고독과 시련에 괴로워하고 있는 사이에, 또 하나의 슬픈 사건이 일어났습니다. 어머니가 위독하다는 전보가 온 것은 하마다와 만난 다음다음 날의 아침이었습니다. 저는 그것을 회사에서 받자마자 그 길로 우에노*로 달려가, 저녁 무렵에 시골집에 도착했는데, 그때 어머니는 이미 의식을 잃어 저를 알아보지 못하고, 두세 시간 후에 숨을 거두고 말았습니다.

어린 시절 아버지를 여의고, 홀어머니 손에 자란 저는 '부모를 잃은 슬픔'이라는 것을 처음으로 경험한 것입니다. 더군다나 어머니와 저 사이는 세상 보통의 부모 자식 이상이었으니까요. 저는 과거를 회상해도 제가 어머니에게 반항한 일이나, 어머니가 저를 나무란 일, 그런 기억은 뭐 하나 없습니다. 그건 제가 그녀를 존경한 이유도 있겠지만, 오히려 그것보다 어머니가 매우 배려심이 있고, 자애로움이 가득했기 때문일

* 우에노에는 우에노역이 있다. 우에노역은 1883년에 개통됐으며, 우리나라로 말하면 서울역에 해당한다.

겁니다. 종종 세상에서는 아들이 점점 자라 고향을 버리고 도시로 나게 버리게 되면, 부모는 여러모로 걱정하거나, 그 아이의 소행을 의심하거나, 아니면 그것이 원인이 되어 소원해지거나 하는데, 제 어머니는, 제가 도쿄로 간 후에도 저를 믿고 제 마음을 이해하고 저를 위해주었습니다. 제 아래로 여동생이 둘 있을 뿐이어서, 맏아들을 멀리 떠나보내는 것은 어머니로서는 쓸쓸하기도 하고 허전하기도 했을 텐데, 어머니는 한 번도 불평을 한 적이 없고, 항상 제 입신출세를 기도하고 있었습니다. 그런 까닭에 저는, 그녀의 슬하에 있을 때보다도 멀리 떨어져 있을 때 한층 강하게 어머니의 자애가 얼마나 깊은가를 느낀 것입니다. 특히 나오미와의 결혼 전후, 그에 이어서 여러 버릇없는 요구를 어머니가 선선히 들어줄 때마다 그 온정을 눈물겹게 생각하지 않은 적은 없었습니다.

그 어머니가 이렇게 급격하게, 생각지도 못하게 돌아가시자 유해 곁에 앉은 저는 꿈속에서 다시 꿈을 꾸는 기분이었습니다. 바로 어제까지는 나오미의 미색에 몸도 영혼도 빠져 있던 저, 그리고 지금은 유해 곁에 꿇어앉아 향을 피우는 저, 이 두 가지 '저'의 세계가, 아무리 생각해도 연결점이 없는 것 같았습니다. 어제의 내가 진정한 나일까, 오늘의 내가 진정한 나일까? 한탄, 슬픔, 놀람의 눈물로 지새면서 스스로 자신을 돌이켜보면 어디선가 그렇게 말하는 소리가 들립니다. '네 어머니가 지금 죽은 건 우연이 아니야. 어머니는 너를 훈계하는 거야. 교훈을 주시는 거야'라고, 또 한편에서는 그런 속삭임도 들려옵니다. 그러면 저는 새삼스럽게 생전 어머니의 모습을 그리며, 죄송한 일을 했다는 것을 느끼고, 다시 회한의 눈물을 막을 길이 없어, 하염없이 눈물이 나는 통에 부끄러워 살짝 뒷산에 올라가 소년 시절의 추억으로 가득한 숲과 들길, 밭의 풍경을 내려다보면서 거기서 엉엉 소리내어 울었습니다.

이 커다란 슬픔이 왠지 저를 영롱한 것으로 정화해주고, 몸과 마음에 퇴적되어 있는 불결한 분자를 깨끗이 씻어준 것은 말할 것도 없습니다. 이 슬픔이 없었다면 저는 어쩌면, 지금쯤 그 역겨운 음부를 잊지 못해 실연의 아픔에 괴로워하고 있었겠지요. 그걸 생각하면 어머니가 돌아가신 것은 역시 무의미하지 않았습니다. 아니, 적어도 저는 그 죽음을 무의미하게 해서는 안 됩니다. 그때 제 생각은, 나는 이제 도시의 공기가 싫어졌다, 입신출세라고 하지만 도쿄로 올라와 그저 쓸데없이 경솔한 생활을 하는 것은 입신도 아니고, 출세도 아니다. 나 같은 촌뜨기에게는 결국 시골이 적합하다. 나는 이대로 고향에 들어앉아 고향의 흙을 가까이하자. 그리고 어머니의 무덤을 지키며, 마을 사람들을 상대하고, 조상 대대의 농사꾼이 되자. 그런 기분조차 들었지만 숙부와 여동생, 친척들의 의견으로는 "그건 너무 갑작스러운 이야기다. 지금 네가 낙담하는 것도 무리는 아니지만, 그렇다고 해서 사내대장부가 어머니의 죽음 때문에 소중한 미래를 **함부로** 묻어버려서는 안 된다. 누구나 부모가 돌아가시면 그 당시는 실망하지만, 세월이 가면 그 슬픔도 누그러진다. 그러니 너도 그렇게 하고 싶으면 해도 좋지만, 조금 더 천천히 생각한 다음 결정하는 게 좋을 거다. 그리고 무엇보다 갑자기 그만두면 회사에도 미안하니까"라고 했습니다. 저는 "실은 그것뿐 만이 아니다. 아직 모두에게 말하지 않았지만, 아내가 집을 나가버려서……"라는 말이 무심코 입가까지 나왔지만, 여러 사람 앞이라 부끄럽기도 하고 **어수선**한 상황이라, 그 말은 하지 못했습니다. (나오미가 시골에 얼굴을 비치지 않은 것에 대해서는 아프다고 적당히 얼버무렸습니다.) 그리고 죽은 지 이레째 되는 날에 거행하는 불사가 끝나자, 나머지 일은 제 대리인으로 재산을 관리해준 숙부 부부에게 부탁하고, 일단은 모두의 충고를 받아들여 우선 도쿄로 올라왔습니다.

하지만 회사에 가도 전혀 재미있지 않습니다. 게다가 회사에서의 제 평도 전만큼 좋지 않습니다. 근면 성실하고 품행이 단정하여 별명이 '군자'였던 저도 나오미의 일로 완전히 체면이 깎여버려, 중역에게도 동료에게도 신용이 없고, 심지어는 이번 어머니의 죽음에 대해서도, 그것을 구실로 쉬려는 거겠지 하고, 야유하는 사람조차 있었습니다. 이런저런 일로 저는 점점 싫증이 나서, 14일 공양*을 위해 1박 2일로 고향에 내려갔을 때, "조만간 회사를 그만둘지도 몰라요"라고, 숙부에게 말했을 정도입니다. 숙부는 "자자"하며, 심각하게 받아들

* 일본의 장례문화는 사람이 죽은 후 7일마다 한 번씩 공양한다. 7일, 14일(이칠일), 21일(삼칠일), 28일(사칠일), 35일(오칠일), 42일(육칠일), 49일(칠칠일). 요즘은 간소화 돼서 7일, 35일, 49일 세 차례 공양하는 것이 일반적이다.

지 않았기 때문에, 또 다음 날부터 마지못해 회사에 나갔습니다. 회사에 있는 동안은 그래도 괜찮았는데, 저녁때부터 밤 시간을 어떻게 보내야 할지 도무지 알 수 없었습니다. 그 이유는 고향으로 돌아갈까, 과감히 도쿄에 남을까, 그 결심이 서지 않았기 때문입니다. 저는 그때까지 하숙집에서 살지 않고, 휑한 오모리의 집에서 혼자 살고 있었기 때문입니다.

회사가 끝나면 저는 나오미를 마주칠까 두려워 번화한 장소는 피하여, 게이힌 전차로 곧장 오모리로 돌아옵니다. 그리고 근처에서 일품요리나 **메밀국수, 우동**으로 허울뿐인 저녁밥을 먹고 나면, 그 후로는 아무것도 할 일이 없습니다. 할 수 없이 침실로 올라가 이불을 뒤집어쓰지만, 그대로 편안히 잠드는 경우는 좀처럼 없고 두 시간이고 세 시간이고 눈이 말똥말똥해져 있습니다. 침실이라고 하는 것은, 예의 다락방으로, 거기에는 지금도 그녀의 짐이 놓여 있고, 과거 5년 동안의 무질서, 방종, 선정적인 냄새가, 벽에도 기둥에도 배어 있습니다. 그 냄새란 그녀의 피부 냄새로, 게으른 그녀는 더러워진 옷을 세탁도 하지 않고 똘똘 뭉쳐서 처박아두었기 때문에, 그 냄새가 지금은 통풍이 좋지 않은 실내에 들어차 있는 것입니다. 저는 이래서는 견딜 수 없다고 생각하여, 나중에는 아틀리에의 소파에서 잤는데, 거기서도 쉽게 잠들지 못한 것은 마찬가지였습니다.

어머니가 돌아가신 지 3주일이 지나고, 그해 12월에 접어들고 나서, 저는 마침내 사직할 결심을 굳혔습니다. 그리고 회사 사정상 올해까지 다니고 그만두기로 결정되었습니다. 그렇다고는 하지만 누구에게도 미리 상의하지 않고, 혼자서 일을 진행했기 때문에, 고향에서는 아직 모르고 있었지만, 그렇게 되고 보니 앞으로 한 달만 견디면 된다는 생각에 마음이 조금 안정되었습니다. 어느 정도 마음에도 여유가 생겼고, 한가할 때에는 독서를 하거나 산책을 했지만, 그래도 위험 구역에는 절대 다가가지 않았습니다. 어느 날 밤 너무 심심해서 시나가와 쪽까지 걸어갔을 때 심심풀이로 마쓰노스케松之助*가 나오는 영화가 보고 싶어 영화관에 들어갔는데, 마침 로이드**의 희극을 하고 있었습니다. 젊은 미국 여배우들이 등장하자 역시 여러 생각이 나서 힘들었습니다. '더는 서양 영화는 보지 말자'라고 저는 그때 생각했습니다.

12월 중순의 어느 일요일 아침이었습니다. 제가 2층에서 자고 있는데, (저는 그 무렵, 아틀리에에서는 추워졌기 때문에 다시 다락방으로 옮겼습니다) 계단 아래에서 뭔가 **바스락바스락**하는 소리가 들리고, **인기척**이 났습니다. 한데, 이상하네, 현관문은 잠갔을 텐데……라고, 그렇게 생각하는 동안 이윽고 귀에 익은 발소리가 들리고, 발소리가 **성큼성큼** 계단을 올라와,

* (1875~1926) 오노에 마쓰노스케(尾上松之助). 일본 영화 초창기에 활동한 시대극 스타로 일본 최초의 영화 스타.

** (1893~1971) 미국의 배우, 코미디언, 영화감독, 영화제작자, 각본가, 스턴트맨.찰리 채플린, 버스터 키튼과 동시대를 살면서 무성영화 시대의 가장 영향력 있는 코미디언으로 두 사람과 어깨를 나란히 하며 이름을 떨쳤다. 나오미가 흉내낸 베브 다니엘스와의 작품이 많았다.

가슴이 철렁할 겨를도 없이,

"안녕."

하는 명랑한 목소리와 함께 갑자기 눈앞의 문이 열리더니 나오미가 제 눈앞에 섰습니다.

"안녕."

하고 그녀는 다시 한번 그렇게 말한 후 멍한 얼굴로 저를 보았습니다.

"뭐하러 왔어?"

저는 잠자리에서 일어나려고도 하지 않고, 조용하고 냉담하게 말했습니다. **뻔뻔스럽게** 잘도 왔구나 싶어 마음속으로는 어이없어하면서.

"나? 짐 가지러 왔어."

"짐은 가져가도 되지만, 너, 어디로 들어온 거야."

"현관문으로. 나한테 열쇠가 있었어."

"그럼 그 열쇠를 두고 가."

"응, 두고 갈게."

저는 빙글 그녀에게 등을 돌리고 잠자코 있었습니다. 한동안 그녀는 제 머리맡에서 **부스럭부스럭**하면서, 보자기에 물건을 싸고 있었는데, 그러는 사이에 **쫙** 하고 오비를 푸는 듯한 소리가 나기에, 정신을 차리고 보니 그녀는 방구석의, 게다가 제 시선이 닿는 곳에 와서, 등을 돌린 채 옷을 갈아입고 있습니다. 저는 아까 그녀가 여기에 들어왔을 때 벌써 그녀의 복장에 주의를 기울이고 있었습니다. 그것은 전에 본 적 없는 싸구려 메이센 옷으로, 게다가 매일 그것만 입었는지, 옷깃에 때가 끼고 무릎이 나왔으며 구깃구깃해져 있었습니다. 그녀는 오비를 풀어버리자 그 지저분한 메이센을 벗고, 더러운 모슬린 긴 속옷 차림이 되었습니다. 그러고 나서 지금 꺼낸 금사비단 속옷을 집더니, 그것을 **가볍게** 어깨에 걸치고, 몸을 꿈틀꿈틀 움직이면서 아래 입고 있던 모슬린을 스르륵 껍질을 벗듯이 다다미 위에 떨어뜨립니다. 그리고 그 위에, 좋아하는 옷 중 하나였던 거북 등딱지 모양을 본뜬 육각형 무늬의 비단옷을 입고, 붉은색과 흰색의 바둑판 무늬 속띠를 **꽉** 하고 허리가 잘록해지도록 단단히 죄었습니다. 이번에는 오비 차례인가 싶었는데, 내 쪽으로 방향을 바꿔, 거기에 **쭈그리고 앉아** 다비를 갈아 신었습니다.

저는 무엇보다 그녀의 맨발을 보는 것이 가장 강한 유혹이기에 될 수 있으면 그쪽을 보지 않으려 했지만, 그런데도 **이따금** 눈을 향하지 않을 수 없었습니다. 그녀도 물론 그것을 의식하고 있었기 때문에, 일부러 그 다리를 지느러미처럼 꿈틀꿈틀하면서, 가끔 슬쩍 떠보는 것처럼 제 눈빛에 살짝 주의를 기울였습니다. 하지만 갈아 신고 나자 벗어 던진 옷을 후다닥 처리하고,

"안녕."

이라고 말하면서 문 쪽으로 보따리를 끌고 갔습니다.

"이봐, 열쇠는 두고 가."

저는 그때 비로소 말을 걸었습니다.

"아, 맞다."

그녀는 가방에서 열쇠를 꺼내,

"그럼, 여기에 두고 갈게. 하지만 나, 도저히 한 번에는 짐을 가져갈 수 없으니까, 또 한 번 올지도 몰라."

"안 와도 돼. 내가 아사쿠사 집에 보내줄 테니까."

"아사쿠사에 보내면 곤란해. 사정이 있으니까."

"그럼 어디로 보내면 좋아?"

"어디라니, 나, 아직 정해져 있지 않는데……."

"이번 달 안으로 가지러 오지 않으면 난 개의치 않고 아사쿠사에 보낼 거야. 언제까지나 네 물건을 둘 수는 없어."

"응, 좋아. 바로 가지러 올게."

"그리고 말해두지만, 한 번에 나를 수 있도록 차라도 가지고 오고, 심부름꾼을 보내. 네가 직접 가지러 오지 말고."

"그래, 그럼, 그렇게 할게."

그리고 그녀는 나갔습니다.

이것으로 안심이라고 생각하고 있는데, 이삼일 지난 밤 9시쯤, 제가 아틀리에에서 석간을 읽고 있을 때, 또 딸까닥하는 소리가 나고, 현관문에 누군가가 열쇠를 꽂았습니다.

25

"누구?"

"나야."

말함과 동시에 벌컥 문이 열리고, 검고 큰 곰 같은 물체가 문밖의 어둠에서 방으로 돌입해왔는데, 즉시 확, 하고 그 검은 것을 벗어 던지자 이번에는 여우처럼 하얀 어깨며 팔을 드러낸, 연한 물빛의 프랑스 비단 드레스를 걸친, 못 보던 젊은 서양 부인이 나타났습니다. 살집이 좋은 목덜미에는 무지개처럼 반짝반짝 빛나는 수정 목걸이를 하고, 깊숙이 눌러쓴 검은 벨벳 모자 아래에는 어딘지 신비한 느낌이 들 정도로 지독하게 하얀 코끝과 턱 끝이 보이고, 생생한 주홍색 입술이 두드러지게 눈에 뜨였습니다.

"안녕."

이라고 하는 소리가 나고, 그 서양인이 모자를 벗었을 때 저는 비로소 '아니, 이 여자는?'이라고 생각했습니다. 그리고 찬찬히 얼굴을 바라보는 동안에 간신히 그녀가 나오미라는 사실을 알았습니다. 이렇게 말하면 이상하겠지만, 사실 그만큼 나오미의 모습은 여느 때와 달랐습니다. 아니, 모습뿐이라면 아무리 바뀌어도 잘못 볼 리가 없지만, 무엇보다 우선 제 눈을 속인 것은 그 얼굴이었습니다. 무슨 마법을 부렸는지, 얼굴이 피부색부터 눈의 표정, 윤곽까지가 완전히 바뀌어 있었기 때문에, 제가 그 목소리를 듣지 않았다면 모자를 벗은 지금도 이 여자는 어딘가의 모르는 서양인이라고 생각했을지도 모릅니다. 다음으로는 전에도 말한 대로, 지독하게 하얀 피부색입니다. 드레스 밖으로 **비어져** 나온 풍만한 육체의 모든 부분이 사과의 속살처럼 하얗습니다. 나오미도 일본 여자로서는 검은 편은 아니지만, 이렇게 하얄 리가 없다. 실제로 거의 어깨까지 노출한 양팔을 보면 그것이 도저히 일본인의 팔이라고는 믿어지지 않는다. 언젠가 제국극장에서 밴드맨*의 오페라가 있었을 때 저는 서양 여배우의 하얀 팔에 홀딱 반한 적이 있었는데, 딱 이 팔이 그것과 닮았습니다. 아니, 그것보다 하얀 느낌이었습니다. 그러자 나오미는 그 물색의 부드러운 옷과 목걸이를 흔들며 굽이 높은 인조 다이아를 장식한 에나멜 구두의 발끝으로 종종 걸었을 때, 아, 이게 전에 하마다가 말한 신데렐라의 구두로군, 저는 그때 생각했습니다. 한 손을 허리에 대고 팔꿈치를 들고, 자못 득의만만하게 몸을 **비**

* 모리스 밴드맨(1872~1922)의 'The Bandmann Opera Company'를 말함. 주로 영국인 남녀 30여 명으로 구성되었고, 인도 콜카타를 근거지로 홍콩, 상하이 등의 재류 영국인을 상대로 런던에서 평판이 좋았던 뮤지컬 코미디나 오페레타를 상영하며 돌아다녔다. 일본에는 1906년 이후, 여러 번 찾아와 공연했다. 미인 여배우들도 인기의 한 요인이었다.

틀고 기묘한 **교태**를 부리면서, 기가 막혀 멍하니 있는 제 코 앞으로 갑자기 멋대로 다가왔습니다.

"조지 씨, 나 짐 가지러 왔어."

"네가 가지러 오지 않아도 돼. 심부름꾼을 보내라고 했잖아."

"하지만 나, 심부름을 부탁할 사람이 없었어."

그렇게 말하는 사이에도 나오미는 계속 몸을 가만히 두지 못했습니다. 얼굴은 복잡하고 자못 진지한 표정을 지으면서, 다리를 딱 붙이고 서 보거나 한 발을 내밀어 보거나 뒤꿈치로 딱하고 마루를 두들겨 보거나 그때마다 손의 위치를 바꾸고 어깨를 추어올리고 전신의 근육을 철사처럼 긴장시켜, 모든 부분에 운동 신경을 사용하고 있었습니다. 그러자 제 시각 신경도 그에 따라 긴장하기 시작하여 그녀의 일거수일투족, 온몸의 구석구석을 남김없이 보지 않을 수 없었는데, 그 얼굴을 자세히 주의하여 보니, 과연 얼굴이 달라진 것도 당연한 것이, 그녀는 앞머리를 6~9센티미터 정도로 짧게 자르고, 한 가닥 한 가닥의 머리카락 끝을 가지런히 하여, 중국의 소녀가 하는 것처럼 이마 쪽에 차양처럼 드리고 있습니다. 그리고 남은 머리카락을 하나로 정리해서, 둥글고 평평하게, 뒤통수에서 귀볼 위에 뒤집어씌운 것이, 다이코쿠텐大黒天*의 모자 같습니다. 이것은 지금까지 하지 않은 머리 모양으로, 얼굴 윤

* 칠복신의 하나로 오른손에 요술 망치를 들고, 왼쪽 어깨에 큰 자루를 둘러메고 쌀섬 위에 올라앉은 복덕(福德)의 신.

곽이 다른 사람처럼 보이는 것은 분명 이 때문입니다. 그러고 나서 더욱 주의하여 보니 눈썹 모양이 또 평소와는 다릅니다. 그녀의 눈썹은 본래 두껍고 선명하며 진한 편인데, 그게 오늘 밤은 가늘고 길며 흐릿한 활모양을 그리고, 그 활 주위는 푸르스름하게 깎여 있습니다. 이 정도의 농간을 부린 것은 즉시 알았지만, 마법의 원인을 알 수 없는 것은 그 눈과 입술과 피부색입니다. 눈동자가 이렇게 서양인처럼 보이는 것은 눈썹 탓도 있겠지만, 또 그 외에도 뭔가 장치가 되어 있는 것 같다, 그건 아마 눈꺼풀과 속눈썹이다, 거기에 뭔가 비밀이 있는 거다, 라고 그렇게 생각해도 그게 무슨 장치인지 분명치 않습니다. 입술도 윗입술 한가운데가 마치 벚꽃의 꽃잎처럼 쓸데없이 확연히 둘로 나뉘어 있고, 게다가 그 붉은 빛은 평범한 립스틱을 바른 것과는 다른, 생생하고 자연스러운 윤기가 있습니다. 하얀 피부는 아무리 바라봐도 원래 자신의 피부인 듯, 분을 바른 흔적이 없었습니다. 게다가 얼굴뿐만 아니라 어깨에서 팔, 손끝까지가 하얬기 때문에, 만약 분을 발랐다고 하면 전신에 발라야만 한다, 그러니까 이 이해할 수 없는 **정체** 모를 이상한 소녀, 그것은 나오미라기보다는 나오미의 영혼이 무언가의 작용으로 어떤 이상적인 아름다움을 가진 유령이 된 게 아닐까? 저는 그런 생각조차 들었습니다.

"저기, 괜찮지? 2층에 짐을 가지러 가도."

라고, 나오미의 유령은 그렇게 말했습니다. 하지만 그 목소리를 들으니 역시 여느 때의 나오미로, 분명 유령은 아닙니다.

"응, 그건 좋아. ……그건 좋지만……."

저는 명백하게 당황하고 있었기 때문에 조금 들뜬 목소리로 말했습니다.

"……너, 어떻게 현관문을 열었어?"

"어떻게라니, 열쇠로 열었어."

"열쇠는 전에 여기에 두고 갔잖아."

"열쇠는 말이지, 몇 개든 있어. 하나가 아니라고."

그때 비로소 그녀의 붉은 입술이 갑자기 미소를 띠는가 싶더니, 교태를 부리는 것 같기도 하고 비웃는 것 같기도 한 눈빛을 보였습니다.

"나 말이지, 지금이니까 말하는데, 여벌 열쇠를 많이 만들어두었어, 그래서 하나 정도 빼앗겨도 곤란하지 않아."

"하지만 내가 곤란해, 그렇게 자주 오면."

"괜찮아, 짐만 다 나르면 오라고 해도 안 올 테니까."

그리고 그녀는 뒤꿈치로 빙글 몸을 돌려, 탕탕탕 계단을 올라가 다락방으로 뛰어들어갔습니다…….

대체 몇 분 정도 지났을까요? 저는 아틀리에의 소파에 기대 그녀가 2층에서 내려오는 것을 멍하니 기다리는 사이…… 그게 5분도 안 되는 시간이었을까요, 아니면 30분, 1시간이나 그렇게 하고 있었을까요? ……저는 아무리 해도 이 사이의 '시간의 길이'가 분명치 않습니다. 제 가슴에는 단지 오늘 밤 나오미의 모습이, 어떤 아름다운 음악을 들은 후처럼 황홀한 쾌감이 되어 여운을 남기고 있을 뿐이었습니다. 그 음악은 몹시 높고, 몹시 맑고, 이 세상 밖의 성스러운 경계에서 울려오는 듯한 소프라노 노래입니다. 이제 그렇게 되니 정욕도 없고 연애도 없습니다. ……제 마음에 느낀 것은 그런 것과는 가장 인연이 먼 아련한 도취였습니다. 저는 몇 번이고 생각해보았는데, 오늘 밤의 나오미는 그 더러운 음부인 나오미, 많은 남자로부터 심한 별명으로 불린 매춘부나 다름없는 나오미는, 전적으로 양립하기 어려운, 그리고 저 같은 남자는 그저 그 앞에 무릎 꿇고 숭배하는 것 이외에는 할 수 있는 게 없는 고귀한 동경의 대상이었습니다. 만약 그녀의, 그 새하얀 손가락이 조금이라도 제게 닿았다면 저는 그것을 기뻐하기는커녕 오히려 전율했겠지요. 이 심정을 무엇에 비유하면 독자들이 이해할 수 있을까요? –그러니까 말하자면, 시골 아버지가 도쿄에 올라왔다가 어느 날 우연히, 어린 시절 집 나간 자신의 딸을 거리에서 만난다. 하지만 딸은 훌륭한 도회의 부인이 되어버려 초라한 시골 농부를 보고도 자신의 아버지인 줄 모르고, 아버지 쪽에서는 자신의 딸인 줄 알아도, 지금에 와서는 신분이 다른 탓에 곁에도 가지 못한다. 이 여자가 자신의 딸이었나 하고 놀라서, 부끄러운 나머지 살금살금 달아나버린다. 그때 아버지의 쓸쓸하기도 하고 고마운 것 같기도 한 심정. 아니면 약혼녀에게 버림받은 남자가 5년, 10년 지난 다음, 어느 날 요코하마 부두에 서 있는데, 거기에 한 척의 상선이 도착하여 귀국하는 사람들이 내린다. 그리고 뜻밖에도 그 무리 속에서 그녀를 발견한다. 그렇다면 그녀는 서양에 갔다가 돌아온 것일까 라고 생각하지만, 남자에게는 이제 그녀에게 다가갈 용기도 없다. 자신은 예전과 다름없는 일개의 가난한 서생, 여자는 촌스러운 처녀 시절의 모습은 없고, 파리의 생활, 뉴욕의 사치에 익숙한 하이칼라 부인, 두 사람 사이에는 이미 천리 차이가 납니다. –그때의 서생, 버려졌던 자신을 스스로 업신여기는 듯한, 의외로 그녀의 출세를 하다못해 자신의 기쁨으로 여기는 심정. –이렇게 말해도 역시 충분히 설명한 것은 아니지만, 굳이 비유하면 그런 것일까요. 하여간 지금까지의 나오미에게는 아무리 닦아도 닦을 수 없는 과거의 오점이 그 육체에 배여 있었다. 하지만 오늘 밤의 나오미를 보니 그러한 오점은 천사 같은 순백의 피부에 지워져, 상기하는 것조차 꺼림칙한 기분이 들었는데, 지금은 **반대**로 그 손끝에 닿는 것만으로도 과분할 것 같은 기분이 든다. –이것은 대체 꿈인가요? 이삼일 전에는 꾀죄죄한 메이센 옷을 입고 있던 그녀가……. 탕탕탕, 하고, 다시 위세 좋게 계단을 내려오는 소리가 나고, 인조 다이아 구두의 발끝이 제 눈앞에서 멈췄습니다.

"조지 씨, 이삼일 안에 또 올게."

라고 그녀는 말하는 겁니다. ……눈앞에 서 있지만, 얼굴과 얼굴은 90센티미터 정도의 간격을 유지하며, 바람처럼 가벼운 옷자락도 결코 제게 닿지 않도록 하면서…….

"오늘 밤은 잠깐 책을 두세 권 가지러 왔을 뿐이야. 설마 내가 커다란 짐을 한 번에 짊어지고 가겠어? 게다가 이런 **차림**

을 하고서."

제 코는 그때 어딘가에서 맡은 적 있는 어떤 어렴풋한 향기를 느꼈습니다. 아 이 향기…… 바다 저편의 나라들, 몹시 신비한 이국의 화원을 생각나게 하는 향기…… 이것은 언젠가 댄스 선생인 슈램스카야 백작 부인…… 그 사람의 피부에서 났던 향기다. 나오미는 그것과 같은 향수를 뿌린 것이다…….

저는 나오미가 뭐라고 말해도 그저 "응" 고개를 끄덕일 뿐이었습니다. 그녀의 모습이 다시금 밤의 어둠 속으로 사라져버렸지만, 아직 방 안을 떠돌다가 서서히 엷어져 가는 향기를, 환영을 쫓는 것처럼 날카로운 후각으로 뒤쫓으면서…….

26

독자 여러분, 여러분은 이미 지난번까지의 **경위** 속에서, 저와 나오미가 머지않아 본래의 관계로 돌아가리라는 것을, 그것이 전혀 이상하지 않은 당연한 결과라는 것을 예상했을 겁니다. 그리고 사실, 결과는 여러분의 예상대로 되었는데, 하지만 그렇게 되기까지는 예상 외로 수고스러워, 저는 여러 가지 바보 같은 꼴을 당하거나 헛수고를 했습니다.

저와 나오미는 그러고 나서 곧 스스럼없이 말을 하게 되었습니다. 왜냐하면 다음 날 밤도, 그다음 날 밤도, 그날 이후로 계속 나오미는 매일 밤 짐을 가지러 왔기 때문입니다. 오면 반드시 2층에 올라가 보따리를 싸가지고 내려왔는데, 그것도 그저 명색뿐인, 비단보에 쌀 수 있는 정도의 자질구레한 물건으로,

"오늘 밤은 뭘 가지러 왔어?"

라고 물어봐도,

"이거? 이건 아무것도 아니야, 사소한 거야."

라고 애매하게 대답하고,

"나, 목이 마르는데, 차 한잔 줄래?"

따위의 말을 하면서, 내 옆에 앉아 20~30분간 떠들고 가는 식이었습니다.

"넌 어디 이 근처에 있는 거야?"

제가 어느 날 밤, 그녀와 테이블에 마주 앉아 홍차를 마시면서 그렇게 말한 적이 있습니다.

"왜 그런 걸 물어?"

"물어봐도 상관없잖아."

"하지만, 왜? ……물어서 어쩌려고."

"어쩔 생각은 없어. 호기심에서 물어본 거야. 응? 어디에 있는 거야? 나한테 말해도 되잖아."

"아니, 말 안 할래."

"왜 말 안 하지?"

"내겐 조금도, 조지 씨의 호기심을 만족시켜줄 의무는 없어. 그렇게 알고 싶으면 내 뒤를 밟아. 비밀 탐정 노릇은 조지 씨가 잘 하는 거니까."

"설마 그렇게까지 하고 싶지는 않아. 하지만 네가 있는 곳이 근처가 분명하다고는 생각하고 있어."

"어머, 어째서?"

"왜냐하면 매일 밤 와서 짐을 가져가니까."

"매일 밤 온다고 근처에 있다고는 단정할 수 없어. 전차도 있고 자동차도 있으니까."

"그럼, 일부러 멀리서 오는 거야?"

"글쎄, 어떨까?"

그렇게 말하며 그녀는 말을 얼버무리고,

"매일 밤 오면 곤란하다는 말이야?"

라고 교묘하게 말머리를 돌렸습니다.

"곤란하다는 건 아니지만…… 오지 말라고 해도 상관하지 않고 쳐들어오니, 이제 와서 어쩔 수 없잖아……."

"그야 그렇지. 난 심술궂으니까. 오지 말라고 하면 더 올 거야. 아니면 오는 게 무서운 거야?"

"응, 그야, ……어느 정도 무섭지 않은 건 아니야……."

그러자 그녀는 목을 젖히고 새하얀 턱을 보이고 붉은 입을 있는 대로 벌리고, 갑자기 **깔깔** 자지러지게 웃었습니다.

"하지만 괜찮아. 그런 나쁜 짓은 하지 않아. 그보다 나, 옛날 일은 잊어버리고 앞으로도 **그냥 친구**로, 조지 씨랑 사귀고 싶어. 응, 괜찮지? 그럼 조금도 지장 없잖아."

"그것도 뭔가 묘하군."

"뭐가 묘해? 옛날 부부였던 사람들이, 친구가 되는 게 뭐가 이상해? 그거야말로 구식에다가 시대에 뒤떨어진 생각 아니야? 그야 지금도 만약 조지 씨를 유혹하려면 여기서라도 그렇게 하는 건 어렵지 않지만, 나 맹세코 그런 짓은 절대 하지 않아. 모처럼 조지 씨가 결심했는데, 그걸 흔드는 건 가엾으니까……."

"그럼, 가엾다고 생각해서 동정할 테니 친구가 되라는 말이야?"

"뭐, 그런 의미는 아니야. 조지 씨도 동정받지 않도록 정신 차리고 있으면 되잖아."

"하지만 그게 의심스럽다는 거야. 지금 정신 차리고 있어도, 너와 사귀면 점점 흔들릴지도 몰라."

"바보야, 조지 씨는. 그럼 친구가 되는 거 싫어?"

"아, 싫어."

"싫으면 나, 유혹할 거야. 조지 씨의 결심을 짓밟고 엉망으로 만들어줄 거야."

나오미는 그렇게 말하며, 농담도 아니고 진지한 것도 아닌 이상한 눈빛으로 히죽거렸습니다.

"친구로서 깨끗하게 사귀는 것과 유혹당해서 또 심한 꼴을 당하는 것, 어느 쪽이 좋아? 나, 오늘 밤 조지 씨를 협박하는 거야?"

대체 이 여자는 무슨 생각으로 나와 친구가 되자고 하는 걸까, 저는 그때 생각했습니다. 그녀가 매일 밤 찾아오는 것은 단순히 저를 **놀리는** 재미만을 위해서가 아니라, 또 뭔가 **의도**가 있는 게 틀림없습니다. 우선 친구가 된 다음, 서서히 구슬려서 자기가 항복하지 않는 형식으로 다시 부부가 되려는 것인가? 그녀의 진의가 그렇다면, 그런 귀찮은 책략을 쓰지 않아도 저는 간단히 동의했을 겁니다. 왜냐하면 제 가슴 속에는 그녀와 부부가 될 수 있다면 결코 "싫어"라고 말할 수 없는 감정이 어느 틈에 뭉게뭉게 피어오르고 있었으니까.

"저기, 나오미, 그냥 친구가 되어도 의미가 없잖아. 그렇다면

차라리 원래대로 부부가 되어주지 않을래?"

경우에 따라서는 제 쪽에서 그렇게 말을 꺼내도 좋았습니다. 하지만 오늘 밤 나오미의 상태로는 제가 진지하게 마음을 털어놓고 부탁해도 쉽게 "응"이라고 말할 것 같지 않았습니다.

"그런 건 딱 질색이야. 그냥 친구가 아니면 싫어."

라고 이쪽의 생각이 보이게 되면 더욱 우쭐대며 놀릴지도 모릅니다. 모처럼의 제 기분이 그런 취급을 받아서는 안 되고, 무엇보다 나오미의 진의가 부부가 되는 것이 아니라 자신은 어디까지나 자유로운 입장에 있으면서 여러 남자를 마음대로 조종하고, 그리고 나를 그중 한 명에 추가시키려는 꿍꿍이라면 더욱 섣부른 말은 할 수 없었습니다. 실제로 그녀는 주소조차 분명히 말하지 않을 정도이니, 지금도 누군가 남자가 있다고 생각하지 않을 수 없고, 그런데도 그대로 **어물어물** 아내로 삼는다면 나는 또 괴로움을 당할 테지요.

그래서 저는 순간적으로 궁리를 하여,

"그럼 친구가 돼도 좋아. 협박당하면 견딜 수 없으니까."

라고 저도 히죽히죽 웃으면서 그렇게 말했습니다. 친구로서 사귀다 보면 점차로 그녀의 진위를 알 게 될 거야. 그리고 그녀에게 아직 조금이라도 진지한 구석이 남아 있다면 그때 비로소 이쪽의 마음을 털어놓고, 부부가 되자고 설득할 기회도 있을 테고, 지금보다 유리한 조건으로 아내를 삼을 수도 있을 거다. 하고 저는 저대로 마음속에 한 가지 속셈이 있었기 때문입니다.

"그럼 들어주는 거야?"

나오미는 그렇게 말하고 쑥스럽다는 듯이 내 얼굴을 들여다보며,

"하지만 조지 씨, 정말로 **그냥 친구**야."

"아, 물론이지."

"추잡한 짓 같은 건 이제 서로 생각하지 않기야."

"알고 있어. 그렇지 않으면 나도 곤란해."

"흥."

하며, 나오미는 늘 그렇듯이 코끝으로 웃었습니다.

이런 일이 있고 나서, 그녀는 점점 빈번히 출입하게 되었습니다. 저녁에 회사에서 돌아오면,

"조지 씨?

라며, 느닷없이 그녀가 제비처럼 뛰어들어 와서,

"오늘 저녁밥 사주지 않을래? 친구라면 그 정도는 해도 되지?"

라고 서양 요리를 한 턱 내게 하여, 배불리 먹고 돌아가기도 하고, 그런가 하면 비 내리는 늦은 밤에 와서, 침실 문을 똑똑 뚜드리며,

"안녕, 벌써 자는 거야? 잠들었으면 안 일어나도 돼. 난 오늘 밤 묵을 생각으로 온 거야."

라며, 마음대로 옆방으로 들어가 자리를 펴고 자버리거나, 어느 때는 아침에 일어나 보면 그녀가 쿨쿨 자고 있던 적도 있었습니다. 그리고 그녀는 말을 꺼냈다 하면 반드시 "친구니

까 할 수 없어"라고 합니다.

저는 그 무렵, 그녀가 정말 타고난 음부라는 것을 느낀 적이 있는데, 그게 어떤 점이냐면 그녀는 원래 다정한 성격으로, 많은 남자에게 맨살을 보이는 것을 대수롭지 않게 여기는 여자이면서, 그만큼 또 평소에는 몹시 그 피부를 비밀스럽게 감추는 법을 알고 있어서, 비록 작은 부분이라도 결코 의미 없이 남자 눈에 띄지 않게 했던 것입니다. 누구에게나 허락하는 살을, 평소에는 꽁꽁 숨기려고 한다, 이것은 내가 보기에는 분명 음부가 본능적으로 자기를 보호하는 심리입니다. 왜냐하면 음부의 살이라는 것은, 그녀에게 있어서 무엇보다 소중한 '매물'이자 '상품'이기 때문에, 경우에 따라서는 숙녀가 살을 지키는 것보다 한층 엄중하게 지켜야만 하는 것으로, 그렇게 하지 않으면 '매물'의 가치가 점점 떨어져버립니다. 나오미는 실로 그동안의 일이 되어가는 형편을 이해하고 있어서, 일찍이 그녀의 남편이었던 제 앞에서는 더욱 그 살을 애써 감추려고 했습니다. 그럼 절대적으로 감추느냐 하면, 그게 반드시 그렇지도 않고, 제가 있으면 일부러 옷을 갈아입거나 옷을 갈아입는 척하며 스르륵 속옷을 떨어뜨리며,

"어머?"

하면서, 양손으로 벌거벗은 몸의 어깨를 감추며 옆방으로 달아나거나, 목욕하고 돌아와서 경대 앞에서 옷을 벗으려다가 비로소 알아차린 듯이,

"어머, 조지 씨, 그런 곳에 있으면 안 돼. 저쪽으로 가."

라고 저를 내쫓았습니다.

이런 식으로 보여주는 것도 아니게 이따금 **가끔** 보여주는 나오미의 살의 작은 부분은, 예를 들어 목덜미라든가, 팔꿈치, 정강이, 발꿈치 정도의 **아주** 작은 편린이었지만, 그녀의 몸이 전보다 더욱 윤기가 나고, 얄미울 정도로 더욱 아름다워지고 있는 것을 제 눈은 절대 놓치지 않았습니다. 저는 종종 상상의 세계에서, 그녀의 온몸에 걸친 옷을 몽땅 벗기고 그 곡선을 언제까지고 바라보고 있었습니다.

"조지 씨, 뭘 그렇게 보고 있어?"

라고 그녀는 어느 땐가, 제 쪽에 등을 돌리고 옷을 갈아입으며 물었습니다.

"네 몸을 보고 있어. 뭔가 그러니까, 전보다 아름다워진 것 같아."

"어머, 뭐야? 레이디의 몸을 그렇게 보는 거 아니야."

"보지는 않지만, 옷 위로도 대충 알아. 전부터 궁둥이가 컸지만 요즘은 더 커졌어."

"그래, 살쪘어. 점점 엉덩이가 커지고 있어. 하지만 다리는 시원하게 쭉 뻗어서 무 같지 않아?"

"응, 다리는 어린 시절부터 곧게 뻗었었지. 서면 딱 붙었는데 지금도 그런가?"

"응, 딱 붙어."

그렇게 말하고 그녀는 옷으로 몸을 감추면서 꼿꼿이 서 보이며,

"이거 봐. 딱 붙잖아."

그때 제 머릿속에는 뭔가 사진에서 본 적 있는 로댕의 조각이 떠올랐습니다.

"조지 씨, 당신, 내 몸이 보고 싶어?"

"보고 싶다고 하면 보여줄 거야?"

"그럴 순 없어. 당신은 내 친구니까. 자, 옷 갈아입을 때까지 저쪽에 가 있어."

그리고 그녀는 제 등에 세게 내리치듯이 **꽝** 하고 문을 닫았습니다.

이런 식으로 나오미는 언제나 제 정욕을 불타오르게 하고 아슬아슬한 곳까지 **유인**합니다. 그러고 나서는 엄중한 관문을 설치하고, 한 발짝도 들이지 못하게 합니다. 저와 나오미의 사이에는 유리벽이 서 있어서, 아무리 가까이 간 것처럼 보여도 실은 도저히 넘을 수 없는 거리가 있습니다. 무심코 손을 대려 하면 반드시 그 벽에 부딪혀, 아무리 몸이 달아도 그녀의 살을 만질 수는 없습니다. 때로는 나오미가 갑자기 그 벽을 치우려 하기에, '응, 괜찮나' 싶지만, 다가가면 역시 원래대로 닫아버립니다.

"조지 씨, 당신 착한 아이야, 키스해줄게."

라고 그녀는 **놀림** 반으로 자주 그런 말을 했습니다. **놀림당하고** 있다는 걸 알면서도, 그녀가 입술을 내밀기에 저도 그것을 빨려고 하면, 입술이 막 닿으려는 순간 그 입술은 달아나 버리고 **후** 하고 두세 치(3~6cm) 떨어진 곳에서 제 입에

입김을 내뿜고,

"이게 친구의 키스야."

그렇게 말하고 그녀는 히죽 웃습니다.

이 '친구의 키스'라는 별난 인사 방식, 여자의 입술을 빠는 대신, 입김을 빠는 것만으로 만족해야만 하는 이상한 키스, 이것은 그 후 습관처럼 되어버려, 헤어질 때,

"그럼 안녕, 또 올게."

라고 그녀가 입술을 내밀면 저는 그 앞에 얼굴을 내밀고 마치 흡입기를 향하고 선 것처럼 입을 떡 벌립니다. 그 입안에 그녀가 **후** 하고 입김을 불고, 제가 그것을 **흡** 하고 눈을 감고 깊이 **맛있다는 듯이** 가슴 밑바닥으로 삼킵니다. 그녀의 숨은 습기를 띠어 뜨뜻미지근하고, 인간의 폐에서 나왔다고는 여겨지지 않는 달콤한 꽃 같은 향기가 납니다. 그녀는 저를 미혹하기 위해 살짝 입술에 향수를 발랐다고 하는데, 그런 조작을 한 것을 물론 그 당시에는 몰랐습니다. 저는 이렇게, 그녀처럼 요부가 되면, 내장까지도 보통 여자와는 다를지도 몰라, 그래서 그녀의 체내를 통해서, 그 입안에 머금은 공기는, 이렇게 요염한 향기가 나는지도 몰라, 라고 자주 그렇게 생각했습니다.

제 머리는 이렇게 서서히 혼란스러워져서 그녀의 생각대로 마구 휘둘렸습니다. 저는 지금은 정식 결혼이 아니면 싫다느니, 농락당해서는 곤란하다느니, 더는 그런 말을 하고 있을 여유는 없어졌습니다. 아니, 솔직히 말하면 이렇게 되리라고 처

음부터 알고 있었기 때문에, 만약 정말로 그녀의 유혹을 두려워했다면, 사귀지 않았으면 좋았을 것을, 그녀의 진의를 살핀다느니, 유리한 기회를 노리기 위해서라느니 한 것은, 자신이 자신을 속이려는 구실에 지나지 않았습니다. 저는 유혹이 무섭다 무섭다 하면서 본심을 토로하면 그 유혹을 내심 기다리고 있었던 것입니다. 그런데 그녀는 언제까지고 그 시시한 **친구 놀이**를 거듭할 뿐으로, 결코 그 이상은 유혹하지 않습니다. 이것은 그녀가 더욱더 저를 안달 나게 할 계획일 거다, 안달 나고 안달 나게 하여 '적당한 때'다 싶으면 갑자기 '친구'의 가면을 벗고, 자신 있는 마의 손을 뻗을 거다, 이제 곧 그녀는 분명 손을 댈 거다, 대지 않고 가만히 있을 여자가 아니다, 나는 기껏해야 그녀의 계략에 걸려주어 "뒷발" 하면 뒷발로 서고, "기다려" 하면 먹이를 먹지 않고 기다리고, 뭐든 그녀의 주문대로 재주를 부리면, 결국에는 먹이를 먹을 수 있다고 날마다 코를 킁킁댔지만, 제 예상은 쉽게 실현될 것 같지 않습니다. 오늘은 마침내 가면을 벗을까, 내일은 마수를 뻗쳐올까 싶어도 그날이 되면 위기일발의 순간에 스르륵 미끄러지듯 달아나버립니다.

그러면 전, 이번에는 정말로 조바심이 납니다. '나는 이렇게 애타게 기다리고 있어. 유혹하려면 빨리해'라고 말하듯이, 몸에 허점을 보이거나 약점을 드러내거나 끝내는 제 쪽에서 **거꾸로** 유혹하거나 했습니다. 하지만 그녀는 전혀 받아들여 주지 않고,

"뭐야, 조지 씨! 그래서는 약속이 틀리잖아."

라고, 아이를 타이르는 듯한 눈빛으로 저를 꾸짖습니다.

"약속 따위 아무래도 좋아, 나는 이제……."

"안 돼, 안 돼! 우리는 **친구**야!"

"저기, 나오미, ……그런 말 하지 마, ……부탁이니까……."

"아, 시끄러! 안 된다니까! ……자, 그 대신 키스해줄게."

그리고 그녀는 예의 **후** 하고 입김을 불며,

"저기, 됐지? 이걸로 참아야 해. 이것도 친구 이상일지도 모르지만, 조지 씨니까 특별히 해주는 거야."

하지만 이 '특별'한 애무의 수단은, 오히려 제 신경을 비정상적으로 자극하는 힘은 있어도 결코 가라앉혀 주지는 않습니다.

'젠장! 오늘도 허사였어.'

저는 더욱 안달이 납니다. 그녀가 **불쑥** 바람처럼 나가버리면, 한동안은 아무 일도 손에 잡히지 않고, 자신에게 화를 내며, 우리에 갇힌 맹수처럼 방 안을 왔다 갔다 하면서, 근처에 있는 물건을 화풀이로 내던지거나 부수거나 했습니다.

저는 실은 이 미치광이 같은, 남자의 히스테리라고도 할 수 있는 발작에 시달렸는데, 그녀가 오는 게 매일이었기 때문에, 발작도 어김없이 하루에 한 번씩은 일어났습니다. 게다가 제 히스테리는 보통의 그것과 성질이 달라서, 발작이 그쳐도 마음이 가벼워지지 않았습니다. 오히려 마음이 진정되어도, 이번에는 전보다도 한층 명료하게, 한층 집요하게 나오미의 육체의 세세한 부분까지 생각났습니다. 옷을 갈아입을 때 잠시 옷자락에서 빠져나온 다리라든가, 입김을 불어줄 때 **불과** 두세 치 가까이까지 다가온 입술이라든가, 그런 것들이 그것들을 직접 보여줄 때보다 오히려 나중이 되어 한층 더 생생히 눈앞에 떠올라, 그 입술과 다리의 선을 따라서 서서히 공상을 펼쳐 가면 이상하게도 실제로 보이지 않았던 부분까지도, 마치 필름을 현상하는 것처럼 점점 보이기 시작하여, 결국에는 정말 대리석의 비너스 상과 비슷한 것이 마음속 어둠 밑바닥에 홀연히 모습을 나타내는 것입니다. 제 머리는 벨벳 장막으로 둘러쳐진 무대이고, 거기에 '나오미'라는 한 여배우가 등장합니다. 사방팔방에서 쏟아지는 무대 조명은 어둠 속에서 흔들리는 그녀의 하얀 몸만을, 확연히 강한 원형의 불빛으로 감쌉니다. 제가 일심으로 바라보고 있으면 그녀의 피부에 타오르는 빛은 더욱 밝아져, 때로는 제 눈썹을 태울 듯 육박해 옵니다. 영화의 '클로즈업'처럼, 부분 부분이 몹시 선명하게 확대됩니다. ……그 환영이 실감 나게 제 관능을 위협하는 정도는 실물과 조금도 다름이 없습니다. 아쉬운 것은 손으로 만질 수 없다는 한 가지뿐으로, 그 외의 점에서는 실물 이상으로 생생합니다. 지나치게 그걸 바라보면 저는 결국 어질어질 현기증이 나는 듯한 기분을 느끼고 몸속의 피가 한 번에 **확** 얼굴 쪽으로 쏠려, 저도 모르게 심장이 몹시 두근거립니다. 그러면 다시 히스테릭 발작이 일어나 의자를 걷어차기도 하고, 커튼을 잡아 찢기도 하며, 꽃병을 집어던지기도 합니다.

제 망상은 날이 갈수록 광포해져서, 눈을 감기만 하면 언제든 어두운 눈꺼풀 뒤에 나오미가 있습니다. 저는 자주, 그녀의 향기로운 숨결을 상기하고, 허공을 향해 입을 벌리고, **흡** 하고 공기를 빨아들입니다. 거리를 걷고 있는 때도, 방에 칩거하고 있을 때도, 그녀의 입술이 그리워지면 저는 갑자기 하늘을 향해 **흡흡** 했습니다. 제 눈에는 곳곳에 나오미의 붉은 입술이 보이고, 근처에 있는 공기란 공기는 모두 나오미의 **숨결**처럼 여겨졌습니다. 즉 나오미는 천지간에 충만하여, 저를 둘러싸고, 저를 괴롭히고, 제 신음을 들으면서 그것을 비웃으며 바라보고 있는 악령 같은 존재였습니다.

"조지 씨는 요즘 이상해. 조금 어떻게 된 거 같아."

라고, 나오미는 어느 날 밤 찾아와서 그렇게 말했습니다.

"그야 그렇지. 이렇게 네가 애를 태우니까……."

"흥……."

"뭐가 흥이야?"

"나, 약속은 엄중히 지킬 생각이야."

"언제까지 엄중하게 지킬 생각인데?"

"영원히."

"웃기지 마. 이러고 있는 난 점점 정신이 이상해지고 있어."

"그럼, 좋은 걸 알려줄게. 수돗물을 머리부터 쫙 끼얹는 거야."

"이봐, 정말 넌……."

"또 시작이다! 조지 씨가 그런 눈빛을 하니까 내가 더 놀리고 싶어지는 거야. 그렇게 가까이 오지 말고 더 떨어져 있어. 손가락 하나 닿지 않게 해줘."

"그럼 할 수 없지, 친구의 키스라도 해줘."

"얌전히 있으면 해줄게, 하지만 나중에 정신이 이상해지지 않을까?"

"이상해져도 돼. 이제 그런 걸 상관할 여유 따윈 없어."

27

그 밤, 나오미는 '손가락 하나 대지 못 하도록' 저를 테이블 맞은편에 앉히고, 안절부절못하는 제 얼굴을 재미있다는 듯 바라보면서, 밤늦게까지 쓸데없는 말을 지껄이고 있었는데, 12시가 울리자,

"조지 씨, 오늘 밤은 자고 갈게."

라고 또다시 놀리는 듯한 어조로 말했습니다.

"아, 자고 가. 내일은 일요일이어서 나도 온종일 집에 있으니까."

"하지만 말이야. 자고 간다고 해서 조지 씨가 원하는 대로 되진 않아."

"걱정하지 마, 원하는 대로 되는 여자도 아니니까."

"원하는 대로 되면 좋겠다고 생각하는 거 아니야?"

그렇게 말하고 그녀는, 킥킥 코로 웃으며,

"자, 당신부터 먼저 자. 잠꼬대하지 말고"

라고 저를 2층으로 내몬 다음, 옆방으로 들어와 찰칵하고 자물쇠를 채웠습니다.

저는 물론 옆방이 신경이 쓰여 쉽게 잠들지 않았습니다. 이전, 부부였을 당시에는 이런 바보 같은 일은 없었어, 내가 이렇게 자고 있는 곁에 그녀도 있었어, 그렇게 생각하자, 저는 정말 분해서 견딜 수가 없었습니다. 벽 하나 너머에서는 나오미가 끊임없이, 어쩌면 일부러 그러는지, 쿵쾅쿵쾅, 바닥을 울리면서, 이불을 펴기도 하고, 베개를 꺼내기도 하며 잘 준비를 하고 있습니다. 아, 이번에는 머리를 빗고 있군, 옷을 벗고 잠옷으로 갈아입는 중이군, 하며 그런 모습이 손에 잡힐 듯 알 수 있습니다. 그리고 **휙** 하고 이불을 걷는 **기척**이 나고, 이어서 **털썩** 그녀의 몸이 이불 위에 쓰러지는 소리가 들렸습니다.

"대단한 소리를 내는군."

저는 반은 혼잣말처럼, 반은 그녀에게 들리듯이 말했습니다.

"아직 깨어 있어? 잠이 안 와?"

라고 벽 너머에서 즉시 나오미가 대답했습니다.

"아, 좀처럼 잠이 올 것 같지 않아. 난 여러 가지 생각을 하고 있어."

"우후후후, 조지 씨의 생각이라면, 듣지 않아도 대충 알아."

"하지만, 정말 이상해. 지금 네가 이 벽 너머에서 자고 있는데, 어떻게도 할 수 없다니."

"전혀 이상하지 않아. 훨씬 예전에는 그랬잖아, 내가 처음 조지 씨한테 왔을 무렵에는 오늘 밤처럼 잤잖아."

저는 나오미에게 그 말을 듣고, 아 그랬나, 그런 때도 있었지, 그 무렵에는 저도 순수했는데 하고 눈시울이 뜨거워질 것 같았지만, 그것은 조금도 지금의 제 애욕을 진정시켜주지 못했습니다. 오히려 저는 두 사람이 얼마나 깊은 인연으로 연결되어 있는지를 생각하고 도저히 그녀와 떨어질 수 없는 기분을 빼저리게 느낄 뿐이었습니다.

"그 무렵에 넌 순진했는데."

"지금도 난 지극히 순진해. 순진하지 않은 건 조지 씨야."

"뭐든 마음대로 말해. 난 널 어디까지고 쫓아다닐 테니까."

"우후후후."

"이봐!"

저는 그렇게 말하고, 벽을 **쿵** 하고 쳤습니다.

"어머, 뭐 하는 거야, 여긴 들 한복판에 있는 단독주택이 아니야. 제발 조용히 해줘."

"이 벽이 방해야. 이 벽을 부수고 싶어."

"아, 시끄러워. 오늘 밤은 쥐가 심하게 날뛰네."

"그야 날뛰고말고. 이 쥐는 히스테리를 부리고 있으니까."

"난 그런 할아범 쥐는 싫어."

"바보 같은 소리 마. 난 **할아범**이 아니야. 아직 겨우 서른둘이라고."

"나는 열아홉이야. 열아홉이 보면 서른둘은 할아범이야. 나쁜 말은 하지 않을 테니까. 따로 아내를 얻어, 그럼 히스테리가 나을지도 몰라."

나오미는 내가 무슨 말을 해도 결국에는 우후우후 웃을 뿐이었습니다. 그러더니 이윽고,

"이제 잘게."

라며 **드르렁 드르렁** 거짓으로 코를 골았는데, 이윽고 진짜 잠든 모양입니다.

다음 날 아침, 눈을 떠보니 나오미는 단정하지 못한 잠옷 차림으로, 내 머리맡에 앉아 있습니다.

"무슨 일이야? 조지 씨, 어젯밤은 대단했지."

"응, 요즘 난, 가끔 그런 식으로 히스테리를 일으켜. 무서웠어?"

"재미있었어. 또 그렇게 만들고 싶어."

"이제 괜찮아. 오늘 아침 다 나았어. 아, 오늘은 날씨가 좋군."

"날이 좋으니까 일어나는 게 어때? 벌써 열 시가 넘었어. 나, 한시간 전에 일어나서 지금 목욕하고 왔어."

저는 그 말을 듣고 누워서 목욕을 마친 그녀의 모습을 올려다보았습니다. 그녀의 '목욕을 마친 모습'이라는 것은, 그 진정한 아름다움은, 목욕을 막 했을 때보다도 15분이나 20분, 다소 시간이 지난 후에 나타납니다. 욕탕에 몸을 담그면 아무리 피부가 좋은 여자라도 그 당시는 피부가 늘어져서, 손가락 끝 등이 벌겋게 **붇는** 법인데, 시간이 지나 몸이 적당한 온도로 식으면, 비로소 밀랍이 굳는 것처럼 투명해집니다. 나오미는 바로 지금이, 대중목욕탕에서 바깥 바람을 쐬며 왔기

때문에, 목욕 후 가장 아름다운 순간이었습니다. 그 연약하고 얇은 피부는 여전히 수증기를 머금고 있으면서도 새하얘, 옷깃에 가려진 가슴 언저리에는 수채화 물감 같은 보랏빛 그림자가 있습니다. 얼굴은 반들반들 젤라틴 막을 친 것처럼 광택을 띠고, 단지 눈썹만이 축축하게 젖었으며, 그 위에는 활짝 갠 겨울 하늘이, 창문 너머 어렴풋이 푸르게 비치고 있습니다.

"무슨 일이야? 아침 댓바람부터 목욕을 하고."

"뭘 하건 쓸데없는 참견 마. 아, 기분 좋아."

라고 그녀는 코 양옆을 손바닥으로 찰싹찰싹 가볍게 두드린 다음, 얼굴을 제 눈앞에 쓱 내밀었습니다.

"잠깐! 잘 봐봐, 수염 났지?"

"응, 났어."

"오다가 이발소에 들려서 얼굴을 면도하고 왔으면 좋았나?"

"너, 면도하는 거 싫어하지 않았어. 서양 여자는 결코 얼굴을 면도하지 않는다면서."

"하지만 요즘 미국 같은 데선 얼굴을 면도하는 게 유행이야. 저기, 내 눈썹을 봐. 미국 여자는 이런 식으로 모두 눈썹을 밀어."

"아, 그렇군. 얼마 전부터 네 얼굴이 달라지고 눈썹 모양까지 달라진 건 거기를 그런 식으로 면도한 탓인가."

"응, 그래. 지금에야 알아차리다니, 너무 늦어."

나오미는 그렇게 말하고 뭔가 다른 걸 생각하는 듯하다가,

"조지 씨, 이제 히스테리는 정말 나았어?"

라고, 불쑥 물었습니다.

"응, 나았어. 왜?"

"나았으면 조지 씨에게 부탁이 있어. 지금 이발소에 가는 건 귀찮으니까 내 얼굴을 면도해주지 않을래?"

"그런 말을 해서 또 히스테리를 일으키려는 심산이지?"

"어머, 그렇지 않아. 정말로 진지하게 부탁하는 거니까 그 정도는 친절해도 되잖아? 하긴 히스테리를 부려 상처라도 입히면 큰일이지만."

"안전한 면도칼을 빌려줄 테니까, 혼자서 밀면 되잖아?"

"하지만 그렇게는 안 돼. 얼굴만이라면 좋지만, 목 근처부터 어깨 **훨씬** 뒤쪽까지 밀어야 하니까."

"허, 어째서 그런 곳까지 미는데?"

"왜냐하면, 그렇잖아, 야회복을 입으면 어깨까지 완전히 나오니까."

그리고 일부러 어깨를 조금 드러내 보이며,

"자, 이쯤까지 미는 거야. 그러니까 혼자서는 불가능해."

그렇게 말하고 그녀는 서둘러 다시 어깨를 집어넣었는데, 늘 **당하는** 수법이면서 그것이 제겐 역시 저항하기 어려운 유혹이었습니다. 나오미 녀석, 면도를 하고 싶은 것도 뭐도 아니야, 나를 농락할 생각으로 목욕까지 하고 온 거다, 라고, 그렇게 알고 있으면서도 하여간 털을 깎아 달라고 하는 것은 지금까지는 없는 하나의 새로운 도전이었습니다. 오늘이야말로 **매**

우 가까이 접근해서, 그 피부를 자세히 볼 수 있다. 물론 만질 수도 있다. 그렇게 생각하는 것만으로도 저는 도저히 그녀의 부탁을 거절할 용기가 없었습니다.

나오미는 제가, 그녀를 위해 가스 곤로에 물을 끓이고 그것을 금속 대야에 옮기고, 질레트* 면도날을 갈아 끼우기도 하며, 여러 가지 준비를 하는 동안 창 쪽으로 책상을 들고 가서 그 위에 작은 거울을 놓고, 두 다리 사이에 엉덩이를 **딱** 붙이고 앉더니 하얗고 커다란 타월을 목에 감았습니다. 하지만 제가 그녀의 뒤로 가서 콜게이트** 비누를 물에 적셔 드디어 밀려고 하는 **순간**에,

"조지 씨, 밀어주는 건 좋은데 하나 조건이 있어."

라고 말했습니다.

"조건?"

"응, 그래. 특별히 어려운 건 아니야."

"뭔데?"

"민다고 속이고, 손가락으로 여기저기 잡거나 하면 싫어. 전혀 피부에는 닿지 않도록 하면서 밀어줘야 해."

"하지만……."

"뭐가 '하지만'이야. 닿지 않도록 하면서 밀 수 있잖아. 비누 거품은 브러시로 바르면 되고, 면도칼은 질레트를 쓰면 되고,

* 1901년 미국의 킹 질레트가 Gillette Safety Razor Company를 창업하여, 세계 최초 T자형 안전면도기를 발매한 이래, 오늘날까지 세계적인 메이커로서 지위를 유지하고 있다.

** 윌리엄 콜게이트가 1806년 창업한 미국의 세계적인 비누 회사.

……이발소에 가도 솜씨 좋은 이발사는 닿지 않게 해."

"이발사와 동급으로 보면 곤란해."

"건방진 소리 하네. 사실은 밀고 싶은 주제에! 그게 싫으면 뭐 억지로는 부탁하지 않을게."

"싫진 않아. 그렇게 말하지 말고 밀게 해줘, 애써 준비까지 했으니까."

저는 나오미의 깃을 뒤로 젖혀서 드러난 긴 목을 바라보면서, 그렇게 말할 수밖에 없었습니다.

"그럼, 조건 대로 할래?"

"응, 할게."

"절대로 만지면 안 돼."

"응, 안 만질게."

"혹시 조금이라도 만지만, 그땐 즉시 못하게 할 거야. 그 왼손을 확실히 무릎 위에 둬."

저는 시키는 대로 했습니다. 그리고 오른손만을 써서, 그녀의 입 주위부터 밀어갔습니다.

그녀는 멍하니, 면도칼로 쓰다듬어 내려가는 쾌감을 맛보는 것처럼 눈동자를 거울 앞에 고정하고, 얌전히 제게 밀도록 했습니다. 제 귀에는 색색 졸리는 듯한 숨소리가 들리고, 제 눈에는, 그 턱 아래에서 실룩실룩 움직이는 경동맥이 보입니다. 저는 지금, 속눈썹에 찔릴 정도로 그녀의 얼굴에 접근했습니다. 창밖에는 건조한 공기 가운데 아침 햇살이 맑게 비추어 모공 하나하나를 셀 수 있을 정도로 밝습니다. 저는 이런 밝은 곳에서 이렇게 언제까지고, 그리고 이렇게 세밀하게 자신이 사랑하는 여자의 이목구비를 응시한 적이 없습니다. 이렇게 보니 그 아름다움은 거인 같은 위대함과 부피를 가지고 육박해옵니다. 그 몹시 길게 찢어진 눈, 훌륭한 건축물처럼 뛰어난 코, 코에서 입으로 연결된 튀어나온 두 선, 그 선 아래 충분히 깊이 새겨진 붉은 입술. 이것이 '나오미의 얼굴'이라는 하나의 영묘한 물질인가, 이 물질이 내 번뇌의 씨앗인가. …… 그렇게 생각하니 실로 이상해집니다. 저는 저도 모르게 브러시를 집어 괜히 비누 거품을 냈습니다. 하지만 아무리 브러시로 휘저어도 그것은 조용히 저항 없이 그저 부드럽게 탄력적으로 움직일 뿐입니다.

……제 손에 있는 면도칼은, 은색의 벌레가 기어가는 것처럼 완만한 피부를 기어 내려가, 목덜미에서 어깨 쪽으로 옮겨갔습니다. **살집** 좋은 그녀의 등이 새하얀 우유처럼 넓고 높게 제 시야에 들어왔습니다. 대체 그녀는 자신의 얼굴은 보겠지만, 등이 이렇게 아름답다는 사실을 과연 알고 있을까? 그녀 자신은 아마도 모를 거다. 그것을 가장 잘 아는 사람은 나다. 나는 일찍이 이 등을 매일 욕조에 밀어넣고 씻어주었다. 그때도 딱 지금처럼 비누 거품을 일으키면서. ……이것이 내 사랑의 유적이다. 내 손이, 내 손가락이, 이 맑고 아름다운 눈 위를 희희낙락 놀며, 그곳을 자유롭고 즐겁게 밟은 적이 있다. 지금도 어딘가 흔적이 남아 있을지도 모른다…….

"조지 씨, 손이 떨려. 좀 제대로 해줘……."

갑자기 나오미의 목소리가 들렸습니다. 저는 머리가 욱신욱신 쑤시고 입안이 바싹 말라서 이상하게 몸이 떨린다는 사실을 스스로도 알 수 있었습니다. **번쩍** 정신이 들며, '미쳤구나' 하고 생각했습니다. 그것을 열심히 참으니, 갑자기 얼굴이 뜨거워지기도 하고, 차가워지기도 했습니다. 하지만 나오미의 **장난**은 아직 이 정도로는 멈추지 않았습니다. 어깨를 완전히 밀자, 소매를 걷어붙이고 팔꿈치를 높이 들더니,

"자, 이번에는 겨드랑이."

라고 말했습니다.

"뭐, 겨드랑이?"

"응, 그래. 서양 옷을 입기 위해서는 겨드랑이를 밀어야 해, 여기가 보이면 실례잖아."

"짓궂어!"

"뭐가 짓궂다는 거야, 이상한 사람이네. ─나, 목욕하고 몸이 식어서 추우니까 빨리해줘."

그 순간, 저는 갑자기 면도칼을 던지고, 그녀의 팔꿈치에 달려들었습니다. 달려들었다고 하기보다는 덤벼들었습니다. 그러자 나오미는 이미 그것을 예상하고 있었던 것처럼 즉시 팔꿈치로 저를 있는 힘껏 밀쳐냈지만, 제 손가락은 그럼에도 어딘가에 닿았는지, 비누 거품 때문에 쭈르르 미끄러졌습니다. 그녀는 다시 한번 있는 힘껏 저를 벽 쪽으로 밀어제치자마자,

"뭐 하는 거야!"

라고 날카롭게 외치며 일어섰습니다. 그 얼굴은, 제 얼굴이 새파랬기 때문일까요, 그녀의 얼굴도 농담이 아니라 새파랬습니다.

"나오미! 나오미! 이제 **놀리는 건** 그만해! 제발! 뭐든 네가 하는 말을 들을게."

무슨 말을 하는지 전혀 모르겠습니다. 그저 조급하고 빠르게 마치 열에 들뜬 것처럼 지껄였습니다. 그것을 나오미는 말없이 물끄러미 막대기처럼 우뚝 선 채 어이없다는 듯이 노려보고 있을 뿐이었습니다.

저는 그녀의 발밑에 몸을 던지고 무릎을 꿇고 말했습니다.

"이봐, 왜 잠자코 있어! 뭐라고 말 좀 해줘! 싫으면 날 죽여줘!"

"미치광이!"

"미치광이면 안 돼?"

"누가 그런 미치광이를 상대해준대?"

"그럼 날 말로 좀 써줘, 언젠가처럼 내 등에 타줘. 도저히 싫으면 그것만이라도 좋아!"

저는 그렇게 말하고, 거기에 넙죽 엎드렸습니다.

일순간, 나오미는 제가 실제로 발광했다고 생각한 듯했습니다. 그녀의 얼굴이 그때 한층 거무죽죽할 정도로 새파래져서, 저를 보는 그 눈동자에는 거의 공포에 가까웠습니다. 하지만 즉시 그녀는 사납고 뻔뻔스러우며 대담한 표정으로, **털썩** 제 등 위에 걸터앉으며,

"자, 이걸로 됐어?"

라고 남자 같은 어조로 말했습니다.

"응, 그걸로 됐어."

"앞으로 뭐든 내가 하는 말을 들을 거지?"

"응, 들을 거야."

"내가 필요한 만큼 얼마든지 돈을 줄 거지?"

"줄 거야."

"내가 마음대로 하게 둘 거지? 일일이 간섭 안 할 거지?"

"안 해."

"나를 '나오미'라고 부르지 않고, '나오미 씨'라고 부를 거지?"

"부를 거야."

"틀림없지?"

"틀림없어."

"좋아, 그럼 말이 아니라, 인간 취급을 해주지, 불쌍하니까."

그리고 저는 나오미와 비누 거품투성이가 되었습니다…….

"……이걸로 겨우 부부가 되었어. 이제 앞으로는 놓치지 않을 거야."

라고 제가 말했습니다.

"내가 도망가서 그렇게 힘들었어?"

"응, 힘들었어. 한때는 절대 돌아오지 않을 거라고 생각했어."

"어때? 내가 얼마나 무서운지 알았지?"

"알았어. 알고도 남을 정도로 알았어."

"그럼, 아까 말한 거 잊지 마. 뭐든 마음대로 하게 둘 거지? 부부라고 해도 딱딱한 부부는 싫어. 그렇지 않으면 나, 다시 도망칠 거야."

"그리고 또 '나오미 씨'와 '조지 씨'로 가는 거야."

"가끔 댄스장에 가게 해줄 거지?"

"응."

"여러 친구들과 사귀어 돼? 이제 전처럼 불평은 안 할 거지?"

"응."

"나, **마 짱**이랑 절교했어."

"허, 구마가이랑 절교했다고?"

"응, 했어. 그런 나쁜 녀석은 없어. 앞으로는 될 수 있는 대로 서양인들과 사귈래. 일본인보다 재미있어."

"그 요코하마의 맥캐넬이라는 남자 말이야?"

"서양인 친구들이라면 많이 있어. 맥캐넬도 특별히 수상한 건 아니야."

"흥, 어떨지."

"이봐, 그렇게 사람을 의심하니까 나쁜 거야. 내가 그렇다고 하면 확실히 그걸 믿어. 알았어? 자! 믿을래, 안 믿을래?"

"믿어!"

"또 그 외에도 주문 사항이 있어. 조지 씨는 회사를 그만두고 어쩔 셈이야?"

"네게 버림받으면 고향에 들어앉을 생각이었는데, 이제 이렇게 됐으니 들어앉지 않을 거야. 고향의 재산을 정리해서 현금으로 가지고 올게."

"현금으로 하면 어느 정도야?"

"글쎄, 이쪽으로 가져올 수 있는 건 이삼십만*은 될 거야."

"겨우 그 정도?"

"그 정도 있으면, 나와 너 단둘이라면 충분하잖아."

"사치를 부리며 놀면서 지낼 수 있어?"

"그야, 놀면 그렇게 지낼 수 없지. 너는 놀아도 되지만, 나는 뭔가 사무소를 열어 독립해서 일을 할 생각이야."

"일하는데 돈을 전부 쏟아붓는 건 싫어. 내가 사치 부릴 돈을 따로 떼어둬야 해. 괜찮지?"

"응, 괜찮아."

"그럼, 반은 따로 떼어줄래? 30만 엔이라면 15만 엔, 20만 엔이라면 10만 엔."

"꽤 자세히 다짐을 하는군."

"그야 그렇지. 처음에 조건을 정해두는 거야. 어때? 알았어? 그렇게까지 해서 나를 아내로 삼는 건 싫어?"

"싫은 건 아니야."

"싫으면 싫다고 말해. 지금이라면 바꿀 수 있어."

"괜찮다니까, 알았다니까."

* 1920년대의 1엔은 지금의 1,000~3,000엔 정도임. 그러므로 중간인 2,000엔으로 계산하면 4~6억 엔이 된다.

"그리고 또 있어. 이제 그렇게 되면 이런 집에서는 살 수 없으니까, 더 멋지고 근사한 집으로 이사해."

"물론 그렇게 할게."

"나, 서양인이 있는 동네의, 서양관에서 살고 싶어. 예쁜 침실과 식당이 있는 집에서 요리사니 보이를 두고."

"그런 집이 도쿄에 있을까?"

"도쿄에는 없지만 요코하마에는 있어. 요코하마의 야마테山手*에 그런 셋집이 마침 하나 비어 있어. 얼마 전에 잘 봐뒀어."

저는 비로소 그녀에게 깊은 **계략**이 있다는 것을 알았습니다. 나오미는 처음부터 그럴 생각으로 계획을 세우고 저를 낚았던 것입니다.

* 요코하마항 남동쪽의 산에 가까운 지구. 에도 말기 요코하마항이 개항한 이래 외국인을 위한 주거지로, 서양관과 교회, 여학교 등이 늘어서 있었다.

28

이제, 이야기는 그로부터 삼사 년 후가 됩니다.

저희는 그 후 요코하마로 이사 가서 나오미가 전에 봐 두었던 야마테의 서양관을 빌렸지만, 점점 사치가 몸에 배자 이윽고 그 집도 좁다고 하기에 얼마 안 돼서 혼모쿠本牧*의, 전에 스위스인 가족이 살던 집을 가구째 사들여 거기서 살게 되었습니다. 그 대지진**으로 야마테 쪽은 남김없이 불타버렸지만, 혼모쿠는 해를 입지 않은 곳이 많았는데, 저희 집도 벽에 금이 간 정도일 뿐 거의 이렇다 할 손해도 없이 끝났으니, 정말이지 뭐가 행운인지 알 수 없습니다.

저는 그 뒤 계획대로 오이마치의 회사를 사직하고, 고향의 재산은 정리해버리고, 학창 시절의 동창 두세 명과 전기 기계 만들고 판매하는 합자회사를 시작했습니다. 이 회사는 제가

* 요코하마시의 바다에 임한 곳, 중구 남동부의 지명. 바다에 임한 곳은 30~40미터의 절벽으로 도쿄만에 접해 있었는데, 현재는 매립되어 옛 모습은 없다. 이 시대에는 외국인이나 하급 선원을 상대로 하는 음식점이 많았다.

** 1923년 9월 1일 발생한 관동대지진.

최대 출자자인 대신, 실제 일은 친구들이 해주고 있어 매일 사무소에 나갈 필요는 없었지만 무슨 이유인지, 제가 온종일 집에 있는 것을 나오미가 좋아하지 않아서, 마지못해 하루에 한 번은 나가기로 하고 있습니다. 저는 아침 11시 무렵, 요코하마에서 도쿄로 가서, 교바시京橋의 사무실에 한두 시간 얼굴을 내밀었다가 대부분 저녁 4시 무렵에는 돌아옵니다.

예전에는 엄청나게 부지런하여 아침 일찍 일어나는 편이었지만, 요즘의 저는 9시 반이나 10시가 아니면 일어나지 않습니다. 일어나면 즉시 잠옷 바람으로 가만히 발끝으로 걸어서, 나오미의 침실 앞으로 가서 조용히 문을 노크합니다. 하지만 나오미는 저 이상의 잠꾸러기이므로 그때까지 비몽사몽으로,

"응."

하고, 들릴락 말락 하게 대답할 때도 있고, 내가 온 줄도 모르고 잘 때도 있습니다. 대답을 하면 저는 방에 들어가 인사를 하고, 대답이 없으면 문 앞에서 발길을 돌려 그대로 사무실로 갑니다.

이런 식으로 우리 부부는 어느 틈에 다른 방에서 자게 되었는데, 원래 이것은 나오미의 제안이었습니다. 부인의 침실은 신성한 것이다, 남편이라고 해도 함부로 범해서는 안 된다라고, 그녀는 말하며, 넓은 방을 자신이 차지하고, 그 옆에 있는 작은 쪽을 제 방으로 주었습니다. 그리고 이웃 간이라고 해도 두 방은 직접 연결되어 있지는 않았습니다. 그사이에 부부 전용 욕실과 화장실이 끼어 있어서, 즉 그만큼 서로 떨어

져 있는 셈으로, 이쪽 방에서 저쪽 방으로 가려면 거기를 통과해야만 합니다.

나오미는 매일 아침 11시가 지나서 일어나는 것도 아니고 자는 것도 아니고, 침대 안에서 꾸벅꾸벅 졸며 담배를 피우기도 하고 신문을 읽기도 합니다. 담배는 디미트리노*의 궐련, 신문은 〈미야코 신문都新聞〉**, 그리고 잡지 〈클래식〉***이나 〈보그〉****를 읽었습니다. 아니 읽은 게 아니라, 잡지 속의 사진을, 주로 서양 옷의 의장과 유행을, 한 장 한 장 꼼꼼히 들여다봅니다. 그 방은 동과 남이 트여 있고 베란다 아래에 바로 혼모쿠 바다가 가로 놓여 있어, 아침은 일찍부터 밝아집니다. 나오미의 침대는 일본식 방이라면 다다미를 스무 장이나 깔 만큼 넓은 방 한가운데 놓여 있는데, 그것도 평범한 싸구려 침대가 아닙니다. 도쿄의 어느 대사관에서 매물로 나온, 지붕이 달린 하얀 비단 같은 휘장이 쳐진 침대인데, 이걸 산 후 나오미는 한층 잠자기가 편한지, 전보다 더욱 잠자리에서 꾸물대며 일어나지 않게 되었습니다. 그녀는 세수하기 전에, 침대에서 홍

* 이집트의 고급 담배 회사명. 1926년의 정가는 디미트리노의 '암바사되르'가 20개비 3엔 80전. 같은 무렵, 일본산 담배 다바코 골든배트는 20개비에 1엔 40전이었다.

** 1884년에 창간되어, 1942년에 〈국민신문(国民新聞)〉과 합병하여 현재 〈도쿄신문(東京新聞)〉이 되었다. 가부키, 화류계, 문예 등 각종 문화 기사나 대중 소설의 연재가 주였으며, 연예계, 화류계에서 특히 애독되었다.

*** 미국의 대표적 월간 영화잡지 〈Motion Picture Classic〉. 1915년에서 1931년까지 간행되었다. 당시는 헤어와 메이크업의 본보기는 주로 미국 영화로, 미용사들도 일이 끝나면, 영화관으로 달려갔다고 한다.

**** 세계에서 가장 유명한 패션 전문 잡지의 이름으로, 유행, 인기의 의미.

차와 우유를 마십니다. 그 사이에 하녀가 목욕물을 준비합니다. 그녀는 일어나서 먼저 목욕에 하고, 목욕을 마치면 잠시 누워서 마사지를 시킵니다. 그러고 나서 머리를 묶고, 손톱을 다듬고, 일곱 가지 화장 도구라고 하는데 일곱 가지가 아니라 몇 십 종류나 되는 약과 도구로 얼굴을 마구 주무르고, 옷을 입는 데 이걸로 할까 저걸로 할까 망설인 끝에 식당에 나오는 시간이 대략 1시 반이 됩니다.

점심을 먹고 나서 밤까지 거의 일이 없습니다. 밤에는 손님이 부르거나 혹은 손님을 부르거나 그것도 아니면 호텔에 춤추러 가거나, 반드시 뭔가를 하는데, 그때가 되면 그녀는 다시 한번 화장을 하고, 옷을 갈아입습니다. 무도회가 있을 때는 특히 굉장하여, 목욕탕에 가서 하녀를 시켜 온몸에 분을 바릅니다.

나오미의 친구는 자주 바뀌었습니다. 하마다와 구마가이는 그 뒤 일절 드나들지 않게 되었고, 한때는 예의 맥캐넬을 마음에 들어 하는 듯하더니, 이윽고 그를 대신한 자는, 듀건이라는 남자였습니다. 듀건 다음에는 유스타스라는 친구가 생겼습니다. 이 유스타스라는 남자는 맥캐넬 이상으로 불쾌한 녀석으로, 나오미의 비위를 맞추는 걸 정말 잘 했는데, 한번은 제가 홧김에 무도회 때 녀석을 때린 적이 있습니다. 그러자 큰 소동이 일어나 나오미는 유스타스를 편들며 "미치광이!"라고 제게 욕설을 퍼붓습니다. 저는 더욱 사납게 날뛰며, 유스타스를 악착같이 뒤쫓습니다. 모두가 저를 그러안아 붙들고 "조-지! 조-지!"라고 큰소리로 외칩니다. 제 이름은 조지지만, 서양인은 George인 양 "조-지" "조-지"라고 부릅니다. 그 일로 결국 유스타스는 우리 집에 오지 않게 되었는데, 동시에 제게 또 나오미가 새로운 조건을 제안하여, 거기에 복종하게 되었습니다.

유스타스 뒤에도 제2, 제3의 유스타스가 생긴 건 물론이지만, 지금의 저는 제가 생각해도 신기할 정도로 고분고분합니다. 인간이라는 것은 한번 지독한 꼴을 당하면 그것이 강박관념이 되어, 언제까지고 머리에 남아 있는 모양인지, 저는 지금껏 전에 나오미가 달아났을 때의 그 무서운 경험을 잊을 수가 없습니다. "내가 얼마나 무서운지 알았지?"라고, 그렇게 말한 그녀의 말이, 지금도 귀에 **단단히** 들러붙어 있습니다. 그녀의 바람기와 버릇없음은 예전부터 알고 있는 사실로, 그 결점을 제거하면 그녀의 가치도 없어져버립니다. 바람기 있는 녀석, 버릇없는 녀석이라고 생각하면 생각할수록, 한층 귀여움이 더해져서, 그녀의 덫에 걸려버립니다. 그러니까 저는 화를 내면 더욱 제가 지게 된다는 사실을 알고 있습니다.

자신이 없어지면 어쩔 수가 없어서, 지금의 저는 그녀에게 영어로 도저히 미칠 수 없습니다. 실제로 서양인들과 사귀는 사이에 자연스럽게 향상된 것이겠지요. 무도회 자리에서 부인들이나 신사들에게 애교를 부리며, 그녀가 재잘재잘 지껄여대는 것을 듣고 있으면 어쨌든 발음은 옛날부터 좋았으므로, 이상하게 서양인이 말하는 듯하여 제가 알아들을 수 없을 때가 자주 있습니다. 그리고 그녀는 가끔 저를 서양인처럼 "조지"라고 부릅니다. 이것으로 저희 부부의 기록은 끝입니다. 이것을 읽고 어처구니없다고 생각하는 사람은 웃어주세요. 교훈이 될 거라고 생각하는 사람은 좋은 본보기로 삼아주세요. 저 자신은 나오미에게 홀딱 반해 있으니까 어떻게 생각하든 상관없습니다. 나오미는 올해 스물셋이고 저는 서른여섯이 되었습니다.

역자의 말

십수 년 전 일본에서 대학원을 다닐 때, 선배 중에 러시아 유학생이 있었는데, 그 학생이 다니자키 준이치로의 『치인의 사랑』에 대해 연구하고 있었다. 지도 교수는 『치인의 사랑』 주인공 가와이 조지가 일본 문학에 등장하는 남자 중에 가장 '찌질한 남자'라고 한 적이 있다. 이 말에 『치인의 사랑』에 대해 흥미를 느낀 나는 즉시 책을 샀다. 읽어보니 과연 찌질하기가 이루 말할 수 없다.

요즘에는 『치인의 사랑』에 등장하는 나오미 같은 여성들이 흔히 존재하지만, 지금으로부터 약 100년쯤 전, 여성들이 자신의 목소리를 내기 어려웠던 시절에 이런 여성 캐릭터를 그려냈다는 사실에 매우 놀랐다.

그런데 십수 년이 지난 지금에 와서 읽어보니 전혀 다른 느낌으로 다가왔다. 일단 『치인의 사랑』의 줄거리를 간단히 정리하면 다음과 같다.

나오미, 모범적인 샐러리맨을 치인으로 타락시켜 버리는 악녀

『치인의 사랑』은 모범적인 샐러리맨이었던 가와이 조지河合讓治가 13살 어린 나오미라는 여자를 아내로 맞아 농락당해 인생이 엉망이 되어가는 데도 기뻐하는 '어리석은 남자(치인)'의 이야기이다.

가와이 조지는 28세의 독신 전기 기사다. '검소하고, 성실하고, 지나치게 재미가 없을 정도로 평범하며, 아무런 불평, 불만도 없이 날마다 일하는' '모범적인 샐러리맨'이었다. 너무 모범적이어서 회사에서는 '군자'라고 불릴 정도의 남자이다. 도치기栃木현 우쓰노미야宇都宮 태생의 시골 출신으로, 남과의 교제에 서툴러 이성과 교제한 경험은 한 번도 없었다.

그 나이가 될 때까지 그가 결혼하지 않은 것은 경제적인 사정에서도 아니고 여자를 싫어해서도 아니었다. 그에게는 재산도 있고, 월급도 적지 않았다. 몸집은 작은 남자였지만, 얼굴도 못생긴 편은 아니었다.

다만 그에게는 결혼이라는 것에 하나의 꿈이 있었다. 당시에 행해지던 맞선을 보고 결혼한다는 형식이 도저히 이해가 되지 않았다. 세상에 대해 아무것도 모르는 어린 여자를 맡아서, 아내로서 부끄럽지 않을 정도로 교육시켜, 어느 연령에 달했을 때, 서로 좋아하고 있다면 부부가 된다는 그런 식의 결혼을 그는 생각하고 있었다.

그런데, 운명적으로 그에게 안성맞춤인 여성이 나타난다. 우연히 아사쿠사의 '카페 다이아몬드'에 들어갔을 때 병아리 호스티스를 하고 있는 계집애에게 왠지 끌리는 것을 느끼고 자주 그 가게에 다니다가, 그녀와 이야기하게 된다. 그녀의 나이는 아직 열다섯이고 이름은 나오미였다. 그는 우선 그 이름이 마음에 들었다. 마치 서양인의 이름 같다고 생각했다. 그러고 보니 생김새는 당시 유명한 미국 여배우 메리 픽퍼드를 닮았다. 어딘지 모르게 혼혈 같은 용모였다.

나오미의 그런 점이 마음에 든 그는, 그녀를 맡아서 돌봐주기로 한다. 당시의 나오미는 음울하고 말수가 적은 아이였다.

그는 나오미를 자신의 이상에 맞게 길러서, 아내로 삼고자 한다.

그의 마음을 단적으로 보여주는 대사는 다음과 같다.

> "나의 귀여운 나오미 짱, 나는 너를 사랑하고 있을 뿐만이 아니야, 실은 너를 숭배하고 있어. 너는 나의 보물이야. 내가 스스로 찾아내서 갈고 닦은 다이아몬드야. 그러니 너를 아름다운 여자로 만들기 위해서라면, 뭐든 사줄게. 내 월급을 모두 네게 줘도 좋아." _72~73쪽

하지만 나오미는 자신의 육체적인 매력에 눈을 뜨게 되고 모범적인 샐러리맨을 치인으로 타락시켜버리는 악녀가 된다. 그녀에 대한 재미있는 설명이 『문호 내비 다니자키 준이치로文豪ナビ 谷崎潤一郎)』(신초문고, 2015년)에 있기에 인용해본다.

> 「지성, 제로」 그래서 상스러운 말 밖에는 하지 못한다. 「모럴, 제로」 남자를 보면 그가 누구든지 간에 섹스를 한다. 「금전 감각, 제로」 낭비가 심해서 '금품을 대는 남자들'의 저금이 즉시 바

닥난다. 「가사 능력, 제로」 식사는 외식이나 배달 음식으로 때운다. 게다가 자신이 벗은 속옷을 아무렇지 않게 실내에 방치하는 「정리 못 하는 여자」. 그런데도 남자를 유혹하는 나오미의 육체적 매력은 최상. 백 점 만점에 백이십 점 이상이다. _ 24쪽

하지만 그가 바란 대로 되기는커녕, 오히려 그녀에게 정신적으로도, 물질적으로도 휘둘려 지독한 꼴을 당하지만, 우여곡절 끝에 두 사람은 부부로 살아가게 된다. 그리고 마지막은 다음과 같은 문장으로 끝이 난다.

이것으로 저희 부부의 기록은 끝입니다. 이것을 읽고 어처구니없다고 생각하는 사람은 웃어주세요. 교훈이 될 거라고 생각하는 사람은 좋은 본보기로 삼아주세요. 저 자신은 나오미에게 홀딱 반해 있으니까 어떻게 생각하든 상관없습니다. 나오미는 올해 스물셋이고 저는 서른여섯이 되었습니다. _ 364쪽

책장을 덮는 순간, 십수 년 전에 읽었을 때는 새드엔딩이라는 생각에 찜찜함이 남았는데, 이번에 다시 읽었을 때는 사실은 해피엔딩이구나, 하는 생각에 상쾌함마저 들었다. 가와이 조지는 겉에서 보기에는 찌질한 남자일지도 모르지만, 본인 입장에서는 자신이 사랑할 뿐 아니라 숭배하는 여자와 함께 사니 진정 행복한 사람이겠구나, 하는 생각이 들었다. 인생이란 남들이 뭐라고 하건 자신이 행복하면 되는 거니까.

장미꽃이 아름다운 건 가시가 있기 때문이다. 가시가 없다면 장미는 장미가 아니게 된다. 나오미는 장미다. 날카로운 가시가 돋친 장미다. 가와이 조지는 나오미가 좋았다. 날카로운 가시가 있어 좋은 것이다. 가시가 없었다면 가와이 조지는 나오미에게 매력을 느끼지 못했을 게 분명하다.

기묘한 부부 형태지만 어떤 식으로든 행복하다면 성공한 결혼이라고 생각한다. 가와이 조지는 가와이 조지대로 행복하고, 나오미는 나오미대로 행복하면 그걸로 된 것이다.

이 책을 읽으며 나오미가 악녀임은 틀림없지만, 참 영리한 여성이라는 생각이 들었다. 왜냐하면 자신의 장점을 잘 알고 그것을 잘 활용하는 여성이기 때문이다. 여성, 남성을 떠나서 자신의 장점을 알아서 그것을 잘 활용할 수 있다면 더 행복한 삶을 살 수 있을 것 같다.

이 책을 쓰게 된 배경

『치인의 사랑』은 관동대지진으로 다니자키 준이치로가 관서로 이주한 다음 해인 1924년 3월부터 1925년 7월까지 발표한 작품이다. 전반부는 「오사카 매일신문大阪每日新聞」에, 후반부는 잡지 「여성女性」에 연재되었다. 항간에 여주인공의 이름을 따서 '나오미즘'이라는 단어를 유행시켰을 뿐만 아니라, 이 작품의 성공은 오랫동안 슬럼프에 빠져 있던 작가를 슬럼프에서 벗어나게 했다.

그런데 이런 파격적인 이야기는 어떻게 쓰게 된 것일까. 그것을 살펴보기 위해서는 그의 생애를 알 필요가 있는데, 특히 그의 결혼과 관련이 있다. 『치인의 사랑』은 그의 첫 번째 아내의 여동생, 즉 처제와의 관계에서 탄생했다. 이에 세 번에 걸친 그의 그의 세 번의 결혼에 대해서 정리해보려고 한다. 『다니자키 준이치로—인물과 작품』(후쿠다 기요토福田清人, 2016년 8월 30일, 시미즈서원清水書院)에 그 경위가 자세히 나와 있기에 이 책을 참고로 삼아 정리해보겠다.

① 첫 번째 결혼

그의 첫 번째 결혼은 1915년 29세 때, 19살이던 이시가와 치요코石川千代子와의 결혼이다. 치요코는 그가 알고 지내던 게이샤 오하쓰お初의 여동생이다. 다니자키는 실은 오하쓰와 결혼하고 싶었다. 오하쓰는 이미 결혼한 몸이었는데, 그것을 알면서도 그는 그녀와 결혼하고 싶어 했다. 왜냐하면 오하쓰는 다니자키의 취향에 딱 맞는 요부형 여자였기 때문이다. 하지만 그녀는 자신의 분수를 알고, 자신의 동생 치요코를 권한다. 치요코는 게이샤를 하다가 남편과 사별하고 홀로된 여자였다. 다니자키는 상대가 오하쓰의 여동생이고, 전에 게이샤를 한 적도 있다고 하니 요부형 여자라고 생각하고, 치요코와 거의 연애 기간 없이 결혼한다.

신혼생활은 행복한 것처럼 보였으나, 불행이 빨리 찾아왔다. 원인은 다니자키가 생각하던 아내의 성격과 실제 아내의 성격이 너무도 달랐던 것에 있었다. 그는 현실에 타협하여 예술 생활이 파괴되는 것을 두려워했기 때문에 평범한 가정생활의 행복은 조금도 바라지 않았다. 그런데 치요코는 예전에 게이샤를 하던 사람이라고는 생각되지 않을 정도로 정숙하고 순종적이며 가정적인 여자였다. 즉, 치요코는 모범적인 아내였지만, 다니자키는 그 점이 마음에 들지 않았다.

얼마 지나지 않아 다니자키는 치요코와는 말도 하지 않게 되었다. 아내가 까다로운 남편의 마음에 들기 위해 노력하면 노력할수록 다니자키는 아내를 무시하게 되었다. 그리고 아내로 만족할 수 없었던 요부적 성격을 그녀의 여동생 세이코에게서 찾아냈다. 세이코는 1915년에 아직 13세의 소녀였으나 이미 남자를 남자로 여기지 않는 대담한 성격의 조짐을 보였다.

다음 해 첫 아이가 태어났지만, 다니자키는 아이의 탄생을 기뻐하기보다는 세이코를 기르는 데 몰두했다. 세이코를 떠맡아 자신의 악마주의적 예술관에 맞는 여성으로 기르려고 생각했다.

1917년 어머니가 돌아가시자, 다니자키는 홀로된 아버지를 돌보라는 명목으로 처자식을 시댁에 보내고 자신은 가나가와神奈川현 구게누마鵠沼에서 세이코와 동거한다. 세이코는 다니자키의 교육대로, 아니 그 이상으로, 자유분방한 여성이 되어 있었다. 정숙하고 가정적인 치요코와는 정반대의 여성으로, 집안일은 일절 하지 않고, 낭비와 놀이로 세월을 보내는 여자였다. 다니자키의 도움으로 살고 있음에도 젊은 불량소년들과 구게누마 해안을 싸돌아다녔다. 더는 다니자키가 감당하지 못할 정도로 세이코는 방탕한 여자였다. 다니자키는 세이코를 견제하기 위해서 여배우와 사귀어 보기도 했지만, 그것이 오히려 세이코를 자극하여 그녀는 다니자키 앞에서 모습을 감추고 말았다.

다니자키는 구게누마의 집에서 떠나, 세이코의 행방을 찾았지만, 전혀 알 수 없었다. 마침내 찾은 그녀는 니혼바시에서 게이샤가 되어 있었고 더욱 요염해진 세이코의 모습에 다니자키는 아연실색했다.

1920년, 영화를 좋아했던 다니자키는 다이쇼大正 영화사에 문예 고문으로 참가한다. 다이쇼 영화사 스튜디오가 요코하마横浜에 있었기 때문에 그는 요코하마에도 집이 있었다. 그는 거기서 세이코와 동거한다. 그리고 자신이 시나리오를 쓴 영화 「아마추어 구라부」에 세이코를 출연시키기도 한다. 그는 자신의 가족이 있는 오다와라小田原와, 세이코와 동거하는 요코하마를 오가는 생활을 한다.

그즈음 부부의 불화는 이미 한계를 넘었다. 아내 치요코는 다니자키의 무분별한 처사에 병을 안고 살았다. 이런 치요코 부인을 곁에서 지켜보던 다니자키의 친구 사토 하루오佐藤春夫(1892~1965, 시인이자 소설가, 비평가)의 동정은 서서히 애정으로 바뀌었다. 다니자키는 만약 하루오가 치요코를 정말로 사랑하고 치요코도 하루오와 부부가 되는 것을 싫어하지 않는다면, 자신은 치요코와 이혼할 의지가 있다고 두 사람에게 넌지시 알린다.

얼마 지나지 않아 아내는 하루오와 결혼하겠다는 의지를 밝힌다. 그러나 당시 다니자키는 세이코에게 휘둘리고 있었다. 다니자키에게 경제적인 원조를 받고 있었음에도 세이코는 미남

배우와 연애 중이었다. 자신이 그런 여성으로 키웠음에도 불구하고 다니자키는 심히 불쾌해했다. 세이코가 다른 남자에게 가버리고, 아내가 사토 하루오에게 가버리면 자신은 단번에 고독한 몸이 된다. 그래서일까. 다음 해인 1920년 3월, 다니자키는 치요코와 이혼하지 않기로 하고, 사토 하루오와 절교한다. 이것을 소위 '오다와라 사건'(당시 다니자키 준이치로가 오다와라에 거주하고 있었기 때문에 붙여진 이름)이라고 부른다. 그러나 10년 후인 1930년 다니자키는 아내와 이혼하고, 아내를 사토 하루오에게 양도한다. 이 사건은 『아사히신문朝日新聞』(1930년 8월 19일)에도 보도되는 등 사회적 이슈가 된다.

이 첫 번째 결혼으로 두 편의 소설이 탄생한다. 결혼 후부터 요코하마에서의 동거까지 다니자키와 처제 세이코와의 관계가 『치인의 사랑』, 아내 치요코를 사토 하루오에게 양도한 사건이 『여뀌 먹는 벌레蓼喰う虫』로 탄생한 것이다.

지금도 아내를 두고 처제와 살림을 차리거나, 아내를 친구에게 양도하는 일이 일어난다면 사람들은 놀라움을 금치 못할 것이다. 그런데 지금부터 약 100년 전에 이런 일을 일으키다니. 정말 예술가란 일반인들과는 감각이 다른 모양이다.

② 두 번째 결혼

두 번째 결혼은 아내 양도 사건이 있었던 다음 해인 1931년, 당시 문예춘추사 기자였던 후루카와 도미코古川丁未子와의 결혼이다. 다니자키는 45세, 도미코는 25세였다.

다니자키가 1930년 8월 아내 양도 사건으로 세상을 떠들썩하게 하며 아내와 이혼하자 그 후 매스컴이 그의 뒤를 쫓기 시작했다. 그해 12월, 당당하게 기자회견을 하여 구혼 7개 조를 제시한다.

1. 관서지방 여자일 것. 단, 순 교토풍 여자는 좋아하지 않음.
2. 일본 특유의 머리 모양이 어울리는 사람일 것.
3. 가급적 여염집 여자일 것.
4. 25세 이하로, 가급적 초혼일 것.
5. 미인은 아니라도 손발이 예쁠 것.
6. 재산, 지위를 바라지 않는 사람.
7. 고분고분하고 가정적인 여자일 것.

그는 구혼 7개 조를 제시하고 나서 약 4개월 후인 1931년 4월 도미코와 결혼한다. 구혼 7개 조는 도미코를 염두에 두고 작성한 것으로, 이것을 제시하기 전부터 이미 두 사람은 사귀고 있었다. 즉 자신을 쫓는 매스컴을 역이용하여 세상을 현혹한 것이다.

두 사람은 1927년에 처음 만났다. 1923년 관동대지진을 겪고 관서지방으로 이사 후 한 권에 1엔 균일인 값싼 책이 유행하면서 막대한 수입을 얻게 되자 1927년 오카모토岡本에 저택을 짓는다. 이 신축한 집에서 『만자卍』를 쓰고 있었는데, 이 작품은 표준어로 썼으나, 관서지방 여성의 고백체의 소설이었기 때문에 간사이 사투리로 바꾸고자 했다. 당시 오사카 여자 전문학교 영문과 학생 여러 명을 조수로 삼아 이 작업을 했는데, 그중 한 명이 후루카와 도미코였다. 다니자키는 당시 41세, 도미코는 21세였다. 그녀는 학교 졸업 후 취직난을 겪고 있을 때 다니자키의 도움으로 문예춘추사의 기자가 된다.

도미코의 집안의 강력한 반대에도 불구하고 다니자키가 강하게 밀어붙여 두 사람은 결혼하게 된다. 그러나 두 사람의 결혼생활은 불과 2년 정도밖에 되지 않는다.

결혼 실패 원인 중에는 다니자키가 그리고자 하는 작품의 분위기와 도미코 부인의 성향이 정반대였다는 것도 있지만, 무엇보다 분명한 이유는 다니자키가 전부터 마음에 둔 여성이 있었다는 것이다.

여기까지만 살펴봐도 다니자키가 참 부도덕한 사람인 것처럼 여겨진다. 처제와의 동거, 구혼 7개 조 제시, 이미 식을 대로 식어 무늬만 부부였다고는 하지만 아내와 이혼 전부터 스무 살이나 어린 여자와의 연애 그리고 결혼, 오래전부터 마음에 둔 여성과의 결혼을 위해 현 아내와 이혼. 그의 인생이 참으로 파격적이고 센세이셔널하다. 다니자키는 자신의 실생활을 바탕으로 작품을 썼다고 하는데, 그렇다면 그의 실생활은 자신의 작품을 위한 거름이었을까. 아니면 작품을 위해 파격적인 생활을 추구한 것일까.

③ 세 번째 결혼

세 번째 결혼은 1935년 다니자키가 49세일 때, 당시 30세였던 네즈 마쓰코根津松子와의 결혼이다. 이미 결혼하기 전인 1934년 3월부터 동거하고 있었고 이때 두 번째 부인과 별거 중이었지만 정식으로 이혼하지 않은 상태였다. 도미코 부인과 정식으로 이혼한 것은 1934년 10월이다.

마쓰코는 유부녀로 1남 1녀의 어머니이자, 다니자키의 손이 닿을 것 같지 않은 세계에 사는 여성이었다. 그녀는 조선소 대지주의 네 자매 중 둘째 딸로 태어나 1924년 21세 때 네즈 세이타로根津清太郎와 결혼한다. 네즈 집안은 자산은 수백만 엔이고, 200년이나 계속된 오사카 굴지의 목면 도매상이었다. 그녀는 뭐 하나 부러울 것 없이 자란 화려하고 아름다운 여성으로, 결혼 후에도 일류 화가들을 불러 자신의 의상을 디자인하게 하여 그것을 입고 세상 사람들을 놀라게 했다. 남편 또한 문학예술에 이해가 깊어, 작가나 화가들의 후원자가 되어 작가들과 사귀곤 했다. 하지만 결혼한 지 얼마 지나지 않아 남편의 방탕으로 부부 사이는 멀어지게 된다.

다니자키는 아쿠타가와 류노스케芥川竜之介(1892~1927, 소설가)가 살아 있을 때, 그의 소개로 네즈 마쓰코를 만난 적이 있다. 화려한 의상을 입었음에도 요란하지 않고 우아한 분위기의 네즈 마쓰코를 다니자키는 내내 잊지 못했다. 그리고 1931년에는 마쓰코의 요청으로 네즈 집안 별장의 별채를 빌려 살게 된다. 이후 네즈 집안은 남편의 방탕으로 몰락하는데, 저택마저 남의 손에 넘어가자 초라한 집으로 옮겨 살게 되었다. 이때 다니자키도 옆집으로 이사한다. 이후 마쓰코는 남편과 이혼하고, 다니자키는 동경하던 마쓰코와 결혼한다.

첫 번째 부인과 이혼하기 전부터 마쓰코 부인을 동경했으니, 실은 두 번째 부인은 대체품에 불과했는지도 모르겠다. 다니자키는 세 번째 부인인 마쓰코 부인과 79세로 생을 마감할 때까지 30년 동안 함께 산다. 그리고 생을 마감하기 직전까지 집필 활동을 한다.

마쓰코 부인과 결혼하자마자 바로 『겐지 이야기源氏物語』 현대어 번역을 시작한다. 도중에 『고양이와 쇼조와 두 여자猫と庄造と二人の女』를 썼을 뿐 일체의 원고 청탁을 거절하고, 3년에 걸쳐 완성한다.

'때로는 오전 4~5시부터 밤 11~12시까지 책상 앞에 앉아 있던 적도 드물지 않았다. 매일 하는 저녁 산책 시간, 편지 한 통 쓰는 시간조차 아까울 정도'였다고 하니 그 의욕이 대단하다.

『겐지 이야기』 현대어 번역 후 쓴 소설이 바로 『세설細雪』이다. 『세설』로 인해 다니자키 문학의 인기는 전 국민적인 것이 되었고, 1947년에는 매일출판사문학상을, 1949년에는 아사히문학상과 문화훈장을 받았다. 『세설』은 네 자매의 이야기인데, 세 번째 아내 마쓰코 부인의 자매를 모델로 삼았다고 한다. 다니자키 작품 중 최장 장편소설일 뿐 아니라 근대 소설 중 걸작이라는 말에 즉시 구미가 당겨 『세설』을 구매했다. 세 권으로 나뉘어 있는 신초문고판이었는데, 상과 중은 300페이지가 넘고 하는 400페이지가 넘는 긴 소설이다. 현재 『세설』 상권을 읽는 중이다. 지금까지 읽은 느낌을 말한다면 1930년대 일본 상류층의 일상을 엿

보는 느낌이다. 지금도 상류층 사회에 대한 관심은 지대하다. 잡지만 봐도 '청담동 며느리 패션' '청담동 사모님 패션'이니 하는 것들이 나오니 말이다.

결론적으로 말하면 『세설』은 마쓰코 부인과의 결혼으로 탄생한 작품이다.

앞에서도 언급했듯이 다니자키는 자신의 결혼생활을 통해 『치인의 사랑』 『여뀌 먹은 벌레』 『세설』 등 여러 걸작을 쓸 수 있었다. 『치인의 사랑』이 쓰인 배경에 관해 이야기하다 보니 너무 길어진 것 같기도 하지만, 다니자키의 작품을 더 깊이 이해하기 위한 배경 지식으로 읽어주시면 감사하겠다.

다니자키의 처녀작이자 출세작인 『문신』

『치인의 사랑』 앞에 그의 다니자키의 처녀작이자 출세작인 『문신刺青』을 함께 수록했다. 『문신』은 1910년, 그가 24세 때 발표했다. 읽어 보면 알겠지만 『치인의 사랑』과 『문신』은 많은 공통점을 가지고 있다. 일단 여성과 남성 한 쌍이 주인공으로 등장하고, 주인공 여성이 악녀의 기질을 가지고 있다. 『치인의 사랑』의 나오미는 가와이 조지와 함께 살며 서서히 악녀가 되어가고, 『문신』의 계집아이는 천재 문신사에 의해 자신 안에 있는 악녀의 기질을 깨닫는다.

『문신』을 쓰고 나서 14년 후, 다니자키가 37세에 쓴 소설이 『치인의 사랑』인데, 어쩌면 이리도 구도가 비슷한지. 길고 짧음의 차이만 있을 뿐, 내용상으로는 큰 차이가 없는 것 같다.

두 작품을 비교하며 읽어보는 재미도 쏠쏠할 것이다.

끝으로 이 책이 나오기까지 수고해주신 새움출판사 편집부 여러분과 이 책의 출판을 허락해주신 이대식 대표님께 깊은 감사의 말씀을 드린다.

다니자키 준이치로 연보

1886년 7월 24일 도쿄東京 시 니혼바시日本橋 구 가키가라蛎殻 초에서 아버지 구라고로倉五郎, 어머니 세키関의 차남으로 태어났으나 장남이 태어난 지 얼마 되지 않아 죽었기 때문에 장남이 됨. 외할아버지는 쌀 시세 속보를 인쇄하는 일을 했는데 상당히 유복했음. 아버지는 돈을 버는 능력이 없었음.

1892년 (6세) 9월, 니혼바시 구 사카모토坂本 초의 사카모토 소학교에 입학. 겁이 많아 학교에 가는 것을 싫어하여, 2학년으로 진급하지 못함.

1993년 (7세) 4월부터 1학년을 다시 다님. 이번에는 수석으로 수료. 아버지가 경영하는 곡물 중매인 일이 경영부진에 빠짐.

1897년 (11세) 고등과에 진학.

1898년 (12세) 친구들과 회람잡지 「학생구라부学生倶楽部」에 『학생의 꿈』 발표. 문학 취미의 최초의 발현.

1901년 (15세) 사카모토 소학교 졸업. 사정 형편상 진학을 단념하고 있었으나, 스승과 벗의 도움으로 부립府立 제일 중학교에 입학. 교우회 잡지에 문장을 발표하기 시작.

1903년 (17세) 가정 형편이 점점 어려워져 입주 가정교사가 됨.

1905년 (19세) 3월 제일 고등학교 영법과에 입학.

1907년 (21세) 입주 가정교사 집의 하녀 후쿠코福子와 연애. 그 때문에 일을 잃음. 영문과로 전과.

1908년 (22세) 도쿄제국대학 문과대학 국문과에 입학.

1909년 (23세) 「제국문학帝国文学」 「와세다문학早稲田文学」에 투고하나 원고가 실리지 않음. 실의와 초조로 심한 신경쇠약에 걸림. 나가이 가후永井河風(1879~1959, 소설가이자 수필가)의 『아메리카 이야기あめりか物語』을 읽고 '자신의 예술상 혈통'을 발견.

1910년 (24세) 제2차 「신사조新思潮」를 오야마우치 가오루小山内薫, 1881~1928를 중심으로 창간. 『문신刺青』 등을 발표. 학비 체납으로 대학에서 퇴학 당함. 11월, 문학가와 화가들의 모임인 「판의 모임」에서 나가이 가후를 만남. 『문신刺青』 『기린麒麟』 발표.

1911년 (25세) 나가이 가후가 「미타문학三田文学」 『다니자키 준이치로의 작품谷崎潤一郎氏の作品』을 써서 격찬. 『비밀秘密』을 「중앙공론中央公論」에 발표하여 작가적 위치를 확립. 『소년少年』 『호칸幇間』 발표.

1912년 (26세) 신경쇠약 재발. 징병검사를 받으나 불합격. 『악마悪魔』발표.

1915년 (29세) 이시가와 치요코石川千代子와 결혼. 도쿄 도 혼조本所 구 신코우메新小梅 초에 신혼살림을 차림. 『오쓰야 죽이기お艶殺し』 『오사이와 미노스케お才と巳之介』 발표.

1916년 (30세) 장녀 아유코鮎子 태어남. 에세이『아버지가 되어父となりて』 『신동神童』 발표.

1917년 (31세) 어머니 돌아가심. 에세이 『활동사진의 현재와 장래活動写真の現在と将来』 『인어의 탄식人魚の嘆き』 『이단자의 슬픔異端者の悲しみ』 발표.

1918년 (32세) 중국여행을 함. 『금과 은金と銀』 『작은 왕국小さな王国』 발표.

1919년 (33세) 아버지 돌아가심. 이 무렵부터 사토 하루오佐藤春夫(1892~1965, 시인이자 소설가, 비평가)와 교제를 시작함.

1920년 (34세) 다이쇼大正 영화사에 문예 고문으로 참가, 다니자키 원작 시나리오 영화 「아마추어 구라부」에 당시 동거 중이던 세이코(다니자키의 처 치요코의 동생)를 출연시킴.

1921년 (35세) 3월 아내를 사토 하루오에게 양보하겠다고 한 말을 바꾸어, 아내와 이혼하지 않기로 하고 사토 하루오와 절교하는 오다와라小田原 사건을 일으킴.

1922년 (36세) 6월, 희곡 『오쿠니와 고헤이お国と五平』를 「신소설新小説」에 발표. 다음 달, 제국극장에서 연출.

1923년 (37세) 9월 1일 하코네箱根에서 관동대지진을 겪고, 9월 하순에 교토京都로 이사.

1924년 (38세) 3월, 『치인의 사랑痴人の愛』 「오사카 매일신문大阪毎日新聞」(6월에 중단)에 연재. 11월, 그 속편을 「여성女性」(다음 해 7월에 완결)에 연재. 『치인의 사랑』이 엄청난 인기를 얻음.

1925년 (39세) 7월, 『치인의 사랑』을 가이조사改造社에서 간행.

1926년 (40세) 다시 중국여행. 한 권에 1엔 균일인 값 싼 책이 유행하면서 다니자키는 막대한 수입을 얻음.

1927년 (41세) 아쿠타가와 류노스케芥川竜之介(1892~1927, 소설가)와 소설 플롯의 가치에 대해 논쟁을 주고받으나 얼마 지나지 않아 아쿠타가와 자살.

1928년 (42세) 『만자卍』를 발표. 『여뀌 먹은 벌레蓼喰う虫』를 「도쿄일일東京日日」「오사카매일신문大阪毎日新聞」에 연재.

1929년 (43세) 『여뀌 먹은 벌레』를 가이조사에서 간행.

1930년 (44세) 아내 치요코를 사토 후미오에게 양도. 소위 아내 양도 사건이 발생. 8월 19일 「아사히신문朝日新聞」에도 보도 되는 등 크게 화재가 됨. 『난국 이야기乱菊物語』를 대중소설이라는 명목을 내걸고 발표.

1931년 (45세) 후루카와 도미코古川丁未子와 결혼. 『장님 이야기盲目物語』 『요시노구즈吉野葛』 『무주공 비화武州公秘話』 발표.

1933년 (47세) 도미코와 별거. 『슌킨쇼春琴抄』 수필 『음예예찬陰翳礼讃』 발표.

1934년 (48세) 3월 네즈 마쓰코根津松子와 동거. 10월 도미코와 정식으로 이혼. 『문장 독본文章読本』 발표.

1935년 (49세) 마쓰코와 결혼. 『겐지 이야기源氏物語』현대어 번역을 시작.

1936년 (50세) 『고양이와 쇼조와 두 여자猫と庄造と二人の女』발표.

1938년 (52세) 『겐지 이야기』 현대어 번역 완성. 다음 해부터 3년 걸려 출판됨.

1943 년(57세) 「중앙공론中央公論」에 연재 중인 『세설細雪』이 군부의 탄압으로 연재중지. 은밀히 집필을 계속함.

1944년 (58세) 7월, 『세설』 상권을 자비 출판하여 지인들에게 나누어줌. 11월, 『세설』 중권을 탈고하나, 군 당국이 인쇄를 금지함.

1946년 (60세) 『세설』 상권 간행. (중권은 1947년, 하권은 1948년에 간행.)

1947년 (61세) 3월, 『부인공론婦人公論』『세설』하권을 연재(1948년 10월 완결).

1949년 (63세) 1월, 『세설』로 아사히 문화상을 수상. 11월, 제8회 문화훈장을 수상. 『소장 시게모토의 어머니少将滋幹の母』 『달과 교겐사月と狂言師』 발표.

1950년 (64세) 『겐지 이야기』의 새 번역에 착수하여 4년 후 완성.

1955년 (69세) 『유년시절幼少時代』 『과산화망간수의 꿈過酸化満俺水の夢』 발표.

1956년 (70세) 『열쇠鍵』 발표.

1959년 (73세) 『꿈의 부교夢の浮橋』를 발표. 1947년부터 고혈압으로 괴로워하던 작가는 1958년 발작을 일으킨 후 오른손의 감각이 이상해져서 이 무렵부터 구술口述로 글을 쓰기 시작.

1961년 (75세) 『미친 노인의 일기瘋癲老人日記』 발표.

1962년 (76세) 『부엌 태평기台所太平記』 발표.

1964년 (78세) 일본인 최초로 미국문학미술아카데미 명예회원으로 선출.

1965년 (79세) 7월 30일 아침, 가나가와神奈川 현 유가와라湯河原 초 자택에서, 신부전과 심부전이 병발하여 사망.